NICU
ベッドサイドの診断と治療

第

編著
河井昌彦
京都大学大学院医学研究科新生児学講座特定教授

第5版の序文

　本書の発刊は2003年，私の娘たち（双子）が生まれた年でした．その子たちも，今年，立派に成人式を迎えました．この約20年の間に新生児医療も多岐にわたり，またそれぞれの分野の専門性がますます高くなり，私一人が語るのは荷が重いと感じるようになりました．そこで，今回は，京都大学医学部附属病院NICUのスタッフ3名にも分担執筆してもらうこととしました．

　　第2章　超早産児の管理（友滝・花岡・荒木）
　　第3章　呼吸器疾患の管理（荒木）
　　第4章　循環の管理（花岡）
　　第6章　中枢神経系の管理（友滝）
　　第7章　感染症の管理（花岡）

　現在の，京都大学NICUの実際の診療が，現場により近い目線で書かれており，これまで以上に実践的な書になったと思います．是非，ベッドサイドで診療に役立ててください．
　私の担当した分野に関しても，かなり大きな改訂をしました．第4版出版後に改訂されたガイドライン・診療指針は，なるべく取り入れたつもりですし……
　京都大学NICUにおける，日々の診療，定例のカンファレンス・輪読会・読書会などを通して，私の知識もより整理されました．この間の，私の「成長」を感じ取っていただけるものと確信しています．

　本書が，新生児診療の一助となること，そして，新生児診療の魅力を感じる1冊となることを念じています．

令和5年2月

京都大学大学院医学研究科新生児学講座　特定教授

河井昌彦

序

　NICU において，初めて未熟児・新生児を間近に見て，恐る恐るその小さな身体に触れ，命の尊さ・不思議さを感じつつも，途方に暮れてしまっている… 本マニュアルはそんな研修医・看護師の方々のために書かれたものです．皆さんが，助けを求めている赤ちゃんを目の前にした時，何時までも途方に暮れていずに，どんな風に考え，どんな行動を起すべきか？ その道しるべとなることを願っています．

　大学病院では，まだ“よちよち歩きの新人”が第一線で実際の患者さんたちに相対さなければなりません．本マニュアルはNICU 初心者もこのマニュアルに沿って，実際の臨床に携わる事を想定してあるため，NICU 専門医を対象にした他のマニュアルに比較して，若干Over Treatment の傾向があり，教科書的ではない記載があることは否めません．また情報量が多すぎると，どれが本当に重要なのかが分かりにくくなってしまうため，本書には我々が日頃行っていることのみを記載しました．その点は，あらかじめ御理解いただきたいと思います．

　従来，京都大学医学部附属病院未熟児センターは年間入院数約80 名の小規模なセンターに過ぎず，数年前までその活動は決して活発とはいえない状況でした．しかし，2000年頃より，その診療・卒後研修制度の充実を図り，2002 年には年間入院数は150 名近くまで増え，2003年度にはNICU 認可取得の予定です．2001 年以降，極低出生体重児の入院は年間20 名前後ですが，これらの児においても生存率は92％，PVL 症例ゼロと良好な成績を収めるようになりました．

　この間，我々が重点を入れたことのひとつが，本マニュアルの作成です．NICU 初心者が診療に当たるに際して，如何に効率よくNICU の研修成果を挙げるか？ 如何にミス無く治療成績を上げるか？ には，実践に役立つ分かりやすいマニュアルが必須と考え，2001年に第1 版を作成しました．京都大学関連のNICU の先生方のご意見を参考にしつつ，年々改訂を加え，完成したのが本マニュアルです．このマニュアルは，京都大学独自の記載に加えて，倉敷中央病院・大阪府立母子保健総合医療センター・大津赤十字病院・土浦協同病院などで研修してきた者達が，そのそれぞれの良さを持ち寄って作成しています．この場をお借りして，それぞれの施設の関係者の方々に感謝いたします．

　最後に，我々はより良い研修・臨床を目指して，今後も発展してゆきたいと願っています．本書に関しまして，ご意見・ご質問がございましたら，是非お寄せください．

平成15 年10 月
編集代表　京都大学医学部附属病院 NICU医長
河井 昌彦
E-mail: masahiko@kuhp.kyoto-u.ac.jp

目次

第1章　総論 河井昌彦

1 研修の心得 2
1. 心得：医療はチームワークである 2
2. カルテの記載について 2
3. その他 3

2 小児科医の立ち会いを要する分娩 4

3 仮死の蘇生 6
1. 出生前の準備 6
2. 蘇生の実際 7
3. 気管挿管 17
4. 早産児の蘇生 18

4 入院時ルーチン 20
1. NICU入院時の処置の流れ 20

5 入院中ルーチン 22
1. ルーチン・ワーク 22
2. 新生児マス・スクリーニング 22
3. ビタミンKの投与 22
4. 1ヵ月健診 23

6 新生児の診察の仕方 24

第2章　極低出生体重児の管理 友滝清一，花岡信太朗，荒木亮佑

1 入院にあたって 34
1. 入院前に知っておくべき情報 34
2. 出生に際して（分娩室・手術室にて） 35
3. NICU入室に際して 36
4. 入院当日（急性期）検査項目 38
5. 薬物療法の実際 38

2 急性期の呼吸・循環管理 41
1. RDS（respiratory distress syndrome，呼吸窮迫症候群） 41
2. 超早産児の急性期管理 46
3. 動脈管開存症（patent ductus arteriosus；PDA） 54

3 亜急性期・慢性期の管理   63

  1. 新生児慢性肺疾患（chronic lung disease in the newborn; CLD） ……… 63
  2. 早産児のsilent aspiration ……………………………………………… 67
  3. 早産児晩期循環不全 …………………………………………………… 68

4 未熟児網膜症   72

  1. ハイリスク児の全身管理 ……………………………………………… 72
  2. レーザー治療時の管理 ………………………………………………… 74

第3章 呼吸器疾患の管理   荒木亮佑

1 呼吸管理の実際   76

  1. 機械的人工換気療法 …………………………………………………… 77
  2. 経鼻的持続陽圧呼吸
    （nasal continuous positive airway pressure; nasal CPAP）……………… 87
  3. ハイフローセラピー …………………………………………………… 88
  4. 気管挿管施行中のケア ………………………………………………… 89

2 無呼吸発作   93

3 新生児一過性多呼吸（TTN）   95

4 胎便吸引症候群（MAS）   97

5 肺出血・出血性肺浮腫   99

6 エアリーク   101

7 新生児遷延性肺高血圧症（PPHN）   105

第4章 循環の管理   花岡信太朗

1 循環管理の基本   112

  1. 心不全 …………………………………………………………………… 112
  2. 心エコーの撮り方 ……………………………………………………… 115

2 先天性心疾患の管理   125

  1. 先天性心疾患 …………………………………………………………… 125
  2. 疾患別の管理 …………………………………………………………… 127
  3. 心雑音を認める児の取り扱い ………………………………………… 130

第5章　輸液・栄養の管理

河井昌彦

1　経静脈栄養　134

1. 輸液量の設定 ………………………………………………… 134
2. 輸液療法の実際（基礎編） ………………………………… 135
3. 高カロリー輸液 ……………………………………………… 135

2　経腸栄養　142

1. 母乳栄養 ……………………………………………………… 142
2. 経腸栄養の開始 ……………………………………………… 144
3. 経腸栄養の実際 ……………………………………………… 145
4. 摂取カロリーの計算法 ……………………………………… 147
5. トラブルへの対処 …………………………………………… 147

3　低Na血症・高K血症　153

1. 低Na血症 …………………………………………………… 153
2. 高K血症 ……………………………………………………… 153
3. 胎児・新生児の尿中電解質の特徴 ………………………… 154

第6章　中枢神経系の障害と管理

友滝清一

1　新生児発作　158

1. 新生児発作の新たな概念 …………………………………… 158
2. 新生児発作の診断 …………………………………………… 159
3. 新生児の脳波 ………………………………………………… 159
4. aEEG ………………………………………………………… 160
5. 新生児発作に対する薬物療法 ……………………………… 163

2　新生児仮死の蘇生後の管理と脳指向型集中治療　166

1. 仮死後の呼吸障害とその管理 ……………………………… 166
2. 仮死後の循環障害とその管理 ……………………………… 166
3. 仮死後のその他の問題とその管理 ………………………… 167
4. 低酸素性虚血性脳症（HIE） ……………………………… 168
5. 脳指向型集中治療（brain oriented intensive care） …… 168
6. 仮死の初期治療に必要な薬剤の使い方 …………………… 173

3　頭蓋内出血　175

1. 脳室内出血（IVH） ………………………………………… 175
2. 脳実質出血 …………………………………………………… 177
3. くも膜下出血（SAH） ……………………………………… 178
4. 硬膜下血腫（subdural hemorrhage） …………………… 178

4　脳室周囲白質軟化症（PVL）　179

5　頭部エコーの撮り方　183

1. 大泉門からのアプローチ …………………………………… 184

2. 主な評価（何をチェックしたいのか？） ……………………………… 186
3. 脳血流ドプラ計測（新生児仮死児の脳血流・脳浮腫の評価） …………… 186

6 聴性脳幹反応（ABR） 188

7 その他の中枢神経奇形 190

第7章　感染症の管理 花岡信太朗

1 ハイリスク児の感染予防 192
1. 正期産児の感染予防 …………………………………………………… 192
2. 極低出生体重児の感染予防 …………………………………………… 193
3. 外科手術中・術後の感染予防 ………………………………………… 195

2 細菌感染症 196
1. 診断 ……………………………………………………………………… 196
2. 治療前の注意 …………………………………………………………… 197
3. 抗菌薬治療 ……………………………………………………………… 197
4. 抗菌薬以外の治療 ……………………………………………………… 201
5. 新生児の特殊な細菌感染症 …………………………………………… 201

3 真菌感染症 203
1. 全身性カンジダ症 ……………………………………………………… 203
2. 鵞口瘡 …………………………………………………………………… 205
3. おむつカンジダ ………………………………………………………… 205

4 ハイリスク児に対するパリビズマブの投与 206
1. RSV 感染症 ……………………………………………………………… 206
2. パリビズマブ投与の実際 ……………………………………………… 206
3. パリビズマブの適応 …………………………………………………… 206

第8章　黄疸の管理 河井昌彦

1 黄　疸 210
1. 新生児に黄疸が多い理由 ……………………………………………… 210
2. 病的黄疸の原因 ………………………………………………………… 210
3. 黄疸の鑑別のために必要な検査 ……………………………………… 211
4. 黄疸の治療 ……………………………………………………………… 212
5. 退院前検査 ……………………………………………………………… 213
6. 早産児の黄疸管理 ……………………………………………………… 214

第9章　血液疾患の管理

河井昌彦

1　未熟児貧血　216

1. エリスロポエチン　216
2. 鉄　剤　216
3. 輸　血　217

2　多血症　219

3　血小板減少症　220

1. 病　因　220
2. 発症時期と病因　221
3. 診　断　221
4. 治　療　222

4　DIC（播種性血管内凝固）　224

1. 早期新生児期のDICパラメーターの正常値　224
2. 早期新生児期のDICの診断　225
3. 治　療　227
4. 交換輸血　228

5　ビタミンK　229

1. 新生児・乳児ビタミンK欠乏性出血症に対するビタミンK製剤投与の改訂ガイドライン　229
2. 2021年の提言を受けて　231

第10章　消化器疾患の管理

河井昌彦

1　新生児メレナ（新生児出血性疾患）　234

1. Apt試験　235

2　胎便栓症候群，胎便病　236

3　壊死性腸炎　238

1. 病　因　238
2. 症　状　239
3. 診　断　239
4. 治　療　242

4　消化管閉鎖症　243

1. 先天性食道閉鎖症　243
2. 先天性十二指腸閉鎖症　244
3. 先天性小腸閉鎖症　244
4. 鎖肛（直腸肛門奇形）　245

5　腸回転異常症　246

| 6 | ヒルシュスプルング病 | 248 |

| 7 | 先天性横隔膜ヘルニア | 250 |

1. 診　断 ……………………………………………………………………………… 251
2. 治　療 ……………………………………………………………………………… 252
3. 長期的な合併症 ………………………………………………………………… 252

| 8 | 臍帯ヘルニア | 253 |

| 9 | 腹壁破裂 | 254 |

| 10 | 消化管造影検査 | 255 |

1. 方　法 ……………………………………………………………………………… 255

第11章　腎・泌尿器疾患の管理
河井昌彦

| 1 | 急性腎不全 | 258 |

1. 分　類 ……………………………………………………………………………… 258
2. 検査・診断 ……………………………………………………………………… 259
3. 治　療 ……………………………………………………………………………… 260
4. NICUで使用する利尿薬 ……………………………………………………… 262

| 2 | 腎・尿路系のエコーの撮り方 | 264 |

1. 超音波検査の実際 ……………………………………………………………… 264
2. 検査結果の解釈と対応 ………………………………………………………… 265

第12章　合併症を持つ母から出生した児の管理
河井昌彦

| 1 | 代表的なウイルスの母子感染 | 268 |

1. B型肝炎ウイルス（HBV）…………………………………………………… 268
2. C型肝炎ウイルス（HCV）…………………………………………………… 269
3. HIV/AIDS ………………………………………………………………………… 270
4. サイトメガロウイルス（CMV）…………………………………………… 272
5. HTLV-I ……………………………………………………………………………… 275
6. 単純ヘルペスウイルス（HSV）…………………………………………… 275
7. 梅毒妊婦から出生した児への対応 ………………………………………… 277

| 2 | 主な母体合併症と新生児の管理 | 281 |

1. 糖尿病 ……………………………………………………………………………… 281
2. 甲状腺機能亢進症（Basedow病）………………………………………… 283
3. 母体甲状腺機能低下症による新生児甲状腺機能低下症 …………… 287
4. 特発性血小板減少性紫斑病（ITP）………………………………………… 287
5. 膠原病（抗SS-A抗体・抗SS-B抗体陽性）……………………………… 289
6. てんかん ………………………………………………………………………… 290

7. 新生児薬物離断症候群 ················· 291

3 多　胎 294

1. 双胎間輸血症候群（TTTS） ················· 294

第13章　代謝・内分泌疾患の管理
河井昌彦

1 性分化疾患 298

1. 性分化の過程のポイント ················· 298
2. Ambiguous genitalia の形成過程 ················· 299
3. 性別判定を保留すべき外性器所見とは？ ················· 300
4. 染色体分析の結果と性別 ················· 301

2 低血糖症 302

1. 新生児の血糖値に対する基本的な考え方 ················· 302
2. 低血糖症の診断 ················· 303
3. 高インスリン血性低血糖症の治療 ················· 306

3 低Ca血症・早産児骨減少症 310

1. 早発性低Ca血症（生後48時間以内） ················· 310
2. 早産児骨減少症 ················· 310

4 早産児の低サイロキシン血症の取り扱い 316

1. 早産児における出生後の甲状腺機能の変化 ················· 316
2. 極低出生体重児の遅発性一過性甲状腺機能低下症とは ················· 317
3. 甲状腺機能の検査・治療指針（京都大学案） ················· 318

5 先天性代謝異常症 319

1. 妊娠中に発症する疾患 ················· 319
2. 生後まもなくから発症する疾患 ················· 320
3. 生後無症状の時期があった後に発症する疾患 ················· 321
4. ライソゾーム病，ペルオキシソーム病 ················· 323

6 アミノ酸分析の見方 325

1. アミノ酸分析はどういう場合に検査するか？ ················· 325
2. 検体採取の際の注意点 ················· 325
3. データを正しく読むために ················· 325
4. データが返ってきたら ················· 326
5. 具体的なアプローチ ················· 326

7 マス・スクリーニング検査 328

1. 新生児マス・スクリーニングの検体の採取 ················· 328
2. マス・スクリーニングの対象疾患 ················· 329
3. タンデムマス法で診断可能疾患が広がった意義 ················· 329

第14章　染色体異常症

河井昌彦

1　染色体異常症 　332

- 1. 染色体の基礎 ……………………………………………………… 332
- 2. 染色体異常症の分類 …………………………………………… 332
- 3. 染色体異常症の頻度 …………………………………………… 332

2　染色体分析・遺伝子検査の種類 　333

3　新生児期に診断可能な染色体異常症 　336

- 1. 母体血を用いた出生前遺伝学的検査（NIPT）……………… 336
- 2. 13 トリソミー ……………………………………………………… 337
- 3. 18 トリソミー ……………………………………………………… 338
- 4. Down 症候群（21 トリソミー）……………………………… 338
- 5. Turner 症候群 …………………………………………………… 339
- 6. Prader-Willi 症候群 …………………………………………… 340
- 7. Noonan症候群 …………………………………………………… 340
- 8. Williams 症候群 ………………………………………………… 342
- 9. Cri-du-chat 症候群（猫なき症候群）……………………… 342
- 10. Angelman 症候群 ……………………………………………… 343
- 11. Miller-Dieker 症候群 ………………………………………… 343
- 12. 22q11.2 欠失症候群　CATCH22（DGS/VCFS/CAFS）…………… 344

略語一覧 …………… 345
索　　引 …………… 349

執筆者一覧

編　著
河井昌彦　　　京都大学大学院医学研究科新生児学講座 特定教授

著　者（五十音順）
荒木亮佑　　　京都大学大学院医学研究科新生児学講座 特定助教
友滝清一　　　京都大学医学部附属病院小児科 特定病院助教
花岡信太朗　　医療法人財団足立病院小児科

（2023年4月1日現在）

第1章

総論

第1章／総論

1 研修の心得

✎ Key point

どんな職場にもルールがあり，そのルールを守らないメンバーが一人でもいると，仕事がスムーズに流れないものである．この項には，NICUで働くにあたって知っておくべき"ルール"をまとめた．

1 心得：医療はチームワークである

- 診療の方針・スケジュールなどは自分だけがわかっていても意味がないことを肝に銘じる．
  - 1）カルテ・指示簿は自分の考えを他人に伝えられるよう，丁寧に書く．
  - 2）指示を出した場合は，担当看護師に一声かけておく．
- 処置をするときは自分勝手にせず，NICU全体の仕事の流れも考える．
  - 1）ミルク増量の指示は1日分のミルクを分注する前に出す．
  - 2）処置が哺乳時間にかからないようにする．
- 挿管チューブの抜去など，その後の注意を要する処置などはできるだけ午前中に行う．
- 経験のある医師，看護師の意見には素直に耳を傾け，思い込みに陥らないよう心がける．

2 カルテの記載について

- 第1にカルテは公文書であることを肝に銘ずる．決してメモ用紙ではない！
  - 1）カルテは毎日書くこと．特に急性期は状態の変化が激しいため対応して記載していく．例えば，動脈管開存症に対する薬物治療による治療介入をする場合，「どういう検査所見からどう判断して，治療開始を決定したか？　合併症のリスクについてもご家族にも説明し，メリット・デメリットを考慮した上で実施することとした」旨を必ず記載する．万一，治療が奏功せず，合併症が出現した場合，このようなカルテ記載がないことは大きな問題となりうる．
- カルテ・指示簿は自分の考えを他人に伝えられるよう，丁寧に書く．抗菌薬の溶解法なども記載する．
- 新生児の場合，体重・点滴内容・1日水分出納・摂取カロリー・主要な検査所見（血糖・電解質・ビリルビン値など）は必ず記載する．
  - 1）家族へのインフォームドコンセントの内容は必ずカルテに記載する．

2) 毎週1回はサマリーをつけ，自分の頭の中で問題点を整理するとともに，他のスタッフにも現在の問題点を明示する習慣を付ける．

3 その他

1) 他科受診を行う際は，目的意識を持って行う．
2) 退院時には母子手帳を記載する．母子手帳は一生持ち続ける大切なものであり，丁寧に書く．
3) 退院サマリーは速やかに書く．
   退院当日に状態が急変して，救急外来を受診することもある．その際，診察にあたった医師が対応に困らないよう，退院当日には書き上がっていることが望ましい．
   退院サマリーの記入項目（出生体重，在胎週数など）は漏れのないように．
4) 周産期医療は24時間体制が原則である．すなわち，何か困ったことやわからないことがあった場合は速やかに指導医に相談する．数時間の遅れが生死に関わる場合があること，大きな後遺症の要因になり得ることを肝に銘じる．

MEMO
電子カルテ

　京大病院NICUでは，すべてのカルテが電子化されて，すでに15年以上が経過した．手書きによるミスなどは激減し，もう手書きカルテになんて戻れない！というのが現状である．
　しかし，電子カルテになってもやはり重要なことは「入力したよ！」と一声かけることで，「人と人との直接的なコミュニケーション」は欠かせない．

第1章／総論

2 小児科医の立ち会いを要する分娩

✎ Key point

出生時のトラブルが後遺症につながる事例は後を絶たない．事前に産科医と情報交換し，本項に示したようなリスクが予想される分娩には積極的に立ち会い，適切な蘇生を行うことが重要である．

表1-1　新生児のリスクを増加させる因子

出生前のリスク因子

- 母体糖尿病
- 妊娠性高血圧
- 慢性高血圧
- 母体の慢性疾患
    - 心血管系疾患
    - 甲状腺疾患
    - 神経疾患
    - 呼吸器疾患
    - 腎疾患
- 貧血
- 胎児死亡
    - または新生児死亡の既往
- 妊娠中期
    - または後期の出血
- 母体の感染症
- 羊水過多
- 羊水過少
- 前期破水

- 過期産
- 多胎
- small-for-dates
    - またはheavy-for-dates
- 母体の薬物療法
    - 例）炭酸リチウム
        - マグネシウム
        - アドレナリン拮抗薬
- 母体の薬物乱用
- 胎児奇形
- 胎動減少
- 妊婦検診未受診
- 年齢<16歳または>35歳

分娩中のリスク因子

- 緊急帝王切開
- 鉗子または吸引分娩
- 骨盤位または他の異常胎位
- 早産
- 絨毛膜羊膜炎
- 長期破水（分娩前>18時間）
- 遷延分娩（第2期<2時間）
- 胎児徐脈
- 胎児心拍数モニタリングの異常

- 全身麻酔の使用
- 過強陣痛
- 分娩前4時間以内の母体への麻酔薬投与
- 胎便で汚染された羊水
- 臍帯脱出
- 胎盤剥離
- 前置胎盤

表1-1 のリスクファクターを踏まえて，以下の分娩は小児科医による分娩立ち会いを行うこととする．

- 妊娠36週未満の分娩
- 推定体重2,300g未満の分娩
- 胎児心拍モニターで仮死が予想される症例
- 推定体重4,000g以上の分娩
- 破水後48時間以上経過・母体のCRP高値など新生児感染が予想される症例
- 骨盤位分娩
- 緊急帝王切開
- 多胎分娩
- 出生時より症状を呈し得るような先天奇形が疑われている症例
- 出生後まもなくより，児に影響し得る母体疾患がある場合（糖尿病・ITPなど）

第 1 章 / 総論

3 仮死の蘇生

✎ Key point

　ここ十数年の周産期医療の最も大きな変化はNCPR（新生児蘇生法）が全国に広まったことであろう．これまで，各施設，いや各医師が「おらが大将」でやってきた蘇生法が統一され，日本中いや世界中が1つのプロトコールに沿った治療法を実践するようになったのである．これは画期的なことであり，ここでは，2020年に改訂された国際蘇生連絡委員会（ILCOR）のガイドラインについて解説する．

1 出生前の準備

▶1 情報の収集

　母体と胎児の情報から新生児仮死の可能性を予測して，万全の体制で分娩に臨むことが大切である．新生児仮死と関連するリスク因子は，前項「小児科医の立ち会いを要する分娩」を参照のこと．また母体の感染情報（COVID-19，肝炎ウイルス，HIV）を確認して，蘇生に参加するすべてのスタッフが，適切な感染予防措置を取ることも怠ってはならない．

▶2 分娩に立ち会うスタッフ

　すべての分娩には，出生した児のケアのみに専念できるスタッフが最低1人は必要である．突然の予期せぬ仮死に遭遇した場合も，小児科医師が到着するまでに蘇生を始めなければならない．よってすべてのスタッフは「蘇生のアルゴリズム（後述）」，「バッグマスク換気」，「胸骨圧迫」をマスターしておかなければならない．

　ハイリスクの分娩には，「気管挿管」，「薬物投与」を含めた完全な蘇生を行うことができるスタッフが立ち会う．極低出生体重児や多胎の分娩においては，複数のスタッフを集め，あらかじめ役割分担を決めておく．

▶3 物品の準備

　蘇生に必要な物品を 表1-2 に示す．複数のサイズがあるものについては，児の推定体重に合わせて準備する．またこれらの物品が確実に機能することを定期的にチェックしておく．

表1-2	新生児の蘇生に必要な物品

保温と気道開通，酸素投与のために必要なもの

- ラジアントウォーマー（ヒーター出力を最大にしておく）
- 温めたタオル（羊水で濡れてしまった場合は取り替えるので複数枚準備）
- 吸引カテーテル（鼻口腔吸引用6〜10Fr，胎便吸引用12〜14Fr，気管内吸引用4〜6Fr）
- 吸引器（吸引圧は100mmHgもしくは13kPaを超えないように設定しておく）
- 聴診器
- 酸素と流量計（加温加湿されている方が良い）
- 空気とブレンダー
- Tピース蘇生装置（レサシフロー®）
- パルスオキシメーターと専用プローブ

バッグマスク換気のために必要なもの

- ジャクソンリース型（流量調節式）もしくはアンビュー型（自己膨張式）バッグ（高濃度酸素を投与できるようにリザーバーを接続）
- フェイスマスク（成熟児用と未熟児用）
- マノメーター
- 4〜6Fr栄養チューブ（経口胃管として挿入し，陽圧換気中の腹部膨満を防ぐ）と20mLシリンジ

気管挿管のために必要なもの

- 直型ブレード喉頭鏡（超未熟児用No.00，未熟児用No.0，成熟児用No.1），予備の電球と電池
- 気管チューブ（児の推定体重に適当な内径サイズのものと，細いものを複数準備）
- スタイレット
- チューブ口角固定用のテープと，安息香酸
- 呼気二酸化炭素検出器（MiniSTAT®）
- 0号のラリンジアルマスク（"cannot ventilate, cannot intubate"＝バッグマスク換気が無効で，気管内挿管も不可能な場合に使用する）

薬物投与のために必要なもの

- アドレナリン（ボスミン®）と希釈用の生理食塩水
- 容量負荷，薬剤投与後のフラッシュ用の生理食塩水
- 10％ブドウ糖液
- これらを調剤，準備するためのシリンジと針を複数準備
- 5Fr栄養チューブ（気管内投与用）
- 臍帯カテーテル挿入用品

2 蘇生の実際

Ⓐ 新生児蘇生のアルゴリズム（2020年度版）

2020年に改訂された新生児蘇生のアルゴリズムを示す．

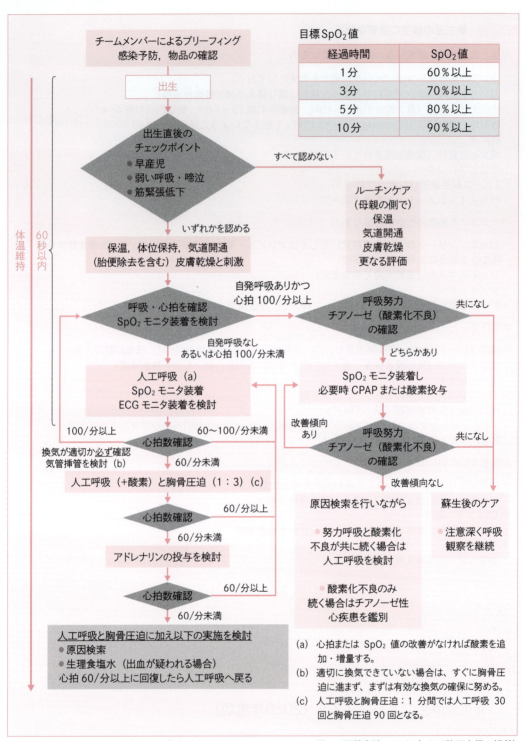

(一般社団法人日本蘇生協議会. JRC蘇生ガイドライン2020, p 234, 図1, 医学書院, 2021年より許可を得て掲載)

①早産児か？　呼吸・筋緊張の3つを評価して，次の行動を決定する．すなわち，正期産児であり，かつ元気に泣き筋緊張が保たれていれば，胎便汚染の有無などに関係なく，ルーチンケアを行えばよい．

②「早産児，弱い呼吸・啼泣，筋緊張低下」の3項目のいずれか1つでも認める場合は，「保温・体位保持・気道開通・皮膚乾燥と刺激」を行う．一方，3項目すべてに異常がなく，呼吸が確立し，心拍数が100回/分以上に安定し，チアノーゼが軽減する傾向が確認できれば，蘇生は終了である．

③②の処置を行った後，呼吸・心拍数を再評価し，自発呼吸がない，あるいは心拍数が100/分未満であれば，ただちにバッグマスクで陽圧換気を開始する．重要なことは，出生から60秒以内に陽圧換気を開始することである．

④毎分60回と100回のリズムを身体で覚える．心拍数が毎分100回あるか？が蘇生のステップを決定する重要ポイントとなるからである．

▶1　出生直後のチェックポイント

出生直後のチェックポイントは，「早産児，弱い呼吸・啼泣，筋緊張低下」の3項目である．「早産児，弱い呼吸・啼泣，筋緊張低下」の3項目をすべて認めない場合はルーチンケア，1項目でも認める場合は蘇生の初期処置に進む．

▶2　ルーチンケア

出生直後のチェックポイント3項目をクリアした場合はルーチンケアに進む．具体的には，以下のケアを行う．

- 保温
- 気道開通：気道を確保する体位を取らせること．ルーチンの気道吸引は不要．
- 皮膚乾燥：羊水を素早く拭き取り，濡れたリネンは取り替える．
- 更なる評価

ケアの項目は以上であり，従来のものと変わらない．

▶3　蘇生の初期処置

出生後のチェックポイント3項目のうち1項目でも異常を認めた場合は，以下の処置を行う．

- 保温
- 体位保持：児頭の位置を整えることが重要．具体的には，頸部を少し伸展させ，何かの匂いを嗅いでいるような"sniffing position"をとらせる．
- 気道開通（胎便除去を含む）：吸引の原則は，まずは口から，次に鼻を吸引すること．過度の吸引は迷走神経反射を誘発し，徐脈・無呼吸を招く恐れがあることに留意する．なお，胎便による羊水混濁がある場合は，太めの吸引チューブを使用する．

● 皮膚乾燥と刺激：足底を叩く，脊柱に沿って背中を優しく擦ることによって，呼吸促進を図る．ただし，数回刺激を加えても無呼吸が続くなど状態が改善しない場合は，刺激を加えることに固執せず，速やかにバッグマスク換気を開始する．

▶4 蘇生の初期処置の評価と次の処置

①蘇生の初期処置が終わったら，呼吸・心拍数を評価する．
- 呼吸の評価：自発呼吸の有無を評価する．
- 心拍数の評価：2005年度版までは，心拍数の評価は臍帯拍動の触知が第一選択とされてきた．しかし，この方法では過小評価する恐れがあるとの判断から，2010年の改訂以降，胸部聴診を第一選択とすべきであるとされた．
- 胸部聴診による心拍数の計測は，6秒間カウントした心拍数を10倍するのが一般的で，計測したスタッフが6秒後には確実に周囲に伝達することが重要である．

②酸素化の評価：従来はここで「皮膚色」を評価し，中心性チアノーゼの有無の評価が必須項目とされていたが，2010年の改訂以降，皮膚色の評価は削除された．これは，この時期に中心性チアノーゼがあることは病的とは言えず，また視診では中等度以下のチアノーゼを見落としやすく，正しい評価が難しいためである．そこで，正確な評価のために，パルスオキシメーターの装着を検討するとの文言が加わっている．なお，この時期にはまだ肺高血圧が持続している可能性が高く，Preductal（動脈管血合流前）の酸素飽和度を測定するためには，右上肢に装着することが重要である．

▶5 自発呼吸があり，かつ心拍数が100回/分以上の場合

- 努力呼吸，中心性チアノーゼが共にない場合：蘇生後のケアに移る．
- 努力呼吸，中心性チアノーゼのどちらかがある場合：
  （a）皮膚色によるチアノーゼの評価は不正確なため，パルスオキシメーターを右上肢に装着し，酸素飽和度を客観的に評価する．
  （b）蘇生処置としては，まず空気を使用して，持続陽圧呼吸（CPAP）を開始する．5～6cmH₂O程度の陽圧をかける．
  （c）持続陽圧呼吸（CPAP）が維持できない状況下では，フリーフロー酸素投与を行う．
  すなわち，酸素投与はパルスオキシメーターの測定値を見ながら，酸素過剰にならないよう，慎重に行うべきである．
- これらの処置を行い，すべてが解消すれば蘇生後のケアへ移る．
- 一方，これらの処置を行っても，努力呼吸・中心性チアノーゼが改善しない場合は，原因検索を行いながら，以下の対処を行う（この対応が2020年の大きな改訂事項の1つである）．
  ・努力呼吸と酸素化不良がともに続く場合は人工呼吸を検討する
  ・酸素化不良のみ続く場合は，チアノーゼ性心疾患を鑑別する

注意　「空気を使用して持続陽圧呼吸（CPAP）を開始する」ことが推奨されているが，これを実施するには，流量調節式バッグ（ジャクソンリースバッグ）を空気で使用する必要がある．ただし，流量調節式バッグを空気で使用するためには圧縮空気が必要であり，空気配管あるいは空気ボンベが必要となる．また，パルスオキシメーターの測定値を見ながら酸素濃度を調節するよう推奨されており，このためには酸素ブレンダーも必要となる．少なくとも，早産出生を取り扱う施設ではこれらの設備をすべて揃えておく必要がある．

▶6　自発呼吸なし，あるいは心拍数が100回/分未満の場合

　「蘇生の初期処置」を行っても，呼吸・心拍数の安定（自発呼吸が確立し，心拍数100回/分以上）が得られない場合には，バッグマスクによる人工換気を開始する．使用する空気（酸素）は原則，正期産児の場合は空気で換気を開始する．早産児では，パルスオキシメーターの計測値を見ながら，酸素濃度を調節する．

　また，この段階で「心電図モニターの装着を検討する」ことが明記されている．これは，循環動態の不安定な児ではパルスオキシメーターの表示がでないことが多く，心電図モニターの方が正確な評価に有益ではとの考えによる．

注意　「空気で人工換気を開始する」には，流量調節式バッグ（ジャクソンリースバッグ）を使用しようと思えば，やはり空気配管あるいは空気ボンベが必要となる．自己膨張式バッグ（アンビュバッグ）なら，酸素を外すだけで使用することは可能だが……
早産児の場合は，やはり酸素ブレンダーも含めて一式そろえる必要がある．

表1-3　**蘇生用バッグの違い**

ポイント	自己膨張式バッグ	流量調節式バッグ	Ｔピース蘇生器
高濃度酸素投与	リザーバーがあれば可	投与可能	投与可能
最大呼気圧（PIP）	バッグを揉む力による	バッグを揉む力による	本体の設定による
呼気終末時陽圧（PEEP）	PEEP弁がないと調節不能	流量調節弁による	PEEPキャップによる
吸気時間	バッグを揉む時間による	バッグを揉む時間による	PEEPキャップを塞ぐ時間
過剰な圧を防ぐ装置	ポップオフバルブ	なし	最大圧設定ツマミ
その他	空気源が不要で，場所を選ばず使用できる	バッグの膨らみ具合から，気密性を確認できる	商品名はレサシフロー®（アトム社）

補足： バッグマスク換気を成功させるためのポイント

①適切な大きさのマスクを選ぶ.

　マスクは児の口と鼻を覆い，目は覆わないような大きさが適切であり，いくつかのサイズを準備しておく．早産児を，正期産児用のマスクで効果的に換気することはできない.

②片手でマスクを顔面に密着させながら，頭の位置を整えて気道を確保する.

　sniffing position を保つように，児の頚部を軽度伸展し，あご先を挙上させる．母指と示指でマスクを "C" の字型に包み込むように持ち密着させ，残りの指で下顎を前方に保持する．児の眼球を圧迫しないように気をつける.

③適切な圧をかけてバッグを揉み，換気が成功していることを確認する.

　"適切な圧" は児の肺の状態によって異なる．液体で満たされた児の肺に空気を送り込むために，最初の数回の換気は，しばしばその後の換気よりも高めの吸気圧と長めの吸気時間が必要である．換気の成功は，バッグマスクの前後で児の心拍数・皮膚色・筋緊張が改善することにより判断する．改善が認められない場合には胸郭の上昇を確認する．明らかに胸郭が上昇しているのに，それ以上強い圧をかけてはならない．その後は毎分40〜60回のペースで，心拍数・皮膚色・筋緊張が改善した状態を維持するのに最小の圧をかけて換気する．自己膨張式バッグを用いる場合は，高濃度酸素で換気ができるようにリザーバーを接続する.

陽圧換気をしても徐脈が改善せず，胸郭上昇も確認できない場合のチェックポイント

1) マスクと顔面の密着がゆるくないか？

2) 気道が閉塞されていないか？

　● 頭の位置を整え，鼻口腔に分泌物があれば吸引する.

　● 児の口は少し開けた状態で換気を試みる.

3) もう少し高い吸気圧が必要ではないか？

　● 胸郭の上昇が確認されるまで圧を上げていく.

　　　　以上を確認しても解決しない場合には，気管挿管を考慮する

▶7　30秒間人工換気を行っても，心拍数が60〜100回/分である場合

　30秒間バッグマスクによる人工換気を行っても，なお心拍数が60〜100回/分にとどまる場合は，バッグマスク換気が適切に行われているか（上記ポイント参照）を確認する必要がある．その上で，更に30秒間のバッグマスク換気を行った後に再評価する.

▶8 30秒間人工換気を行っても，心拍数が60回/分未満である場合

　胸郭の上昇が確認できるバッグマスク換気を30秒間続けても，心拍数が毎分60回未満から改善しなければ，長時間の低酸素血症の影響で心収縮力は著しく低下しており，肺血流が不十分であるため酸素化された血液を十分に取り込めない状態にあると考えられる．
- もはや換気だけを続けても状態は改善しないため，速やかに胸骨圧迫を開始する．
- 介助者は同時に気管挿管や薬物投与の準備をする．
  ①胸骨圧迫は，両手で児の胸郭を包み込むように保持して，両母指を胸骨下3分の1の部分に重ねるか，並べて置く．背中に指が届かないか，臍帯静脈から薬物投与を行う場合には，一方の手で児の背中を支えつつ，もう一方の手の2本指で胸骨を圧迫する（図1-1）．
  ②効果的な心拍出量を得るには，胸郭前後径の約3分の1の深さまで圧迫しなければならない．また圧迫を解除する時には，胸郭を完全に拡張させて，静脈から血液を戻さなければならないが，圧迫と圧迫の間で指を胸から離してはならない．
  ③胸骨圧迫と陽圧換気は，互いが同時に重ならないように協調的に行う．気管挿管して換気を行えば，より効率が上がる．2秒1サイクルの間に，胸骨圧迫3回，陽圧換気1回であり，「1・2・3・フー」と掛け声をかけて行う．浅すぎる，ゆっくりすぎる胸骨圧迫では効果がない．

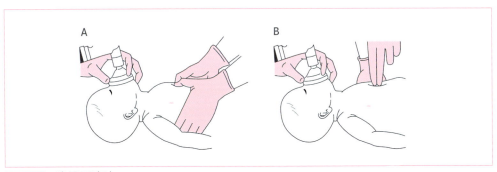

図1-1 胸骨圧迫法

> **注意** 新生児以外では，胸骨圧迫の重要性が強く謳われているが，新生児の仮死の原因のほとんどは換気不全に基づくものである．今回の改訂でも特殊なケース（明らかな心原性心停止）を除いて3：1の比率が堅持された．

▶9 人工呼吸・胸骨圧迫を30秒間実施しても心拍数が60回/分未満である場合

　有効な陽圧換気と胸骨圧迫を約30秒間続けても，心拍数が毎分60回未満から改善しなければ，アドレナリン（ボスミン®）を投与する．この流れそのものは従来と変わらないが，2020年度版では，アドレナリン投与がより強調される書き方に変わった．
　しかし徐脈が改善しない原因で最も多いものは，有効な換気と胸骨圧迫が施されていない

ことである．改めて以下の点を確認する．

①陽圧換気中に胸郭の上昇は確認できるか？

②既に気管挿管されていれば，チューブの位置は適切か？

③100％酸素を使用しているか？

④胸骨圧迫の深さは胸郭前後径の3分の1まで達しているか？

⑤胸骨圧迫と陽圧換気は協調的に行われているか？

補足： **薬物投与の実際**

①薬物投与の方法としては，静脈からの投与が推奨されるが，臍帯静脈あるいは骨髄針の使用も考慮される．また，他のルートが確保されるまでは気管内に投与する．アドレナリンの投与量は，静脈投与の場合10,000倍希釈液（10倍希釈ボスミン®）0.1〜0.3mL/kg/回，気管内投与の場合は0.5〜1.0mL/kg/回である．

②臍帯静脈から投与した後は生理食塩水0.5〜1.0mLでフラッシュする．徐脈が改善しなければ，まずは換気と胸骨圧迫が有効に行われているかどうかを確認する．アドレナリンは3〜5分ごとに追加投与する．

③前置胎盤，常位胎盤早期剥離，臍帯出血などで大量の失血があると，児は低容量性ショックに陥っており，そのために蘇生に対する反応が悪い可能性がある．この場合，臍帯静脈から10mL/kgの生理食塩水を5〜10分かけて投与する．

④メイロン®は出生直後の児の蘇生でのルーチン使用は推奨されていない．カルチコール®も，明らかな低Ca血症が証明されなければ適応とはならない．

注意 蘇生時の容量負荷は従来しばしば行われてきたが，慎重に行うように改訂された．これは，アドレナリンを使用しても心拍数が上昇しないような場合には，心筋障害が生じている危険性が高く，容量負荷は弱った心筋には負荷の増大になるのみ……との考えによる．

Ⓑ 児の状態の評価

アプガースコアを用いて， 表1-4 の5項目について出生後1分，5分経過して時点で採点する．アプガースコアは蘇生中の次の行動を決めるための指標ではないことに注意．

表1-4 アプガースコア

	0	1	2
心拍数	なし	徐脈（100/分未満）	100/分以上
呼吸	なし	ゆっくり，不規則	良好，啼泣あり
筋緊張	弛緩	やや屈曲	活発な運動
吸引刺激に対する反応	反応なし	しかめ面	咳，くしゃみ，啼泣
皮膚色	全身青色または蒼白	体幹ピンク，四肢青色	全身ピンク

C 蘇生後の管理

仮死状態で出生し，蘇生を必要とした場合，バイタルサインが正常化した後にも，状態が悪化する恐れがあるため，注意が必要である．

▶1 ルーチンケア

児を温め，必要ならば気道を吸引し（ルーチンではない），羊水を拭き取り，皮膚色がピンクになるのを見届ける．

▶2 持続的なケア

出生前に何らかのリスク因子がある場合，羊水や皮膚が胎便で汚染されていた場合，チアノーゼが消失するまでに時間がかかり酸素投与を必要とした場合には，慎重に経過を観察する．必要に応じて呼吸循環状態のモニタリングを行い，頻回にバイタルサインを評価できるよう保育器内に収容するが，児の状態が許せば，可能な限り両親にはタッチングや抱っこの機会を与える．

▶3 蘇生後のケア（NICU入院）

少なくとも陽圧換気以上の処置を必要とした児は，再び状態が悪化したり，子宮外環境への適応障害による合併症が出現したりする危険性が高い．そのため，バイタルサインのモニタリングや呼吸循環状態の評価が可能なNICUで管理する．蘇生後のケアの詳細については別項に譲る（→6章2 新生児仮死の蘇生後の管理と脳指向型集中治療）．

▶4 低体温療法

正期産もしくは正期産に近い児（在胎36週以上）で，中等症から重症の低酸素性虚血脳症の児は，生後6時間以内に冷却を開始する．低体温療法に関しては後述する．

Ⓓ 蘇生の中止

　蘇生に反応しない特殊な原因として，気胸・胎児診断のついていない横隔膜ヘルニア・先天性心疾患などが考えられる．

　適切な蘇生を10分以上行っても心拍が全く出現しなければ，蘇生の中止が考慮される．しかし蘇生を中止する明確な基準はなく，各施設により異なる．

補足：

　蘇生の差し控えに関して，Consensus 2005では「蘇生の差し控えの対象として"在胎23週未満""体重400g未満""13トリソミー""18トリソミー"など具体的な病名が挙げられていたが，Consensus 2010以降，「在胎期間・出生体重・先天奇形から早期死亡や受け入れがたい重篤な転帰がほぼ確実に予想されるときには，蘇生を差し控えるのは倫理的である」との一般的な表現に改訂された．Consensus 2020でも，Consensus 2010の理念が踏襲されている．

Consensus 2020年度版の主な変更点（要約）

1) 2015度版までは，自発呼吸があり，かつ心拍100/分以上の際に，努力呼吸・チアノーゼがともにある場合のみ，CPAPまたは酸素投与といった処置を行うことになっていたが，2020年度版では，努力呼吸・チアノーゼのどちらか一方でもある場合には処置に進む流れに変わった．

2) 2015度版までは，自発呼吸があり，かつ心拍100/分以上だが，努力呼吸・チアノーゼがともにあり，CPAPまたは酸素投与を行っても改善がない場合は，人工呼吸器開始以外に記載はなかった．しかし，2020年度版では，このような場合のうち，酸素化不良のみが続く場合は，積極的にチアノーゼ性心疾患を鑑別に上げるべきだと明記された．

3 気管挿管

　気管挿管のタイミングには様々な要素が関係し，蘇生をするスタッフの経験もその1つである．挿管に不慣れなスタッフは，何度も失敗して貴重な時間を失うよりは，他の医師が到着するまで確実にバッグマスク換気を続けた方が良い．一般的に気管挿管を行うべきタイミングは，次のような場合である．

①胎便性羊水混濁があり，児の自発呼吸や筋緊張，心拍数が抑制されている場合．ルーチンの挿管条件ではなくなったが，やはり考慮されるべき病態であろう．
②陽圧換気によって児の状態が改善せず，胸郭上昇が確認できない場合．
③数分間以上の陽圧換気を必要とし，腹部膨満の恐れがある場合．
④胸骨圧迫が必要な場合（陽圧換気の効率を最大に上げ，なおかつ換気と胸骨圧迫を協調しやすくするために気管挿管を行う）．
⑤心拍数を上昇させるためにアドレナリンが必要な場合（静脈ルートが確保されるまでは気管内に直接薬剤を注入する）．

　この他にも，バッグマスク換気の難しい超未熟児，先天性横隔膜ヘルニア，出生直後から心拍が全く確認できない白色仮死の場合などがある．

食道挿管になっていないこと，チューブ先端位置の確認方法

1）両腋窩と上腹部の3点聴診で肺のエア入りを確認する．
2）挿管後の陽圧換気で徐脈が改善する．
3）呼気中の二酸化炭素検出器（PediCap®，MiniSTAT®）を用いる．
　食道挿管を否定することに関して，信頼度は1<2<3の順に高くなる．

　なお二酸化炭素検出器は人工呼吸管理中に急に酸素化が悪くなった場合に，計画外抜管を迅速に診断する方法としても極めて有効である．

表1-5　体重と在胎週数から予想される気管チューブのサイズと挿入の深さ

体重（g）	在胎（週）	チューブ内径（mm）	口角からの深さ（cm）
<1,000	<28	2.5	6.5〜7
1,000〜2,000	28〜34	3	7〜8
2,000〜3,000	34〜38	3.5	8〜9
>3,000	>38	3.5〜4.0	>9

※口角に気管チューブを固定する深さは，体重（kg）＋6cmで求められる．

4 早産児の蘇生

　未熟性が強ければ強いほど，児が子宮外環境に適応することは困難であり，仮死のリスクは高くなる．早産児の蘇生においては，以下のことが必要である．

▶1 蘇生の訓練を受けた複数のスタッフ

　極めて未熟な児の場合には，気管挿管の技術を持ったスタッフが蘇生に参加する．

▶2 保温のための追加の道具

　早産児の皮膚は薄く，体の大きさに比べて体表面積が大きく，皮下脂肪も少ないことから熱の喪失が大きい．分娩室の温度を上げて，ラジアントウォーマー下でタオルを温めておくことに加えて，児の体を覆うためのプラスチック製のラップを準備しておく．

▶3 ブレンダーとパルスオキシメーター

　胎児期の組織発達は，通常な比較的低酸素の環境で起こるものであり，早産児では酸素障害から体を守るためのメカニズムが十分に発達していない．よって，特に在胎32週未満の早産児に陽圧換気が必要な場合，高酸素血症をモニタリングして，適切な酸素濃度に変更できるように，ブレンダーとパルスオキシメーターを使用する．具体的にはSpO_2が95％を超える場合は酸素投与過剰と考えられるため，酸素濃度を下げる．

▶4 持続気道陽圧（CPAP）をかける

　仮死はないが努力呼吸が明らかな場合，流量調節式バッグのマスクを児の顔に密着させて，4〜6cmH_2O程度のCPAPをかけることが有効である．

MEMO

分娩室での予防的サーファクタント投与について

　在胎28週未満の早産児に対しては，生後1～2時間以内にサーファクタントを"予防的に"投与した方が，RDSが顕在化する生後4～6時間に"治療的に"投与するよりも，気胸や間質性肺気腫，死亡率の頻度は低くなると報告されている．

　一方で生後15分以内の予防投与と，生後1～2時間での早期治療的投与とを比較した試験はなく，生後何分以内に投与するのが最も効果的なのかは不明である．出生時のサーファクタント投与は，気管チューブの先端位置を確認する前に行われるために，食道内投与や不均一注入の恐れがある．

　個人的には，NICU入院後にX線写真やマイクロバブルテストからRDSに合致する所見を得て，気管チューブ先端位置を確認した後に，バイタルサインのモニタリングを行いながらサーファクタント注入を行った方が，安全で確実だと考えている．

第 1 章／総論

4 入院時ルーチン

✎ Key point

　　入院時の初期治療は児の一生を大きく左右する．要領良く，全身状態を評価し，治療を開始することが重要である．本項に，我々が日頃行っている入院時の処置を，順を追って示した．

1 NICU入院時の処置の流れ（極低出生体重児の場合は，p.36参照）

①体重測定

②インファント・ウォーマー下で，バイタルサインをチェックし，モニターを装着する．

③呼吸管理が必要な児は，まず呼吸を安定させる．

④培養採取（耳介後部皮膚・胃液・鼻腔）：必要ならば血培も．

⑤身長・頭囲・胸囲計測

⑥検尿（ウロラブ®・沈渣）

⑦採血：血液ガス分析（BGA，iCa，Na，K），血糖，CBC，CRP，生化学スクリーニング（AST/ALT/LDH/CPK/TP/ALB/BUN/CRE/ALP/Na/K/Cl/Ca/Mg），IgGAM（臍帯血で代用可）

⑧輸血が必要となる可能性のある児は血液型も採取する．

⑨体重2,200g未満，病児（低血糖症など）は静脈ラインを確保し，輸液開始する．
　　日齢2までは基本的に10%ブドウ糖液単独，以降はブドウ糖液＋生食，ソリタT3®またはフィジオ35®へと変更．

⑩ケイツーN®0.2mL/kg＝1mg/kg静注（最大2mg＝0.4mL）

⑪エコリシン®眼軟膏

⑫胸腹部X線

⑬血圧測定

⑭抗菌薬投与：

- CBC/CRP/病歴などから感染症が疑われる場合は，各種培養を提出後，ABPC，CTX各々100mg/kg/日（分2）．

- 24時間後，48時間後にCBC/CRP再検し，感染徴候の出現がなく，血液培養などの陰性が確認されれば中止を考慮する．
　　ただし，検索中に感染徴候を認めれば，検査所見の異常が消失するまで，投与を継続する．

- 母体情報などから，起炎菌が推定される場合は，その菌に対する感受性のある抗菌薬を使用する．

⑮頭部・心エコー

⑯1週間以上の経口摂取不能・カルチコール®の持続点滴などを必要とする児は末梢穿刺による
中心静脈ライン（PIカテーテル®）を確保する.

⑰循環・呼吸状態不良児は動脈ラインを確保する.

⑱入院時の家族への説明：分かりやすい説明を心がけ，内容をカルテに記載する．たとえ重症
の児であっても，ネガティブな態度に終始しないよう説明することが重要である.
入院診療計画書・治療に関する承諾書・輸血同意書などを手渡す.

⑲父親の入室面会：ベッドサイドで，もう一度病状を説明する．少しでもタッチングを促し，
愛着形成を促進させるよう努める.

第1章／総論

5 入院中ルーチン

Key point

　慣れてくると，何気なくこなしている日々の仕事をうっかり忘れて，大きなミスにつながることもある．それぞれの意味を理解し，実行することが重要である．以下に，我々の施設での"決まりごと"を列記した．

1 ルーチン・ワーク

● 連日，朝8時30分のカンファレンス（回診）までに，受け持ち患者の看護記録に目を通した後，診察・採血・X線撮影など必要な処置を済ませる．なお，X線撮影の際なるべく被曝が少なくなるよう配慮する．

● 定期の監視培養は，入院時以降は1〜2週間に1度提出する（鼻腔・便）．必要があれば，尿・便の培養も適宜提出する．

● ルーチン・ワークは施設によって考え方に差があるだろうが，それぞれの施設である程度のルーチンを定めることは必要であろう．

2 新生児マス・スクリーニング

　体重，週数に関わらず生後4〜5日に提出する．なお，抗菌薬使用中，あるいは終了後まもなく採取した場合はその旨を明記する．ただし，哺乳状態が不良の児・低出生体重児などでは再検を要す．

3 ビタミンKの投与

● 入院時に静脈ルートを確保する場合には，ケイツーN®を1mg/kg（最大2mg）静注する．ルートを確保しない場合は，確実に経口投与する（なお，時に親が児のビタミンKの内服を拒否する場合がある．このような場合は，その必要性を十分説明したうえで，それを拒否する内容を文書で得て，これをカルテに残す）．

● 2021年11月の日本小児科学会などから発表された「新生児と乳児のビタミンK欠乏性出血症発症予防に関する提言」に従い，ビタミンKの投与は哺乳確立時，生後1週または産科退院時のいずれか早い時期，その後は3ヵ月まで週1回，ビタミンK_2を投与する．

4 1ヵ月健診

　生後30日を越えて入院している児に関しては，生後30日目に身長・体重・頭囲・胸囲を測定し，診察所見も含めて，母子手帳に記載する.

第1章／総論

新生児の診察の仕方

Key point

　短時間に必要な情報をすべて得る……そんな診察をするのは，新生児においても必ずしも容易なことではない．ここでは，新生児の特殊性を理解し，重要な所見を確実に押さえるために必要な，系統的な診察法を学ぶ．

診察の流れをチャートで示し，A〜Kそれぞれのステップを解説する．

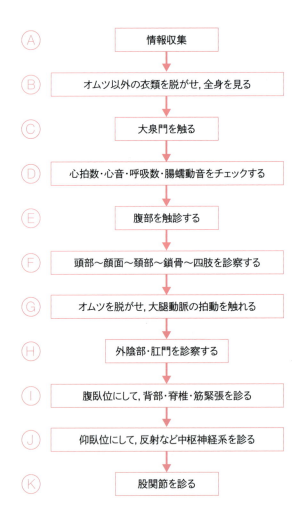

Ⓐ 情報収集

　以下の項目は児の病態に大きく影響を及ぼす因子であり，診察前には必ずその情報を収集しておく必要がある．

- 母体の年齢，基礎疾患，薬物／嗜好品歴
- 母親の過去の妊娠出産歴とその経過
- 妊娠中の感染症などのスクリーニング検査
- 前期破水など感染のリスクの有無
- 出生前の児の状態
- 在胎週数，出生体重，性別
- 分娩様式，麻酔方法
- アプガースコア，蘇生の有無
- 出生後の哺乳・利尿・排便状況，体重の増減
- 光線療法などそれまでに行われた治療

Ⓑ オムツ以外の衣類を脱がせ，全身を診る

- 姿勢（筋緊張）の異常の有無をみる
- 顔貌（顔の表情）／皮膚色から全身状態を把握する
- 呼吸様式から安定した呼吸か？　努力呼吸をしているか？　をみる
- 一見してわかるような外表奇形の有無をみる
- この時点で，Doing well，Not doing wellの多くが判断できる！

▶1　正常な呼吸とは

　正常な新生児の呼吸数は40〜50回/分であるが，呼吸様式の異常の指標としてはSilverman's retraction scoreが重要であり，ここに示す．

表1-6　Silverman's retraction score

点数	0	1	2
胸と腹の運動	胸と腹が同時に上下する．	胸は僅かに動き，腹だけが上下する．	シーソー運動する．
肋間陥没	なし	僅か	著明
剣状突起部陥没	なし	僅か	著明
鼻翼呼吸	なし	僅か	著明
呼気性呻吟	なし	聴診器で聴取	耳で聞こえる．

▶2 注意すべき皮膚色の解釈について

a) チアノーゼ
- チアノーゼは還元ヘモグロビンが5g/dL以上になると現れる．一般に動脈血の酸素飽和度が80%を切ると現れるが，貧血・蒼白で出現しにくく，多血で出現しやすい．
- 末梢性チアノーゼは生後48時間以内には生理的にも出現し得る．
- 生後早期には，啼泣時には肺血管抵抗が上昇し，RLシャントを生じ，中枢性のチアノーゼをきたすことは生理的にも起こり得る．

b) 蒼白
- 全身の蒼白は強度の貧血and/orショックなどによる末梢循環不全を意味する重大な所見である．
- 皮膚が温かい場合，capillary filling timeが3秒を超えるのは循環不全を意味する．
- 蒼白状態では，チアノーゼはあってもわかりにくく，注意が必要．

c) 黄疸
- 出生後24時間以内の早発性黄疸は血液型不適合による溶血性黄疸を示唆する．とりわけ，進行する貧血の並存は重要．
- 生理的黄疸は日齢2〜4に通常みられるが，多血・出血・胎便排泄遅延・哺乳不良（脱水傾向）・肝障害・仮死などの黄疸増強因子があれば，より慎重にフォローする必要がある．

Ⓒ 大泉門を触る

- 泣かせる前に大泉門を触り，その緊張度をみる．
- 大泉門の膨隆は頭蓋内圧亢進すなわち髄膜炎あるいは水頭症，頭蓋内出血などを示唆する．
- 満期産児の大泉門は最大3×3cmくらいだが，個人差が大きい．

Ⓓ 心拍数・心音・呼吸数・腸蠕動音をチェックする

- 正常な新生児の呼吸数は40〜50回/分．
- 呼吸数が持続して55回/分以上あれば慎重な観察が必要である．
- 呼吸状態の良い児の呼吸音を聴取しても，ほとんど意味がない．
- 呼吸状態が悪い場合は，呼吸音の減弱・肺雑音に注意して所見をとる．
- 腸蠕動音の亢進・減弱は嘔吐・腹部膨満・胎便排泄遅延のある際には重要である．
- 心雑音は必ずしも心疾患を意味せず，逆に心雑音のないことは決して心疾患でないことを意味しない．
- 新生児期に聴取される心雑音の80〜90%は1歳までに消失する．

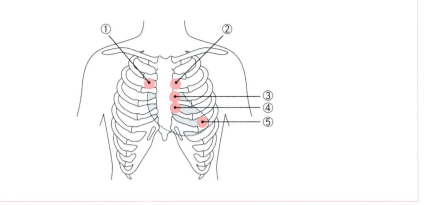

> **図1-2　心音の位置**
> ①第2肋間胸骨右縁：大動脈弁・大動脈の音が最も大きい
> ②第2肋間胸骨左縁：肺動脈弁・肺動脈の音が最も大きい
> ③第3肋間胸骨左縁：大動脈・肺動脈起源の音がよく聴こえる
> ④第4肋間胸骨左縁：三尖弁・右心室の音がよく聴こえる
> ⑤左第5肋間・鎖骨中線：左心室の真上にあり，僧帽弁・左心室の音がよく聴こえる

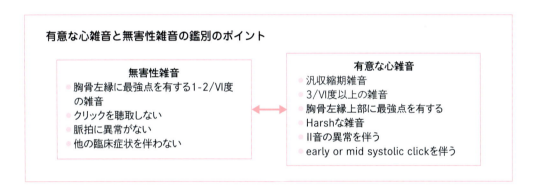

E　腹部を触診する

新生児の肝臓・脾臓・腎臓などの主要臓器の触れ方に注意が必要である．

A．肝臓は右季肋下2cmまでは正常である．
B．脾臓の下局は触れてよいが，1cm以上触れる場合は精査が必要である．
C．腎臓は必ず下局を触れる（もし，触れなければ，腎低形成！）．
D．臍およびその周囲の発赤は感染を意味する．

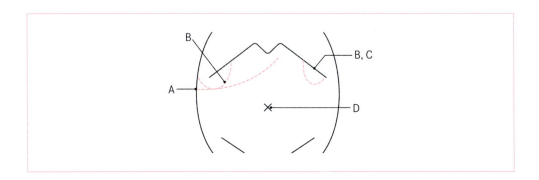

F 頭部〜顔面〜頚部〜鎖骨〜四肢を診察する

▶1 頭部

- 大泉門・小泉門・骨縫合線を確認する．
- 大泉門は＜3×3cm，小泉門は閉じていることも多く2cmを超えることは稀（3％未満）．
- 出生直後〜生後48時間は，骨縫合は重合していることも多いが，それ以降の骨縫合の閉鎖はcraniosynostosis（0.4/1,000出生）を考える．
- 頭囲に異常がないかをみる．ただし，出生直後は頭蓋骨の重合のため，頭囲測定の誤差が生じ得ることに注意が必要である．
- 頭部全体を触り，頭血腫・帽状腱膜下出血・産瘤などの有無をみる．
- 頭蓋癆(とうがいろう)（craniotabes）は正常児でも2％に生じるものであり，病的意義はないと考えられていた．しかし近年，わが国で発症率が著しく増加しており，母体のビタミンD不足との関連が懸念されている（Yorifuji J, et al. J Clin Endocrinol Metab 2008；93：1784-1788）．

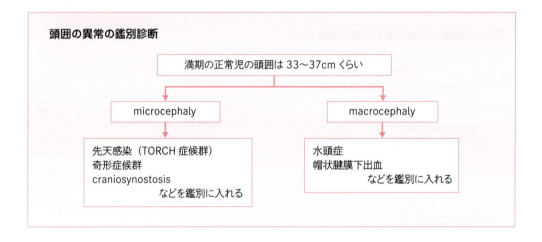

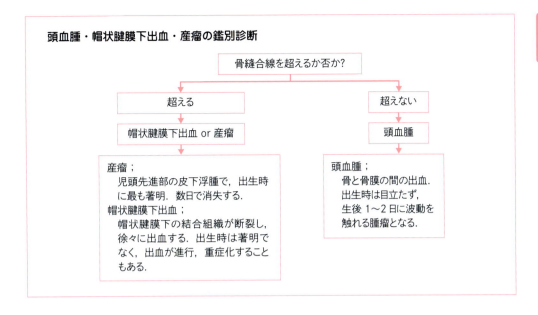

▶2 顔面

- 異常顔貌は染色体異常などの診断の糸口となる．
- 耳介低位（low-set ears），耳介の形成異常に気を付ける．
- 眼球位置：新生児の1/3は一過性に外斜位をとるが，内斜位をとることは稀である．
- 眼脂：出生後2日間の粘液性眼脂は普通．しかし，それ以降は鼻涙管の閉鎖／狭窄が考えられる．これは，新生児の70％に生じるが，3ヵ月までに70％，1歳までに96％が自然治癒する．ただし，時に感染を併発することがあり得る．
- 眼球結膜下出血：新生児ではよくあることで，通常心配はない．
- 角膜の大きさ：角膜径は通常10mmくらい，13mmより大きければ先天性緑内障を考える．
- 角膜の色：正常では明るく，透き通っている．混濁していれば，精査が必要である．
- 口・舌：大きさをチェックする．

▶［口唇裂・口蓋裂の管理］
- 口蓋裂があればまず，Hotz床を作成し，経口哺乳の確立を図る．
- 口唇裂に対する初回手術は生後3ヵ月．
- 口蓋裂に対する初回手術は生後1歳6ヵ月（体重10kg）を目処に行われる（早期手術のメリットは言語の獲得，晩期手術のメリットは顎の発育）．

▶3 頸部〜鎖骨〜四肢

- 斜頸の有無をチェックする．
- 翼状頸（webbed neck），嚢腫（cystic hygroma）の有無をチェックする．
- 鎖骨に沿って触れ，鎖骨骨折の有無をチェックする．
- 上下肢の長さ・左右差・伸展／屈曲の異常の有無をチェックする．

- 掌紋：21トミソリーで有名なsingle transverse palmar creases（猿線）は同症の45％に存在するが，欧米人では1～4％，中国人では15％に存在する．
- 多指／合指症，多趾／合趾症．
- 上腕神経麻痺：上肢の自発運動の欠如，Moroの左右差などから気付く．
- 四肢の異常を見た場合は子宮内姿位との関連も重要．

Ⓖ オムツを脱がせ，大腿動脈の拍動を触れる

　出生直後に見落とされて産科を退院し，1ヵ月健診までに死に至る心疾患の代表は，①大動脈離断あるいは大動脈縮窄症，②左心低形成である．とりわけ①の場合，聴診では診断がつかないことが多く，診断が極めて難しい．

大動脈離断あるいは大動脈縮窄症を疑うポイント
- 生後2時間以上経ってもpostductal oxygen saturationが95％未満である．
- 大腿動脈の拍動が弱い，あるいは触知しない．
- 上肢の血圧に比べて下肢の血圧が20mmHg以上低い．

Ⓗ 外陰部・肛門を診察する

▶1 男児の場合

- 陰茎のチェック：脂肪組織に埋没している部分を含めて長さ3cmくらいある（新生児で2.4cmなければ異常）．
- 睾丸のチェック：満期産児では停留睾丸は3％のみで稀である．
- 陰嚢の色調の変化・硬く腫大した睾丸は，睾丸軸捻転を意味するemergency．
- 陰嚢水腫は透光試験で診断し，通常治療は不要である．
- 鼠径ヘルニアは透光試験・エコーで診断．なお，睾丸が生後9ヵ月で陰嚢まで降りていなければ，泌尿器科へ紹介すべきである．

注意　矮小陰茎（マイクロペニス），停留睾丸の多くは特発性だが，時に性腺機能不全症などに起因することがある．
　　　このため，両側停留睾丸の場合，生後1ヵ月時に血中LH，FSH，テストステロンを測定することが重要である．なぜなら，この時期のこれらの値は思春期並みに高値を取るからである．
　　　テストステロン値が100ng/dL以上なら精巣は存在すると考えてよいが，100ng/dL未満なら精巣の確認が必要となる．また，LH，FSHの異常低値は中枢性性腺機能不全を，LH，FSHの異常高値は原発性性腺機能不全あるいはα還元酵素欠損症やアンドロゲン受容体異常症を疑わせる重要な所見である．

▶2 女児の場合

- 腟・大陰唇をチェックする．
- Anogenital ratio（肛門～陰唇小体までの距離）／（肛門～陰核基部の距離）＞0.5であれば，陰唇癒合，すなわち女児外性器の男性化徴候と診断する．
- 成熟児では大陰唇がクリトリスを覆っているが，早産児では未だ覆っていないため，陰核肥大に見えやすいため注意が必要である．

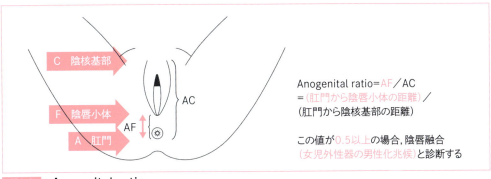

図1-3 Anogenital ratio

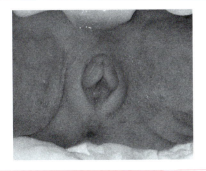

図1-4 在胎29週で出生した正常女児の外陰部
クリトリスは大きく，陰核肥大と間違えやすい．

▶3 性別診断に迷う場合

これはmedical emergencyであり，ただちに以下の診察・検査を行う．

- 陰嚢内に精巣らしきものを触れるか？ …LH，FSH，テストステロンを測定する．
- 外陰部の色調は？ …適度な色素沈着は子宮内でアンドロゲン作用を受けたことの証だが，過剰な色素沈着はアンドロゲン/ACTHの過剰を意味する．
- 尿道・腟・肛門の3つを確認する．
- 染色体分析を行う．
- 精巣もあるようだが腟もありそう，精巣ははっきりしない，精巣を片方しか触れない．染色体分析で46，XY/XXのモザイクであるなどの場合，ただちに泌尿器専門医にコンサルトし，内性器の形態を確認するなどして性別を決定する必要がある．

Ⓘ 腹臥位にして，背部・脊椎・筋緊張を診る

● 腰仙部の皮膚陥凹の診断に関しては，「6章 7 その他の中枢神経奇形（→p.188）」を参照する．

Ⓙ 仰臥位にして，反射など中枢神経系を診る

● モロー反射，吸啜反射
● 把握反射　　　　　　　などをみる．

Ⓚ 股関節を診る

● 開排テスト（abduction test）：新生児の下腿を保持し両膝および股関節を90°屈曲させ，両股関節を無理なく外転させる．
　正常：抵抗なく大腿骨外側がベッドにつく．
　異常：途中で抵抗を感じる（＝開排制限）．
● 下肢長の左右差の有無をみる．
● 下肢の皮膚の皺の左右差の有無をみる．
　　　→エコー（またはX線）で確定診断
● 股関節脱臼（developmental dysplasia of the hip；DDH）の診断は出生後早期にはつかないことも多く，新生児期以降の再検は必須である．

参考文献
・Rennie JM. Roberton's Textbook of Neonatology. 4th ed. Churchill Livingstone. London. 2005. p.249-266.
・特集：性分化と異常症．日本臨牀2004；62：2.
・特集：そこが知りたい性の問題．小児内科2005；37：8.

第2章

極低出生体重児の管理

第2章／極低出生体重児の管理

1 入院にあたって

✎ Key point

　極（1,500g未満）・超（1,000g未満）低出生体重児のインタクト・サバイバル（後遺症なき生存）は，NICUの最も大きな使命の1つである．しかし，これらの児の合併症は重篤なものが多く，特別な注意を要する．そして，その予後は，"いかに良い人生のスタートを切るか？"に懸かっている．このため，本書では「極低出生体重児の管理」に1項目を割いた．本項では，インタクト・サバイバルを目指す，我々の出生前後の取り組みを示した．

1 入院前に知っておくべき情報

- 妊娠週数・推定体重・児の状態（胎児心拍モニタリング）・分娩歴（初産／経産，異常分娩の有無）
- 母体疾患・母体に対する薬剤使用の有無
- 母体感染症の有無（細菌・ウイルス・真菌）・抗菌薬使用歴
- 両親の児に対する感情

▶ **Prenatal Visit（産科医・看護師同席のもと，家族に小児科医から説明する）**
- 出生前（＝妊娠中）に両親揃って初回の面談を行う．
- 早期娩出が必要になる可能性，その場合の予後に関して説明する．
- 週数に応じた発達予後についての説明を行う．
- 分娩が進行し，出生が間近に迫った時点で，希望があれば再び面談を行う．
- 重篤な合併症や生命のリスク，必要となる治療の内容などを十分に説明するが，それと同時に，家族にできることや，家族と児との関わりが予後のためにも重要であることなども説明し，家族が前向きな気持ちになれるよう多職種で支援する．

2 出生に際して（分娩室・手術室にて）

▷ **目標**：仮死蘇生を速やかに行い，一刻も早く，循環・呼吸を安定させる.

▷ **準備物品**：

ラジアントウォーマー	十分にプレウォームしておくこと！（室内も28℃〔できれば30℃〕以上に上げておく）
吸引器・吸引チューブ	作動を確認しておく. 圧は100mmHg（13kPa）を超えないように！
酸素・ジャクソンリース®	作動を確認しておく！
ブレンダー喉頭鏡	サイズ・ライトが点くこと，緩みがないことを確認しておく！
挿管チューブ	2.0mm：〜400g, 2.5mm：400〜1,000g, 3.0mm：1,000g〜（スタイレット）・固定用テープ・ハサミ・CO_2検出器
臍帯クリップ	
蘇生用薬品	ボスミン®・メイロン®・サーファクテン®
ルート確保用物品	末梢静脈・臍静脈
搬送用クベース	十分にプレウォームしておくこと！
ラップ	ラップを巻き・体温・水分の発散を防ぐ.

▷ **方法**：

◦ 顔・全身を迅速かつ優しく拭き取る.

◦ 口腔・鼻腔内を吸引する.

◦ 啼泣（自発呼吸）があり，心拍が100以上なら通常の処置をする. 啼泣がない，あるいは心拍が100以下の場合，ただちにマスク換気を行う. 最初はコンプライアンスが低いため，吸気時間を長めにとりinflationすることを意識する. マスク換気で徐脈が改善しない場合は気管挿管を行う. また，週数や体重，呼吸窮迫症候群（RDS）の有無などを加味して，必要な症例にはマスク換気で呼吸を確立させた後に気管挿管を行う.

◦ 気管挿管施行後，酸素投与下にバギングしつつ，胸郭の動きを目で確認，CO_2検出器の変色を確認，聴診器で肺野へのエア入りを確認する.

◦ この間，心拍が60以上にならない場合は，胸骨圧迫を行いつつ，ボスミン®を気管内に投与する（10倍ボスミン®0.5〜1.0mL/kg）. 反応がなければ，臍帯静脈カテーテルを確保し0.1〜0.3mL/kgを再投与する.

◦ 胃管を挿入し，胃内のエアを回収し，マイクロバブルテストに用いる胃液を採取する.

◦ 気管挿管後も高い換気圧やF_1O_2を要する場合には，蘇生室で人工肺サーファクタントを投与する.

◦ 呼吸が確立し徐脈が改善した段階から，ラップで全身を覆い，体温保持を意識する.

◦ 産科医に臍帯を長めに残してもらい，臍帯ミルキングを行う.

◦ 循環・呼吸が一段落し搬送に耐え得る状態になったら，速やかにNICUに搬送する. ただし，児の状態が許す限り，母親が児に触れ合う機会を作る.

3 NICU入室に際して

▶ **目標**：①呼吸・循環を安定させ，アシドーシス・低血糖などを是正する．

②出血傾向・易感染・動脈管開存症に対する対策を開始する．

▶ **準備物品**：

前述（分娩室）（→p.35）と同様の物品
経皮酸素飽和度モニター・呼吸心拍モニター・経皮CO_2モニター
人工呼吸器
末梢静脈ライン：10％ブドウ糖液
PI ダブルルーメンカテーテル®
動脈ライン：生食100mL＋ヘパリン0.1mL
ケイツーN®：1,500g未満は1mg/kg静注、1,500g以上は2mg/kg静注
採血用スピッツ・ヘマトクリット管
エコリシン眼軟膏®
培養用具（皮膚・鼻腔・胃内容・血液）

補足： **現在の京都大学におけるPI ①②の組成**

　予想出生体重から計算し，ルート確保後直ちに下記の内容の輸液が行えるよう準備しておく．
①ブドウ糖＋プレアミン®（1.0〜1.5g/kg/日となるようにアミノ酸量を計算しておく）＋カルチ
　コール®（＋マルタミン®）
②ブドウ糖（＋フェンタニル＋リン酸ナトリウム）
フェンタニルは後負荷不整合や空気嚥下の予防を目的として，週数や体重に応じて用いる．血圧や
鎮静具合，aEEGの背景脳波などを見ながら0.7 〜 1.0 μg/kg/時程度で調節する．

▶ **方法**：

- 体重測定後，速やかにモニターを装着する．
- 児にはラップを巻き，体温・水分の放散を防ぐ．
- 人工呼吸器を装着する．
- 呼吸不全状態にある場合は，速やかに胸腹部X線を撮り，呼吸窮迫症候群（RDS）の評価・挿管チューブ位置の確認をする．
- 看護師は（可能ならば）計測・点眼・培養採取を行う．
- 末梢静脈ラインを確保し，10％ブドウ糖液を60mL/kg/日（例：体重500gの場合1.2mL/時，1kgの場合2.5mL/時）を目安に開始する．皮膚の成熟度によって不感蒸泄が多いと想定される場合や，SGAの場合には70 〜 80mL/kg/日程度で開始することもある．以後ラインが増えるごとに総輸液量がこの値になるよう調節する．
  なお，末梢静脈ラインはPIカテーテル®が挿入された後は，静脈注射する薬剤や輸血・グロブリン製剤などの投与ルートとする．

- 静脈血ガスを分析し，BE<−10かつpH<7.2であれば，メイロン®投与を行う．
- ケイツーN®1mg（0.2mL/kg）を静注する．
- 必要に応じて動脈ラインを確保し，ヘパリン生食を0.3〜0.4mL/時で開始する．
- X線所見あるいはマイクロバブルテストで呼吸窮迫症候群（RDS）の所見を認め，動脈血ガスデータ（VI>0.03）ならば，サーファクテン®を考慮する（→p.43）．
- ダブルルーメンのPIカテーテル®（無理なら臍帯静脈ライン）を確保する（PIカテーテル®の組成は，準備物品の補足を参照）．
- 動脈血ガス分析を行い，人工呼吸器の設定を評価する．
- CBC，CRP，生化学，凝固，血液型，血液培養を提出する．IgG,A,Mは臍帯血から提出（ただし，なければ児血から提出する）．
- 血液培養採取後，抗菌薬を開始する（適応に関しては「7章 感染症の管理（→p.189）」参照）．
- 胸腹部X線撮影を行い，PIカテーテル®の位置を評価する．
- 週数・浮腫・母体ステロイド投与の有無・血圧などによっては，緩やかな昇圧と浮腫増悪予防のために，ルート確保後すぐ（と12時間後）にヒドロコルチゾン1mg/doseを投与する．
- 呼吸状態が安定したら，保育器に収容する．

補足：

　インファント・ウォーマーで処置する場合は処置後に保育器へという流れになるが，NICU入室後，即座に保育器に収容して，器内で処置する施設もある．当院は後者である．

保育器の温度設定：1,000g未満の場合35〜36℃，1,000〜1,500gでは34〜35℃，1,500〜2,500gでは33〜34℃が初期設定の目安．

保育器の湿度設定：1,000g未満の場合，生後3日間は90％以上に保つ．以前は生後1週間まで90％以上に保っていたが，1週間目には75％程度まで下げていく方針としている．

- 中枢神経系および，心合併症の有無を超音波で検索する．
- 家族に病状を説明する．prenatal visitが間に合っていない場合には，同様の内容を両親に説明する．処置・輸血に関する承諾書，入院診療計画書を渡す．
- 26週未満経腟分娩した症例など真菌感染のリスクの高い児には抗真菌薬の静注を考慮する（詳細は「7章 感染症の管理（→p.194, 203-205）」参照）．

注意　動脈ライン・PIカテーテル®などがスムーズに確保できない場合，まずは静脈ラインand/or臍静脈カテーテルを確保し，呼吸・循環を安定させることを優先する．

4 入院当日（急性期）検査項目

	血液ガス	BS	CBC	CRP	生化学	IgGAM	胸腹部XP	頭部/心エコー	凝固
入院直後	＊	＊	＊	＊	＊	＊	＊	＊	＊
3〜4時間後	＊	＊							
6〜7時間後	＊	＊	（＊）	＊					
12〜18時間後	＊	＊	＊	＊	＊		＊	＊	

5 薬物療法の実際

▶1 蘇生時に使用する薬剤

アドレナリン（ボスミン®）

10倍希釈液（10,000倍液）を気管内（0.5〜1.0mL/kg）または，静注（0.1〜0.3mL/kg）投与する．

炭酸水素ナトリウム（メイロン®）

ハーフメイロン「メイロン®5mL＋注射用蒸留水5mL」：2〜4mL/kgをゆっくり（1mL/kg/分で），静注する．

▶2 NICU入院後1〜2時間以内に使用する薬剤

ヘパリン添加量

末梢静脈ライン：以前はヘパリンを添加していたが，現在は添加していない．
中心静脈ライン：以前はルーチンに「100mLに対してヘパリン0.1mL」を添加していたが，現在は原則ヘパリンの添加は行っていない．ただし，流量が0.2mL/時以下の場合や血栓症の既往がある場合はヘパリン添加を行うこともある．
動脈ライン　　：100mLに対してヘパリン0.1mL

10%ブドウ糖液

低血糖を認めた場合，2mL/kgをゆっくり静注する．

炭酸水素ナトリウム（メイロン®）

メイロン®静注7%を注射用蒸留水で2倍に希釈する．
投与基準：pH＜7.1〜7.2かつBE＜－10
理論上必要量＝0.3mL×体重（kg）×BE

12時間程度かけて中心静脈ラインから持続点滴. 急速に補正したい場合はゆっくり（1mL/kg/分で），静注することもあるが，急激に血管内volumeが増えることや，肺血管抵抗が低下することなどにより，循環動態が変化する可能性に注意が必要である. また，血管外漏出にも十分注意する.

ヒドロコルチゾン（HDC）（ソル・コーテフ®）

週数・浮腫・母体ステロイド投与の有無・血圧などによっては，緩やかな昇圧と浮腫増悪予防のために，ルート確保後すぐ（と12時間後）にヒドロコルチゾン1mg/回を投与する.

ドパミン（DOA）（イノバン®）

0.6mL/kgを生理食塩水で希釈し，総量20mLとする. これを0.1mL/時で点滴静注すると，1γとなる.

通常開始量＝0.3mL/時で点滴静注（＝3γ）

注意　イノバンラインは単独ラインとし三方活栓は付けない. 早送りしないよう，「早送り厳禁」を明示する.

ドブタミン（DOB）（ドブトレックス®）

イノバン®のみでは血圧上昇が得られず，頻脈のみを生じる場合，しばしばDOA/DOBを混注投与する. 溶解法・使用濃度などはDOBもほとんどDOAと同様. DOBを投与する際は，原則ヘパリン混注禁.

ABPC（ビクシリン®）

ビクシリン®500mgを5％ブドウ糖液または生理食塩水5mLに溶解する.

通常投与量＝0.5mL/kg/回×2回/日＝50mg/kg/回×2回/日＝100mg/kg/日

CTX（クラフォラン®）

クラフォラン®500mgを5％ブドウ糖液または生理食塩水5mLに溶解する.

通常投与量＝0.5mL/kg/回×2回/日＝50mg/kg/回×2回/日＝100mg/kg/日

FFP（Fresh Frozen Plasma：新鮮凍結血漿）

30〜37℃の温水（できれば恒温槽）で解凍後，輸血用フィルターを通して，10〜20mLのシリンジに採る.

通常投与量＝10mL/kgを3時間で投与する. ただし，輸液フィルターは介さない.

注意　凝固因子の補充などを目的とする場合，蛋白の変性・活性の低下をきたさないよう，FFP融解装置を用いる. **解凍したら速やかに使い切る！**ことが重要.

アルブミン

ショックなどの際は，5%溶液10mL/kgを1〜3時間で投与する．

低蛋白血症の改善を緩徐に図る場合は，10〜12時間かけて投与する．

人工肺サーファクタント（サーファクテン®）

RDSの項を参照する（→p.43）．

インドメタシン（インダシン®）・イブプロフェン（イブリーフ®）

PDAの項を参照する（→p.59）．

第2章／極低出生体重児の管理

2 急性期の呼吸・循環管理

Key point

生後早期に呼吸・循環動態を安定させ，頭蓋内出血等の合併症を避けることは，予後の改善に必須である．そのためには，低出生体重児に起こりやすい病態をよく理解し，適切に対処することが必要となる．本項では，低出生体重児の急性期に生じる呼吸・循環の管理の要点を学ぶ．

1 RDS（respiratory distress syndrome, 呼吸窮迫症候群）

▶［概念］
肺の未熟性のために肺サーファクタントが不足することに起因する呼吸障害．

▶［症状］
多呼吸，陥没呼吸，呻吟などの呼吸窮迫症状が生後まもなく出現し，2〜3時間のうちに増強する．

▶［RDSの病態生理］

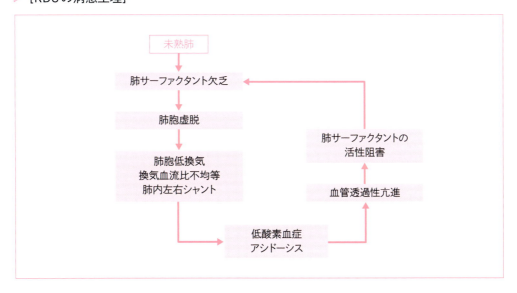

▶ [診断]

1) 胸部X線所見

表2-1 胸部X線所見によるRDSの重症度評価（Bomsel分類）

	網・顆粒状陰影	肺野の明るさ	中央陰影の輪郭	気管支透亮像
Ⅰ度	かろうじて認められる微細な顆粒状陰影末梢部に比較的多い	正常	鮮明	欠如または不鮮明中央陰影の範囲をでない
Ⅱ度	全肺野に網・顆粒状陰影	軽度に明るさ減少	鮮明	鮮明，しばしば中央陰影の外まで伸びる
Ⅲ度	粗大な顆粒状陰影	著明に明るさ減少	不鮮明中央陰影拡大	鮮明，気管支の第2，第3分岐まで認められる
Ⅳ度	全肺野が均等に濃厚影でおおわれる	消失	鮮明	

2) 胃液マイクロバブルテスト（Pattle's microbubble test）

適応：肺成熟の診断として，RDSが疑われる症例で実施する．

方法：

(1) パスツール・ピペットに入院時に採取した胃液を吸い取り，スライドガラス上に1滴落とす．

(2) パスツール・ピペットをスライドグラスに垂直に立て，吸出を繰り返す（6秒間，20回）．

(3) スライドグラスを反転してホールスライドグラスにのせる．

(4) 4分間静置した後，×100で鏡検する．

(5) 直径15 μm以下の安定なマイクロバブルを数え，1視野あたりの和を2で割り，1mm^2 あたりの数を求める（×100での1視野は2mm^{2}にあたる）．最も多い視野の値をとる．

表2-2 マイクロバブルテストの判定法

マイクロバブル数／mm^2	Rating	判定
＞20	Strong	
10〜20	Medium	RDSの危険性あり
2〜10	Weak	
＜2	Very weak	RDSの危険性極めて高い
0	Zero	

3) Oxygenation Index（OI）

適応：人工呼吸器装着中の児の肺の硬さ（stiff lung）の評価に用いる．

方法：

(1) 動脈血分析の結果から次式で，計算する．OI ＝ $F_1O_2 \times MAP/PaO_2 \times 100$

(2) OIは酸素化を得るために必要な圧（MAP）と酸素濃度の指標である．F_1O_2 0.3，MAP

8の時のPaO$_2$が80mmHgであれば，OI＝3と算出される．OIが高値であれば，それ
だけ高い酸素，圧が必要ということで肺の状態が悪いことを意味する．

軽症：OI＜5.3，重症：OI≧10，最重症：OI≧40

補足：

OIは動脈ラインからの採血での評価が必要であるため，早産児では急性期以後の
評価が困難である．近年，SpO$_2$を用いたOxygen Saturation Index（OSI）がOIと強
い相関関係があり，早産児での有用性を示している報告もある．

$$OSI = F_IO_2 \times MAP/SpO_2 \times 100 \quad (OI = 0.0745 + 1.783 \times OSI)$$

(Muniraman HK, et al. JAMA Netw Open 2019; 2(3): e191179)

▷ ［治療］

(1) 呼吸器管理

気管挿管の基準を満たす場合，あるいはX線所見などから今後，人工呼吸器を必要とする
可能性が高いと判断した場合は，早めに人工呼吸器管理とする．

換気条件の初期設定の1例

モード IMV
PIP（cmH$_2$O）   15〜18
PEEP（cmH$_2$O）   4〜6
換気回数（Rate）   40
吸気時間（IT：sec） 0.4〜0.5（サーファクタント投与時は長めに設定する）
酸素濃度（F$_I$O$_2$）   0.21〜0.4

(2) 人工肺サーファクタント投与

● サーファクテン®（S-TA）投与の実際

適応があると判断した場合，できるだけ早くサーファクタント投与を行う．

溶解方法：サーファクテン®　1バイアル（120mg）を生食3〜4mLで溶解する．溶解前
　　　　　にバイアルを振って，固まりを粉にしておき生食で溶解する．生食で溶解す
　　　　　る場合は泡立てないようにする．溶解後，27G針を通して，固まりをつぶす．

投与方法：注入に際しては，5mLのディスポシリンジに溶解したサーファクテン®を吸
　　　　　い取り，薬物注入用トラックケアーを用いて投与する．流量調節式バッグで
　　　　　酸素投与下，ゆっくり加圧しながらバギングを行う．バギングの時には，肺
　　　　　胞が虚脱しないよう十分なPEEPがかかるよう心がける．
　　　　　サーファクタントは仰臥位，右側臥位，左側臥位の3方向で気管内投与を行
　　　　　う．120mg/kgを投与，なお，投与に際しては挿管チューブの先端位置に注
　　　　　意することが重要である．胸部X線所見にてチューブ位置を確認し，サー

ファクタントが不均等にならないよう，十分に注意する．

また，原則サーファクタント投与後6時間は，気管内吸引は行わない．

● サーファクテン®の再投与

サーファクタントの効果判定はOIや胸部X線で行う．初回S-TA投与後6時間経過しても，なお呼吸状態の改善が不十分な場合，あるいは一度下げていたF_IO_2を再度10%以上上げる必要が生じた場合は，チューブトラブル・気胸などの原因を除外した上で，サーファクテン®の再投与（1/2〜1バイアル/kg）を考慮する．なお，再投与の際は，不均衡投与による気胸・チューブの閉塞のリスクが高くなるため，注意を要す．

(3) サーファクタントの特殊な投与方法

● InSurE（Intubation-Surfactant-Extubation）

挿管しサーファクタント投与後，速やかに抜管しn-CPAPへ移行する方法．人工換気を回避することが可能である．人工換気日数を短縮することによる，呼吸予後改善が期待される．当院では超早産児に対して，急性期の間は鎮静・人工呼吸管理を行うことを前提としているため，InSurEの実施対象は在胎30週以降の児が多い．

また，気管内挿管そのものを避けるためにLISA（less invasive surfactant administration）やMIST（minimally invasive surfactant therapy）に関する報告も増えている．

● HFOへの設定変更

換気条件の初期設定を以下に記す（HFOの詳細に関してはp.85参照）．

MAP（cmH$_2$O）	12〜15
振動数（Hz）	12Hz
振幅	12〜20cmH$_2$O
or	
換気量（VGを付加した場合）	2〜2.5mL/kg
I：E比	1：1（基本的には固定）
F_IO_2	0.21〜1.0

注意1　MAPは通常のIMVより2〜5cmH$_2$O高めに設定する．
注意2　F_IO_2は通常のIMVと同値で開始する．
注意3　振幅は胸郭の震えやPaCO$_2$の値を見ながら調整する．

S-TA投与後の人工呼吸器の設定（Weaningの進め方）

A. 主としてSIMVで管理する場合

(1) $SpO_2 \geqq 95\%$が持続的に得られるようになれば，F_IO_2を緩徐に0.05程度ずつ漸減する．

(2) $PaCO_2$が飛びすぎる場合は，呼吸器画面のグラフィックなどを参考にしながら，Rate，PIPを少しずつ下げていく（Rate：5ずつ，PIP：1〜2ずつ）．

(3) F_IO_2 0.25，PIP 12〜14，Rate 20〜30程度までweaningし，呼吸状態が安定しているのを確認できれば抜管を検討する．

補足1：
　近年，抜管後の補助換気（NIV-NAVA，CPAP，ハイフローセラピーなど）が進歩したため，上記の呼吸回数・PIPなどより高い設定から抜管することが可能となっている．

補足2：
　RDSでは，サーファクタント投与後に急激にコンプライアンスが変化する可能性があり，高いPIPのまま管理をしていると気胸になるリスクがある．コンプライアンスの変化に対応するため，volume guarantee（換気量保証）を付加することも有用である．

B. 主としてHFOで管理する場合

(1) サーファクテン®投与後速やかにHFO管理とする．

(2) SpO_2が95％以上にならないように，F_IO_2を0.21〜0.3程度まで，適宜低下させていく．

(3) F_IO_2を0.21〜0.3程度まで下げてもなお，SpO_2が95％以上となる場合，胸部X線像（の肺の過膨張所見）なども考慮に入れながら，平均気道内圧（MAP）を下げていく．機種にもよるが，8〜10cmH_2O程度まで下げる．

(4) $PaCO_2$が40〜50程度になるよう，振幅を適宜低下させていく．

(5) 抜管を考慮する時期になれば，SIMV（設定はPIP/PEEP＝10〜12/4，F_IO_2はHFO時と同様，IT＝0.35〜0.4，Rate 30程度）に変更し，weaningをすすめ，無呼吸の有無を評価した後，抜管とする．

　ただし，PIEなどエアリークのリスクが高い場合は，必ずしもSIMVに変更する必要はなく，HFOから直接抜管することもある．

2 超早産児の急性期管理

超早産児において急性期管理が重要な理由，それは言わずもがな「脳室内出血の予防」である．脳室内出血（以下，IVH）は，のちの神経学的予後に大きく影響する疾患で，その90％は日齢4までに発症するとされる．つまり，この生後数日の経過が児の将来に大きく影響することになり，急性期管理は『頭を守る管理，未来を守る管理』と言っても過言ではない．

● IVH予防を目指した急性期管理

IVHについての詳細は他項（→p.175〜177）を参照されたい．

我々は，超早産児における急性期を守るため，胎外循環への適応過程における問題点を意識して，管理を行っている．

▶1 超早産児の胎外環境への適応過程における問題点

①出生後，一旦，低灌流に陥る
- 早産児では，1/3が生後3時間，おおむね12時間までに組織循環不全を発症する．
- VLBW児はnon-VLBW児と比較して，生後24時間における皮膚血流量が有意に低い．

Point① 生後12時間前後で最も低灌流に陥る

②その低灌流は予後に影響する
(1) **臓器虚血**：低灌流はいわゆる臓器虚血を招き，予後に影響する．

（脳）	脳室周囲白質軟化症，脳容量低下
	発達遅滞，脳性麻痺，視力障碍，難聴
（消化管）	壊死性腸炎
（腎臓）	腎機能障害，腎不全
（末梢循環）	アシドーシス

(2) **虚血後再灌流**：近年，循環領域や脳神経領域では，心筋梗塞や脳梗塞などで臓器虚血以外に虚血後再灌流障害という概念が注目されている．詳細は成書に譲るが，超早産児においても，虚血後再灌流がもたらす影響について報告が散見されている．
- IVHは生後早期の低SVC flow（心拍出量の指標）に関連し，その後還流が改善した際にIVH発症する．
- Near-infrared spectroscopy（NIRS）を用いて，生後早期に脳循環不良であったケースにその後IVHを発症がする例が多かった．
- IVH発症群の方が，生後18〜24時間の皮膚血流量が低く（＝低灌流），生後18時間以降で皮膚血流量の改善とともにIVHを発症した．

> **Point②** 低灌流にさらされた後、脳室内出血を発症しやすい

③その後、血圧上昇とともに脳室内出血が起こりやすい
- ここでポイントなるのが「後負荷不整合（afterload mismatch）」である．
- そこで、出生前後の左心室の前/後負荷という点で後負荷不整合を考えてみる．

＜出生前＞
（前負荷）高い肺血管抵抗のため、左心室にとって前負荷は小さい
（後負荷）胎盤は血管抵抗がとても低い臓器であるため、後負荷は小さい

＜出生後＞
新生児の心臓は収縮能も拡張能も弱いことが知られている．さらに母体から切り離されると、肺血管抵抗の低下にともなう肺血流増加（前負荷増加），および血管抵抗の低い胎盤から高い全身臓器へと変化（後負荷増加）するため、「後負荷不整合」に陥りやすく，脳室内出血などの合併症につながる．

まとめ
IVHなど急性期合併症の大きな成因、それは「虚血後再灌流」「後負荷不整合」の2つ

▶2 超早産児における急性期管理の考え方

これらの点を臨床に落とし込みながら、当院での管理の実際をご紹介する．

1）時間軸とリスク

図2-1 に示しているように、出生後早期は虚血・低灌流リスク，生後24～72（96）時間に後負荷不整合リスクに特に注意が必要である．もちろん、経過を通じて動脈管開存症のケアは必要となる．

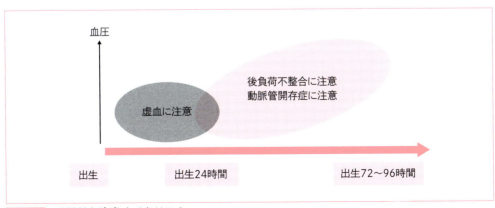

図2-1 時間軸と注意すべきリスク

2）当院で使用するツール 「評価ツール」と「介入ツール」

（1）評価

　　当院で主に使用している評価ツールを 図2-2 に示す．他にも評価ツール（NIRS，皮膚血流量，Sidestream Dark Field（SDF）imaging，中心静脈圧 etc…）は報告されており，各施設がそれらを組み合わせて循環動態を評価しているのが現状である．というのも，これまで血圧をはじめ単一の評価指標を元に介入しその有効性を示された質の高いデータはない．これは，決してそれぞれの評価指標があてにならないわけではなく，1つの指標だけで判断せず複数の指標から総合的に児の状態を把握することが重要であるといえる．

> **注意**　我々は，主治医以外が的確に情報共有できるよう， 図2-3 のワークシートを用いてdiscussionを行っている．

- 身体所見：表情，浮腫，努力呼吸，皮膚色
- 血圧（動脈ライン），心拍数
- 尿量，In/Outバランス
- 血液ガス（乳酸値，pHなど）
- X腺（浮腫の客観評価，CTRなど）
- エコー（撮り方はp.115を参照）
  心臓：動脈管径，左肺動脈拡張末期血流速度，左房容積，LA/Ao，LVDd，LVEF
  　　　ESWS，下大静脈径（呼吸性変動も）
  頭部：前大脳動脈（ACA）血流，内大脳静脈（ICV）のゆらぎ
  腎臓：腎動脈（RA）血流
- aEEG

図2-2　評価スケール

日付	朝昼夜	時間経過	血圧	ICVゆらぎ	PDA	LtPA(d)	LVDd	EF	ESWS	LAV(mL/kg)	ACARI	RARI	尿量	Intake(mL/kg/時)	その他(薬剤など)	ICV径
													In Out Balance			
		出生時	／（　）													
		hr														
		hr														
		hr														
		hr														
		hr														
		hr														
		hr														
		hr														
		hr														
		hr														
		hr														
		hr														
		hr														
		hr														
		hr														
		hr														
		hr														
		hr														
		hr														

図2-3　京都大学NICU　急性期管理ワークシート

＜何を評価するためにツールを使うのか？＞

それは，前述の①虚血（低灌流），②「後負荷不整合」である．

①虚血（低灌流）

　　まず「（低）血圧」という視点で考えていきたい．

　● 血圧はいくら以上あればよいのか？　血圧管理については世界的にこれまで様々な研究が行われてきた．成書には「様々」な血圧の「正常値」が記載されている．さらに，昇圧治療が予後を改善しないということがCochrane databaseでも示されている．このように，血圧の基準値（介入基準）を一概に決めることは難しいのである．つまり，血圧がいくらだと適切なのかを個々に判断する必要があると思われる．在胎週数別出生早期の平均血圧の10%tileが在胎週数にほぼ等しいことから，多くの施設が「平均血圧（mmHg）が在胎週数（週）以上」を1つの基準としている．簡便で有用な基準であるが，果たしてそれだけでよいのか．

　　そこで重要なキーワードが「Permissive hypotension」という考え方である．

　　2009年Dempseyらの報告によると，超低出生体重児をNormotensive群（mBP>GA）群，Permissive hypotension群（mBP<GA，医師が循環不全なしと判断し介入なし），Treated hypotension群（mBP<GA，医師が循環不全と判断し昇圧治療介入あり）の3群に分類し，後方視的に比較検討したところ，Normotensive群とPermissive hypotension群に比して，Treated hypotension群が有意に，重症IVHおよび死亡率が高く，後遺症なき生存率が低かった．後方視的なstudyであり解釈に注意は必要であるが，Permissive hypotension，つまり「平均血圧が在胎週数を（少し）下回っていても循環不全徴候が他になければ昇圧治療などの介入をしなくても予後は変わらない」可能性が示唆された．

　　当院では，平均血圧が在胎週数を少し下回っていても，以下の項目をクリアしている場合は循環不全がないと考え，すぐに介入せず慎重に経過観察の方針としている．

□エコー上，ACAおよびRA血流の途絶がない

□尿量が維持されている

□血清乳酸値の上昇やアシドーシスがない

□aEEGで活動性が低くない（後述）

注意　aEEGの解釈

　　　2016年Shibasakiらの報告によると，在胎27週未満の超早産児の予後を後方視的に検討したところ，発達予後不良群は予後良好群と比して，血圧に差はなかったが，生後早期のaEEG scoreが悪かったことから，aEEGが血圧よりも神経学的予後に相関する可能性を示唆された．この論文を踏まえ，当院では循環不全の指標の1つにaEEGを参考にしている．

　　　実際にどのようにaEEGを参照しているかはp.51のMemoを参照されたい．

（Shibasaki J, et al. Early Hum Dev 2016; 101: 79-84.）

②後負荷不整合

　　超音波検査を行い，後述のStress-Velocity関係における状況評価や内大脳静脈（ICV）の
ゆらぎを確認し，介入を考慮する（詳細はp.121 ～ 124を参照）.

> **注意**　当院で振り返りを行ったところ，心機能は後負荷不整合の所見がなくても，ICVのゆらぎ
> を2度以上認めた症例で脳室内出血を発症したケースを認めた．ICVのゆらぎがどのよ
> うな病態を示しているのか明らかではないが，振り返りを経て，現在では心エコー上問
> 題がなくてもICVゆらぎを2度以上認めた場合，血管拡張薬（±動脈管開存症の治療）
> による介入を行うこととしている.

MEMO
aEEGの参照方法

　2006年に報告された在胎週数別のaEEG基本データによると，在胎28週未満，いわゆる超早産児では，背景はDiscontinuous（DC）pattern，Minimum amplitudeは2〜5mcV，Maximum amplitudeは25〜50（−100）mcV，Burst/時>100としている．これをもとに鎮静していることを加味して，具体的には以下のように判断している

①DC pattern，minimum＞1〜2mcV，Burst/時＞100 → Good !

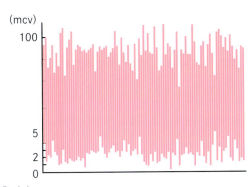

②minimum＜1mcV → Bad !

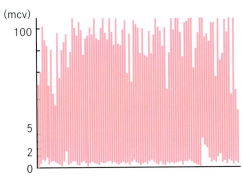

③Burst/時＜100 → Bad !

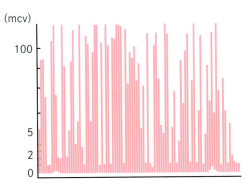

（2）介入

　介入，つまり具体的な治療管理については，①変動を最小限にする，②虚血を防ぐ，③心臓の後負荷不整合を防ぐの3ポイントを意識して行っている．それぞれについて，当院での管理の実際をご紹介する．

①変動を最小限にする

＜全例実施＞

- 気管挿管，人工呼吸器管理　急性期は基本的には抜管しない
- 鎮静（フェンタニル持続点滴静注　初期量　0.8μg/kg/時前後）
- 気管吸引　看護師とともに適切なタイミング，負担を最小限に！
- 急性期終了まで浣腸しない　ただしSGA児では胎便性腸閉塞を予防するため状態をみながら生後24時間以内に実施する
- 急性期終了までは体交しない（除圧のみとする）

＜個別実施＞

　　体動時にラボナール1〜2mg/kg/dose　静注

- フェンタニルのベースアップ
- 鎮静過多による浮腫増強，換気障害，低血圧低灌流を防ぐため，aEEGをみながら1〜1.2μg/kg/時を上限としている．

②虚血を防ぐ

＜全例実施＞

- ヒドロコルチゾン（HDC）　1mg/dose静注
　　超早産児では全例，出生後静脈路確保時・生後12時間の計2回
　　血管透過性亢進の抑制およびマイルドな血圧上昇による虚血予防を期待

＜個別実施＞　前述の循環指標を参考にしながら

- 容量負荷
　　IVIGやFFPを基本とし，病態に応じて赤血球輸血，濃厚アルブミン製剤を選択する．過剰な容量負荷は未熟な心筋にとって後に大きな負担を生むことになるため，慎重な介入，観察が必要である．
- カテコラミン
　　主にドパミン単剤．シリンジポンプや点滴更新時の入りムラに注意が必要．そこで当院で使用する場合は，TPNラインに混注し濃度を希釈している．流量調整が困難となるが，変動は最小限となる．実際当院で使用することは稀で，PPHNなど体血圧維持が必要な場合に使用することがある．
- ハイドロコルチゾン（追加）　0.5〜1mg/kg/dose
　　ルーチン投与に加えて追加することがあるが，PDA治療薬であるCOX阻害剤との同時投与は消化管穿孔リスクを増加させるため，生後12時間以降の追加投与は動脈管の状況をみながら考慮としている．

③心臓の後負荷不整合を防ぐ
＜個別実施＞
（前負荷を減らす）
- Inを減らす　　　　　→　輸液を減量する
- Outを減らす　　　　→　利尿剤静注　フロセミド 0.7mg/kg/dose 前後
　　　　　　　　　　　　　（光線療法や加湿の影響も考慮）
- 静脈プールを増やす　→　鎮静の強化，血管拡張薬
- 動脈管の治療　　　　→　COX 阻害剤

（後負荷を減らす）
- 末梢血管を拡張させる　→　鎮静の強化，血管拡張薬（高用量）
- 肺血管抵抗を下げる　　→　酸素投与，アシドーシスの是正

注意　右心にとっての後負荷を下げる介入として肺血管抵抗を意識した介入を考慮するが，動脈管開存症がある場合，急速なアシドーシス補正は急激な肺血流増加→肺出血を招くことがあり，慎重に行う必要がある．

▶3 超早産児における急性期管理の実際

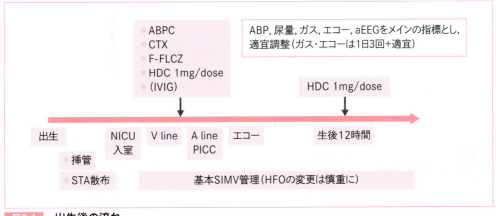

図2-4　出生後の流れ

> **実際の点滴メニュー例**
>
> ● **日齢0**
> **PI紫メイン**
> ● 10%ブドウ糖液
> ● 50%ブドウ糖液
> ● カルチコール注射液®
> ● プレアミンP®
> ● マルタミン®
> ● 注射用水
>
> **PI緑メイン**
> ● フェンタニル注射液®
> ● 10%ブドウ糖液
>
> **動脈ライン**
> ● ヘパリン生食 0.3〜0.4 mL/時
>
> <各投与量>
> WQ 60〜65 mL/kg/日
> GIR 5〜6 mg/kg/分
> AA 1 g/kg/日
> Fat none
> カルチコール 6〜8 mL/kg/日
> Na (Aline分のみ)、K free
> マルタミン 0.2 V/kg/日
> FNT 0.8 µg/kg/日前後
>
> ● **日齢1以降**
> **PI紫メイン**
> ● グルアセト35注®
> ● 50%ブドウ糖液
> ● カルチコール注射液®
> ● プレアミンP®
> ● マルタミン®
> ● ボルビサール®
> ● 注射用水
>
> **PI緑メイン**
> ● フェンタニル注射液®
> ● リン酸Na補正液®
> ● 10%ブドウ糖液
>
> **動脈ライン**
> ● ヘパリン生食 0.3〜0.4 mL/時
>
> <各投与量>
> WQ 60〜80 mL/kg/日(評価して調整)
> GIR 5〜6 mg/kg/分
> AA 1.5〜2 g/kg/日
> Fat none (絶食が長くなるようなら考慮)
> カルチコール 6〜8 mL/kg/日
> Na (Aline+基液分のみ)、K (基液分のみ)
> リン酸Na 1 mmol/kg/日
> マルタミン 0.2 V/kg/日
> ボルビサール 0.1 mL/kg/日
> FNT 0.8 µg/kg/日前後

WQ：Water Quotient, GIR：Glucose Infusion Rate, AA：Amino Acid, FNT：Fentanyl

3 動脈管開存症 (patent ductus arteriosus；PDA)

Ⓐ PDAの生理的な閉鎖機序

胎生期には必須な構造物である動脈管は，出生後には不要となる．そのため，胎内では動脈管を拡張させ，かつ出生後速やかに閉鎖させる機序が備わっている．これまでの研究から，プロスタグランディンE_2（PGE_2）および，その受容体（EP4）が動脈管を開存させることに重要な役割を担っていることがわかっている．しかも，近年，PGE_2/EP4シグナルは単に動脈管を拡張させるのみではなく，妊娠末期には，動脈管の血管内膜の肥厚（実際には血管平滑筋の血管内腔方向への遊走）をも促進し，出生後の動脈管閉鎖の準備を進めていることも明らかとなってきた[1]．

出生後，胎盤から産生されていたPGE$_2$（＝動脈管開存状態を維持する原動力）から切り離された児は，出生後は高濃度酸素環境に置かれることとなる．酸素は動脈管の機械的な収縮に加えて，胎児期後半から始まっていた血管内膜の肥厚を促し，両面から動脈管の閉鎖を促進させる．

機能的には，24時間で50%，48時間で90%，96時間でほぼ100%が閉鎖すると言われるが，解剖学的閉鎖には数週間〜数ヵ月を要する．

B 早産児の動脈管

早産児は，まだ動脈管の血管平滑筋が十分に発達する前に出生してしまい，動脈管閉鎖の準備段階である血管内膜の肥厚が生じておらず，成熟児に比べて閉鎖しにくい．PGEの産生を阻害するCOXインヒビター（シクロオキシゲナーゼ阻害剤）を投与して，PGE$_2$の働きを抑制し，動脈管閉鎖を促す治療がしばしば試みられる．

とりわけ，出生体重の小さな児ではPDAが症候化することが多く，PDAの管理は，早産児治療の中で最も重要な問題の1つと言える．

> **MEMO**
> **未熟児動脈管開存症治療ガイドライン**
>
> 未熟児動脈管開存症の治療に関しては，2010年にわが国独自のガイドラインが発表されており，日本未熟児新生児学会のホームページ（http://jspn.gr.jp）でも参照できる．
> （日本未熟児新生児学会・標準化検討委員会．根拠と総意に基づく未熟児動脈管開存症治療ガイドライン）

C PDAの合併症

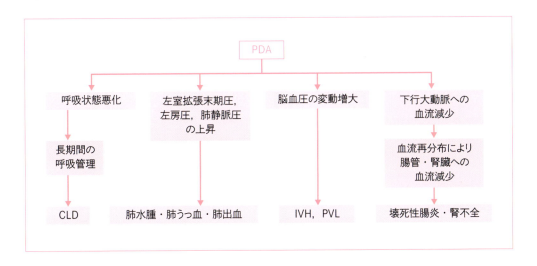

D PDAに影響する因子

- 水分過剰は未熟児PDAの発症率を増加させる.
- 未熟児PDA予防の観点から,

  RDSに対するサーファクタント投与が奨められる.

  RDS児に対する一律のフロセミド投与は奨められない.

  在胎34週以前の早産が予想される場合, 出生前母体ステロイドが奨められる.
- 出生後の全身ステロイド投与の未熟児PDAに対する影響は科学的根拠が乏しい. 一方, ステロイドの合併症のリスクを十分考慮する必要がある.

E PDAの症状

- 心拍数, 呼吸数の上昇
- 血圧:脈圧上昇≧35mmHg (bounding pulse), 平均血圧低下≦30mmHg
- 心雑音(生後早期は聴取できないことが多い):連続性雑音または収縮期雑音. シャント量が多くなると, 動脈管内を通る血液による音よりも相対的PSによる収縮期雑音が主体となる
- 皮膚色不良(末梢循環不全)
- 乏尿
- 肝腫大, 消化器症状
- 肺出血(突然の呼吸・循環の悪化がみられた場合, 肺出血を疑う)

F PDAの診断(致死的合併症が生じる前に,ハイリスクである血行動態を捉える)

- 症状
- 胸部X線:血管陰影増強, 肺うっ血, 心拡大

表2-3　CVDスコア

	0	1	2
心拍数	<160	160〜180	>180
心雑音	なし	連続性	汎収縮期〜拡張早期
bounding pulse	なし	上腕動脈	上腕動脈, 足背動脈
心胸郭比	≦0.6	0.6〜0.65	≧0.65
心尖拍動	なし	触診でわかる	視診でわかる

・3点以上を症候性とする.

● エコー診断（次項参照）

　　検査時期：生後早期6時間以内に1度，以後6〜8時間ごとに．

　　　　　　　サーファクタント著効例では圧設定を下げた場合．

　　　　　　　軽度のときは24時間頃評価．

　　　　　　　閉鎖まで連日評価．

Ⓖ PDAのエコー評価

1）PDAのflow pattern

- 胸骨左縁短軸断面で，肺動脈分岐レベルを描出する．この断面でPDAに軸を合わせてM modeにする．
- M-shaped，pulsatile patternはシャント量が多く，閉鎖傾向にないと考えられる．
- 閉鎖傾向にある場合にはflowは早くなり，またflowを捉えにくくなる．

2）PDAの径（肺動脈側）

- 経時的に評価する．

3）Lt PA edv（左肺動脈拡張末期速度）

- 日齢3のLt PA edvが未熟児PDAのその後の動脈管閉鎖手術の必要性を予測し得ると報告されている[2]．

4）Lt PA d/s（左肺動脈の拡張期最大血流速度／収縮期最大血流速度）

- 拡張期のflowの程度によって判断する．ただし測定点によってはflowが多くないこともあり，必ず数ポイントの測定点をとる必要がある．
- Lt PA d/s≧0.4が有意

5）LA/Ao（左房径/大動脈径）

- 胸骨左縁長軸断面のLA，Aoが水平になり，A弁が横に描出される位置で，そのA弁を貫くような面でM modeにする．LAは最大径を測る．
- LA/Ao≧1.4は要注意．経時的変化に注意する．

6）LA volume（左房容積，LAV）

- 四腔断面で，左房の面積および長径を計測，area-length法を用いて，左房容積（mL）=8/3π［（左房面積）^{2}/左房長径］を求め，体重（kg）で除したLAV/BWの推移の時間変化を記録，超早産児動脈管開存症の重症度評価に用いている．

　　注意　左房容積だけでなく，左房の収縮も意識してみておくとよい．当院では，左房が大きく，さらに縮めていない状況は肺出血リスクが高いと考え，より慎重な管理を考慮している．

7）LVIDd

- 1,000g以下の早産児で12mm以上は拡大．

8）臓器血流

- RA-RI（腎動脈の拡張期血流パターン）
- SMA-RI（上腸間膜動脈の拡張期血流パターン）
- ACA-RI（前大脳動脈の拡張期血流パターン）

補足： PDAの心エコー（どこで何を見るか？）

1. LA/Ao比の計測

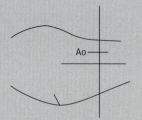

(a) 胸骨左縁長軸断面のAo, LAが水平になる位置でM modeにする.

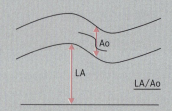

(b) 左房は最大径, 大動脈はA弁が下方に落ち込む位置の径を測り, LA/Ao比を計測する.

2. PDAflow, LtPA flowの抽出

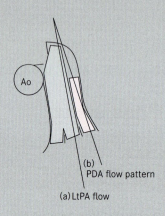

(a) LtPA flow
(b) PDA flow pattern

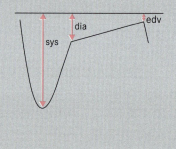

(a) LtPA flowの計測
拡張期最大速度（dia）／収縮期最大速度（sys）, 拡張末期速度（edv）

(b) PDA flow patternの抽出
このようなM-shaped, pulsatileパターンが得られた場合, 閉鎖傾向にはないと考えられる.

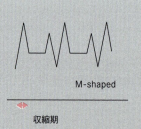

M-shaped
収縮期

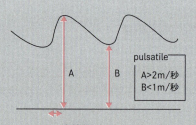

pulsatile
A>2m/秒
B<1m/秒
収縮期

3. LA volume の計測

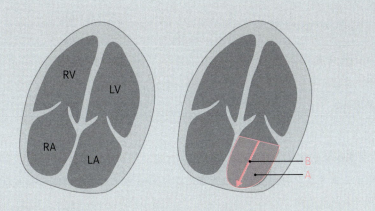

図のように左房の面積をトレースして計測（A），さらに長径（B）を計測する．左房容積は area-length 法を用いて，左房容積（mL）＝ $8/3π$ [(A 左房面積)^2/B 左房長径] から計算する．超早産児では，左房容積（mL）を体重（kg）で除した LAV/BW（mL/kg）が超早産児動脈管開存症の重症度評価に有用であると報告されている[3]．

H PDA の管理・治療

1）薬物療法

- シクロオキシゲナーゼ（COX 阻害剤）

  国内で保険適用のある COX 阻害剤は，インドメタシンとイブプロフェンがある．

i）インドメタシン

[予防投与]

①未熟児 PDA を予防するために，生後早期にインドメタシン投与が奨められる．ただし，PDA 閉鎖術の施行能力，在胎週数・出生体重ごとの症候性 PDA や脳室内出血の発症率などを各施設で評価した上で，投与を検討する必要がある．

②脳室内出血および未熟児 PDA 予防のために，インドメタシン予防投与を行う場合，生後 6 時間以内に 0.1 mg/kg/回を，6 時間の持続静注により投与することが奨められる．動脈管の閉鎖が得られない場合，24 時間ごとに 3 回までの投与を考慮する．

[症候性 PDA に対する治療的投与]

症候性 PDA に対するインドメタシン投与は，0.1〜0.2 mg/kg/回を 12〜24 時間ごとに連続 3 回までの静脈内投与が奨められる．

なお，インドメタシンを投与する際，急速静注は奨められない．

インダシン® 添付文書より

初回投与時の生後時間	投与量（mg/kg）		
	1回目	2回目	3回目
生後48時間未満	0.2	0.1	0.1
生後2〜7日未満	0.2	0.2	0.2
生後7日以上	0.2	0.25	0.25

ii）イブプロフェン

　長年インドメタシンが使用されてきたが，2018年より保険適用となったPDA治療薬がイブプロフェンである．

　早産低出生体重児におけるPDA治療において，イブプロフェンとインドメタシンを比較したコクランレビューによると，2剤の動脈管閉鎖失敗率は同等（リスク比：1.07，95％CI 0.92〜1.24）であった．一方，合併症に関して，イブプロフェンはインドメタシンより有意に，壊死性腸炎が少なく（リスク比：0.68，95％CI 0.49〜0.94）になり，乏尿が少ない（リスク比：0.28，95％CI 0.14〜0.54）という結果であった[4]．

［症候性PDAに対する治療的投与］

イブリーフ® 添付文書より

	投与量（mg/kg）		
	1回目	2回目	3回目
初回投与時期に関わらず	10	5	5

症候性PDAの診断

- CVDスコア3点以上，または，PDAによる肺出血．
- 心エコー所見ではPDA flow pattern，肺動脈の拡張期の最大速度／収縮期の最大速度 ≧0.4，LA/Ao≧1.4などを参考とする．
　また腎動脈や上腸間膜動脈の拡張期逆流を認める場合に治療開始を考慮する．
- 心雑音，bounding pulse，心尖拍動，換気条件の悪化などの臨床症状も参考にする．

［COX阻害剤使用中に必須のモニタリング項目］

①尿量，血清クレアチニン値，血糖値．

②腹部膨満・血便・胆汁様胃液吸引・腹壁色の変化など壊死性腸炎・消化管穿孔を示唆する所見のチェック（超音波検査・腹部X線検査を含む）．

> 注意　とりわけ，COX阻害剤の投与回数が連続4回を超える場合は壊死性腸炎のリスクにより注意が必要である．

[COX阻害剤使用時の併用療法]
- 経管栄養：一律に経管栄養を中止することは奨められない．
- 吸入酸素濃度：一律に酸素濃度を変更することは奨められない．
- 投与水分量：水分過剰を避けることは必要だが，過度な水分制限（脱水症・循環不全）は避ける必要がある．
- ドパミン・ドブタミンなどカテコラミンを一律に投与することは奨められない．
- 輸血：一律に赤血球輸血をすることは奨められない．
- ステロイド薬：PDAの閉鎖を目的としたステロイド投与は奨められない．
- ビタミンA：一律にビタミンAを投与することは奨められない．
- フロセミド：一律にフロセミドを投与することは奨められない．京都大学では，COX阻害剤使用後の乏尿による前負荷過剰を防ぐため，COX阻害剤使用前にフロセミドを使用することが多い．

2）外科治療（結紮術またはクリッピング）

外科治療は，動脈管を閉鎖させる最も確実な方法である．しかし，その成績・合併症の発症の危険性は，施設によって大きな差がある．このため，施設ごとの手術経験・成績を考慮に入れた手術適応の決定が重要である．

一般的には，症候性であり（前述した症候性PDAの診断を参照），内科治療に抵抗，あるいは内科治療の禁忌事項を有するなどの場合に手術を考慮する．

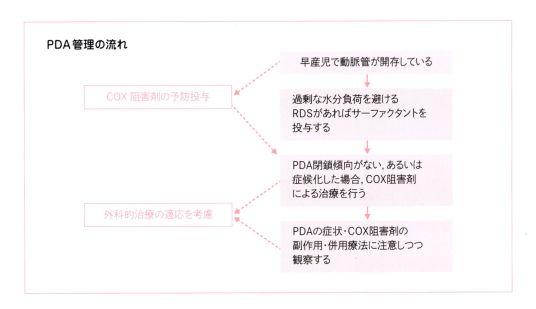

PDAに対する治療の選択

　ガイドラインにも繰り返し記されているが，どのような治療を選択するかは施設ごとに変わってくる．外科的治療の成績の良い施設であれば，COX阻害剤の副作用に怯えつつ繰り返し投与をするよりは手術が優先される．院内で手術ができない施設であれば，COX阻害剤でできる限り粘る……といった治療もやむを得ない部分がある．

　COX阻害剤の予防投与に関しても，脳室内出血・壊死性腸炎など，症候性動脈管開存症の合併症の頻度が高い施設であれば，積極的に取り入れるべきであろう．

文献
1) Yokoyama U, et al. J Clin Invest 2006; 116:3026-3034.
2) Masutani S, et al. J Cardiol 2021; 78:487-492.
3) Toyoshima K, et al. Circ J 2014; 78(7): 1701-1709.
4) Ohlsson A, et al. Cochrane Database Syst Rev 2020; 2(2): CD003481

第2章 / 極低出生体重児の管理

亜急性期・慢性期の管理

Key point

慢性肺疾患の管理，予防，治療に確立したものはなく，肺にやさしい換気，輸液栄養管理，感染対策を心がける必要がある．本項では，急性期を乗り切った低出生体重児がしばしば直面する呼吸器の病態について学ぶ．

1 新生児慢性肺疾患 (chronic lung disease in the newborn; CLD)

▶ [定義]

先天奇形を除く肺の異常により，酸素投与を必要とするような呼吸窮迫症状が新生児期に始まり，生後28日あるいは修正36週を越えて続くもの．

▶ [病型分類]（厚生省研究班1995年3月）

Ⅰ型：RDSが先行／出生前感染なし［CAM; chorioamnionitis（絨毛膜羊膜炎）（−），IgM高値（−）］
　　　胸部X線上，びまん性の泡沫状 or 不規則索状・気腫状陰影（＋）

Ⅱ型：RDSが先行／出生前感染なし［CAM（−），IgM高値（−）］
　　　胸部X線上，びまん性の不透亮像（＋）泡沫／索状／気腫状陰影（−）

Ⅲ型：RDSが先行しない／出生前感染の疑いが濃厚［CAM（＋），IgM高値（＋）］
　　　胸部X線上，びまん性の泡沫状 or 不規則索状・気腫状陰影（＋）

Ⅲ'型：RDSが先行しない／出生前感染の疑いが濃厚［CAM（＋），IgM高値（＋）］
　　　胸部X線上，びまん性の不透亮像（＋）泡沫／索状／気腫状陰影（−）

Ⅳ型：RDSが先行しない／出生前感染が不明
　　　胸部X線上，びまん性の泡沫状 or 不規則索状・気腫状陰影（＋）

Ⅴ型：RDSが先行しない／出生前感染が不明
　　　胸部X線上，びまん性の不透亮像（＋）泡沫／索状／気腫状陰影（−）

Ⅵ型：その他

▶ [悪化要因]

- 慢性肺疾患は人工呼吸器による圧損傷（barotrauma），容量損傷（volutrauma），生物学的損傷（biotrauma），無気肺損傷（atelectrauma），酸素毒性（oxygen toxicity）など，様々な悪化要因に曝露されることで肺の損傷が進行する．

▶ [管理]

(0) 管理原則

- 早産児は肺・呼吸中枢の未熟性から人工呼吸管理を要することが多い．いかに前述の悪化要因から曝露を防ぐかが重要である．

(1) 酸素化

- 急性期離脱後は，酸素毒性の曝露を防ぐためSpO_2を85～95％に保つよう投与酸素濃度を調節する．
- 修正32週以降はSpO_2の変動に伴う未熟児網膜症の進行を防ぐ目的もあり，SpO_2を90％～になるよう目標を変更する．

(2) 換気

- $PaCO_2$を45～60mmHgに保つようにする．permissive hypercapniaの考えの下，pH>7.25を維持できていれば多少の高$PaCO_2$を許容し，過剰な圧補助にならないように注意する．

(3) 適切なPEEP

- 慢性肺疾患が進行すると，過膨張になった肺と虚脱した肺が混在する．肺胞が過膨張になりすぎないよう，かつ虚脱もしないよう，適切なPEEPを模索する必要がある．レントゲンや酸素化を参考にしながら調整する．

(4) 感染対策

- 長期挿管／人工呼吸管理が必要になる場合，必然的に人工呼吸器関連肺炎のリスクは高くなってしまう．感染に伴う慢性肺疾患の増悪を防ぐため，感染徴候の有無を定期的に評価する必要がある．

▶ [薬物療法]

1) 利尿剤

ラシックス®（＋アルダクトンA®）各2～3mg/kg/日（分2～3）．ただし，長期の利尿剤投与が必要となる場合は，尿へのCa排泄の少ないフルイトラン® 0.2mg/kg/日に切り換える．

2) ステロイド吸入療法

フルチカゾン（Fluticasone propionate）吸入療法

当院では新生児慢性肺疾患に対し，炎症抑制，末梢気道の損傷，創傷治癒を目的としてステロイドの静脈投与を行うことが多い．一方で，全身投与に伴う発達への影響などの有害事象を懸念し，局所的にステロイドの効果を発揮させる目的でステロイド吸入を行っている施設もある．

(1) 適応

人工換気療法施行中の超低出生体重児，極低出生体重児で，いったん下げることができたF_IO_2やMAPを再び上げざるを得なくなるような症例等が対象となりうる．また，子宮内感染があり，胸部X線上の肺の陰影の変化が早い児では生後早期より開始することもある．

以前，当院では上記対象にフルタイド® 50μg×1 プッシュ×2回/日を原則的には抜管まで行っていた．なお，気管内吸引物の細菌培養検査で真菌属が有意に増加してきた場合は中止している．

(2) 方法
① フルタイド®をよく振り，キャップを外しAerochamber（ACE®米国DHD社製エアロゾル噴霧器スペーサー）に装着する．
② Aerochamberの一方の端をジャクソン・リース回路に付け，ブレンダーのF_iO_2はIPPV回路より10％高く，流量は3〜5L/分に設定する．
③ Aerochamberのもう一方の端を気管内チューブに直接装着する．
④ フルタイド®を1プッシュした後，bag IPPVを開始する．PIP，PEEPはIPPVの設定条件と同じにして40/分の回数で30秒間行う（マノメータを装着し，圧がかかりすぎないように注意する）．
⑤ bag IPPV終了後，Aerochamberを外してIPPV回路に戻す．

補足：
　早産児を対象に，生後1週間以降にステロイド吸入を行うことを検証したシステマティックレビューが2022年に報告されている．死亡もしくはBPD，死亡，BPDいずれにも有意な効果は示されなかった．死亡もしくはBPD：リスク比 1.10, 95%CI 0.74-1.63．死亡 リスク比 3.00, 95%CI 0.35-25.78, BPD リスク比 1.00, 95%CI 0.59-1.70．ただしエビデンスレベルは低く，長期的な影響についてもまだ明らかになっていない．

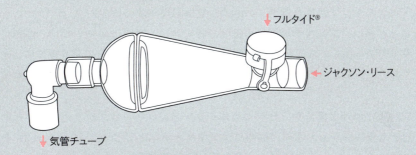

図2-1　ステロイド吸入療法の実際
DHD社製のAerochamberにフルタイド®とバッグを装着することによって，気管挿管チューブにステロイドを直接噴霧できる．

文献
Onland W, et al. Cochrane Database Syst Rev 2022; 15;12: CD002311.

補足：
　従来からステロイド吸入療法は全身作用はないとされているが，高血糖，副腎抑制をきたしたとする報告もあり，慎重な観察が必要である．

3）ステロイド静注療法

新生児慢性肺疾患が進行した場合には，ステロイドの全身投与を積極的に検討する．

〔ステロイド静注療法の副作用とその対策〕

以下の副作用が考えられ，慎重な観察が必要である．使用する薬剤や時期によってリスクも異なることに留意する．

消化管出血：ガスター® 1mg/kg/日（分2）

消化管穿孔：特に生後7日以内にインドメタシンを使用している状況でハイドロコルチゾンを投与するとリスクが高くなることが知られている．

高血圧　　：水分制限の強化や利尿剤．

高血糖　　：投与糖分の減量・必要であればインスリンの投与を考慮

まとめ　最近の京都大学の新生児慢性肺疾患に対するステロイドの使用方法について

［適応］

人工呼吸管理中であれば，F_iO_2 が0.3を超える時，もしくは F_iO_2 が0.3未満であっても新生児慢性肺疾患が増悪し F_iO_2 が上昇傾向にある場合は，積極的に投与を検討している．抜管している児でも，非侵襲的陽圧呼吸補助から離脱できない場合にも投与を検討することがある．

［投与方法］

ヒドロコルチゾンが第一選択，1mg/kgを単回投与後に2mg/kg/日（分3）を開始することが多い．原則投与期間は3日間で終了とし，漸減はしていない．症例に応じて，投与期間を長くすることはあるが，1週間以上投与する場合に限り漸減中止としている．適切なタイミングで投与を開始すれば，この投与量でも十分効果が得られることが多い．

上記治療が無効な場合や，ヒドロコルチゾンの投与を複数回繰り返す必要がある場合，急激な慢性肺疾患の増悪の場合にはデキサメサゾン 0.3mg/kg/日（分2）を選択することもある．なお，当院ではステロイド吸入療法はほとんど行っていない．

直近の新生児慢性肺疾患に対するステロイド静注療法に関しては，日齢7未満で予防的に投与するものと，日齢7以降に投与することの2つのシステマティックレビューがある．日齢7未満の予防的な投与に関しては，死亡もしくはBPDやBPDを減少させる可能性があるものの，消化管穿孔のリスクが増えることや，脳性麻痺を増加させる可能性がある．

日齢7以降の治投与では，脳性麻痺を増加させることなく，死亡やBPDを減らす可能性が示されている．

これらの報告を元に，日齢7以降であれば上記適応に該当する症例では積極的に投与を検討している．日齢7未満であれば，投与の適応は慎重になるものの，急激な呼吸状態の悪化やレントゲン所見の悪化が見られた時には適応を検討している．

文献

Doyle LW et al. Cochrane Database Syst Rev 2021.10(10):CD001146.
Doyle LW et al. Cochrane Database Syst Rev 2021.11(11):CD001145.
Shaffer ML et al. J Pediatr 2019. 207:136-142.e5.

2 早産児のsilent aspiration

▷ ［概念］
ここでは気管挿管中の早産児で気管内へのミルク吸引によって生じるものを指す.

▷ ［頻度］
挿管中の早産児の80％に誤嚥（aspiration）があるという報告がある[1].

▷ ［症状］
極低出生体重児で人工呼吸器管理中の児で，ミルクの増加と共に呼吸状態の悪化あるいは，胸部X線にて含気不良，浸潤影の増加など悪化所見を認める（極低出生体重児では，咽頭からの垂れ込みによるsilent aspirationの頻度が高いとされている）.

▷ ［診断］
● **デンプンテスト―バレイショデンプンを用いた簡易検査法**
(北島博之, 他. 日本未熟児新生児学会雑誌 2000; 12：398-398を参考に著者作成)

（1）**方法**
①デンプン1gをミルク3〜10mLに混ぜて胃内チューブで投与する.
②投与前と投与後1時間，2時間，3時間の気管吸引物を採取する.
③検体にヨード剤を1滴添加し，含まれるデンプン粒子を染色し，その1滴（10〜20μL）をスライドグラス上にのせ，さらにカバーグラス（1.8cm×1.8cm）をのせて検鏡する.
④カバーグラスの外周を×100倍率で1周し，確認したデンプン（紫色の六角形）の粒子数を数える.

（2）**判定**
投与前0個，投与後数個以上で陽性と判定する.

（3）**参考**
①感度について：段階希釈試験によると約10万倍で1〜3×10個のデンプン粒子を認める. また，デンプン粒子はヨードデンプン反応でよく染まり，他のものとの鑑別は容易である.
④ミルク哺乳時間や回数との関係について：10mLの母乳に溶解したデンプン粒子は，0.5〜1時間後には5〜30×1,000個，次回の哺乳10mLの後には5×100個，さらに3回目の10mLの後では1個以下となる. 哺乳毎に500倍以上に希釈されている. このため，気管内への吸引はデンプン注入後早期の事象であると考えられる.

● **オイルレッド法**
大阪府立母子保健総合医療センターは，デンプンテストを用いず，気管内分泌物中のミルクの脂肪滴を直接オイルレッド染色する方法を考案し，報告している. ただし，脂質成分の

多い母乳での検出感度は良いが，脂質の少ない母乳・人工乳での検出率は劣るということである．

▶ [管理]

京都大学における極低出生体重児で長期の人工呼吸管理を要する児の経腸栄養の進め方

(1) 経腸栄養の1回注入量が2mL以上になった時点で，シリンジポンプを用いて1時間以上かけて注入する．

(2) 胃管からの注入の場合，各種看護ケアなども考慮し，注入時間は最大2時間までとしている．

(3) 経腸栄養が50〜60mL/kg/日に到達する頃には，多少なりとも胃食道逆流によるsilent aspirationが起きている可能性が高く，看護師と気管内吸引物の量や性状に関する情報の共有を十分に行う．

(4) Silent aspirationに伴う慢性肺疾患の進行が疑われる場合には，EDチューブ（5Fr）挿入を行う．EDチューブは先端が幽門を超えてすぐのあたりに来るようにし，深くなりすぎないように注意する．

(5) EDチューブ挿入後はチューブ先端，腹部所見，胃残と便の性状に注意する．

補足1：

　HFO管理中は上体挙上に加え，可能な限り腹臥位で管理する．

補足2：

　我々はHFOを主体とする呼吸管理を行っているためsilent aspirationの頻度が高い可能性がある．逆に，HFO以外の管理を行う施設ではsilent aspirationに対する予防処置の必要性は低いかもしれない．

---

3 早産児晩期循環不全

▶ [概念]

　急性期を過ぎた早産児に生じる低血圧，乏尿，浮腫，低Na血症などの循環不全の総称．近年その報告が相次いでなされるようになった．

▶ [頻度]

　32週未満の児で0〜17.7％と施設間差がみられる．

▶ [症状]

①浮腫，体重増加

②低血圧

③乏尿

④低Na血症

⑤感染症では説明できない無呼吸発作の増強，胃残増加，嘔吐，活気不良

⑥（低血糖）

⑦（高K血症）

▷ [診断基準]　新生児内分泌研究会（2007）
　A. 出生後数日以上を経過し
　B. 呼吸循環動態が落ち着いた時期が存在した後
　C. 明らかな原因なく
　D. 血圧低下もしくは尿量減少を認め
　E. 昇圧治療を要した例

なお，明らかな原因とは，失血，敗血症，症候性PDA，IVH，NECなど循環動態に影響を及ぼすと考えられる病態を指す．

MEMO
相対的副腎不全の病態

　コルチゾールの産生に必須の3βHSDは，妊娠初期を除くと妊娠後期まで胎児副腎には存在せず，胎児が産生する主なステロイドはDHEA-Sである．そこで胎児は，在胎30週頃までは胎盤に多量に存在するプロゲステロンから3βHSDを介さない経路でコルチゾールを産生する．

　このため，在胎30週未満で出生すると胎盤からのコルチゾール合成経路が突然遮断されることになる．このような早産児では，ストレスの少ない状況下ではなんとか十分なコルチゾールを産生することができるかもしれないが，ストレスに対して十分量のコルチゾールを産生することはできないのではないか，という考えがある．

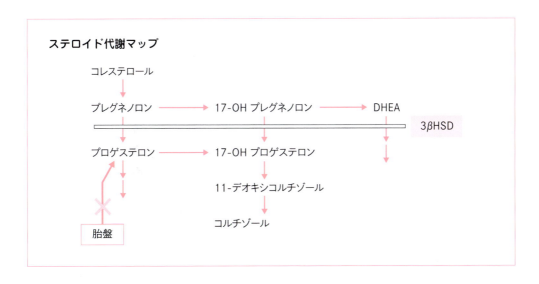

ステロイド代謝マップ

▷ [原因]
　その原因は不明なところが多いが，副腎機能の未熟性により，ストレスに対応するに足る副腎皮質ホルモンが分泌されないことによる，相対的副腎不全と考える説が有力である．なおリスク因子として，Na投与量の問題，HFOによる呼吸管理，胎内感染，超早期母乳など種々の因子が注目されているが，いまだ結論は出ていない．

▶［診断に必要な検査］

- 一般検査として，血糖値，血液ガス，血清／尿電解質の異常，感染症の有無を評価する．
- 胸部レントゲン，心エコー検査にてPDA再開通，心機能低下，容量不足の有無をチェックする．
- エコー検査にて前大脳動脈，腎動脈の拡張期血流低下（RI上昇）の有無をチェックする．
- 内分泌学的検査として血清コルチゾール，ACTHを実施．可能であればCRH負荷試験を実施する．

（1）早産児の副腎機能の正常値

- preterm SGA児はpreterm AGA児よりも血清コルチゾール値が高い．
- ワンポイントで測定した血清コルチゾール値が5 μg/dL未満は副腎不全を示唆するという報告もあるが，多くの場合ワンポイントのコルチゾール値で診断することは難しい．

表2-4　在胎週数別の血清コルチゾールの正常域

受胎後週数（週）	血清コルチゾール値（μg/dL）
24	4.0 〜 27.0
25	3.6 〜 24.3
26	3.3 〜 21.9
27	2.9 〜 19.7
28	2.6 〜 17.8
29	2.4 〜 16.0

(Heckmann M, et al. Arch Dis Child Fetal Neonatal Ed 1999; 81: F171-174 を参考に著者作成)

（2）CRH負荷試験

①ヒト-CRHを1.0 μg/kg静脈内投与．

②前値，15分後，30分後，（60分後，90分後）のACTH，コルチゾール値を測定する．

③通常ACTHは15分後，コルチゾールは30分後に頂値に達し，基礎値の2倍以上になる．

▶［治療］

（1）容量不足があれば容量負荷，心機能低下があればカテコラミンを投与する．

（2）上記の治療で改善がなければ，

①ヒドロコルチゾン（0.5〜1mg/kg/回）の静脈内投与．

②1回目の投与後1日以内に再び同症状がみられる際は定期投与を考慮する（約1〜3mg/kg/日，分2〜4）．

③定期投与となった場合は急に中止せず漸減して中止とする．

※ステロイド投与中は副作用として感染症，消化管出血，高血圧，高血糖，電解質異常，下垂体副腎抑制などに注意する．

（3）ヒドロコルチゾンを増量（2〜3mg/kg/回）しても低血圧／循環不全が遷延する場合は，ドパミンやバソプレシン（ピトレシン®）の投与を考慮する．

補足：教科書的には，（1）をまず行うことになるが，京都大学ではLCCと判断した場合，容量負荷やカテコラミン投与は行わず直ちに（2）HDC投与を開始している．

▷ ［予後］

- 晩期循環不全とPVLとの関連を示唆した報告が見られ，慎重な経過観察が望まれる．
- ヒドロコルチゾンは生理的な量であれば，最長43日の投与でも長期神経予後に影響はなかったという報告があるため，デキサメタゾンよりは安全に使用できる可能性がある．

参考文献

- 河井昌彦．早産児の循環不全に対するステロイド療法．河井昌彦，責任編集．新版　新生児内分泌ハンドブック．pp237-243，メディカ出版．2020．
- Ng PC, et al. Arch Dis Child Fetal Neonatal Ed 2004; 89: F119-F126.
- 小山典久，他．急性期離脱後一過性循環不全(Chronic stage circulatory dysfunction：CSCD) の実態調査－多施設共同研究による疫学的検討－．日本未熟児新生児学会雑誌2005；17：412．
- 中西秀彦，他．日本未熟児新生児学会雑誌2005；17：57-67．
- 福田純男，他．日本周産期・新生児医学会雑誌2006；42：352-352．
- Heckmann M, et al. Arch Dis Child Fetal Neonatal Ed 1999；81：F171-F174.
- Lodygensky GA, et al. Pediatrics 2005；116：1-7.
- Matsukura T, et al. J Clin Endocrinol Metab 2012；97：890-896.
- Watterberg KL. Semin Neonatol 2004；9：13-21.

第2章／極低出生体重児の管理

4 未熟児網膜症

Key point

　新生児医療は日に日に進歩している．一方，より未熟な児が救命し得るようになってきたため，眼科的な問題を抱える児は後を絶たない．本項では，我々の施設で行っている全身管理・眼科受診の方法を示す．

1 ハイリスク児の全身管理

　未熟児網膜症の予防に確立した方法はないが，在胎28～30週未満の児は特に未熟児網膜症のリスクが高いため，我々は以下の点に留意して管理している．

- 急性期酸素投与時にSpO_2が95％以上にならないように管理する．
- SpO_2 95％が維持できるようになったら，速やかに投与酸素濃度は下げていく．
- 修正32週以降は，SpO_2の変動による未熟児網膜症の進行を防ぐため，SpO_2の目標値を90％以上とし，変動を少なくするようにする．
- コクランレビューでは，エリスロポエチンは1週間以内に開始しても重症未熟児網膜症増加に寄与しないことが示されている．これまでは生後1週間以降での開始を推奨していたが，現在は必要に応じて早期からの開始も可能としている（p.216参照）．

[眼底検査の適応]

- 在胎33週以下または1,500g以下．
- 在胎 34～35週台かつ1,800g以下は，重症化リスク（数日以上の高濃度酸素，感染〔CAM・sepsis〕，大量輸血など）や家族歴を考慮して眼底検査実施の有無を個別に検討している．
- 背景疾患の検索の1つとして（特徴的な表現型が眼底に見られる場合があるため）．

[初回検査時期]

- 在胎27週未満の児：修正30 ～ 31週で全身状態や抜管時期を考慮して調整する．
- 在胎27週以降の児：生後3週間を経過して，全身状態が安定している時．
　（22～23週は対象数が少なく，上記でよいのかを検討するエビデンスが乏しい）

[検査頻度]

- 眼底所見に応じ，眼科医から指示があるが，病変が進行している時期は2回/週，安定期には1回/2週間程度．

[検査の実際]

- 散瞳：検査予定時間の約40分前から，散瞳薬（ミドリンP®など）の点眼を開始する．

10分間隔で4回点眼する．なお，処置中の状態悪化を避けるため，処置前のミルクは半量ないし絶食を考慮する．

- 眼科処置中：局所麻酔薬（ベノキシール®など）；ヒアレインなどを眼科医が適宜点眼する．
- 必ず主治医と指導医が立ち会う．無呼吸・徐脈に対応できるよう準備しておくこと．児によっては静脈ラインを確保しておく．
  例：アンビュバッグ®，喉頭鏡，挿管チューブ，強心剤など．
- 長時間診察直後のミルクは減量／中止する．
- 検査終了後：感染予防に検査終了時，同日夜，翌朝の計3回，クラビット®点眼を行う．
- 検査後に無呼吸発作増悪，嘔吐など状態の悪化することがあり．状態の変化に注意する．

表2-5　厚生省新臨床経過分類と国際分類

厚生省新臨床経過分類	国際分類
Ⅰ型	
2期（境界線形成期）	Stage 1：Demarcation line
3期初期（血管からの小さい発芽のみ）	Stage 2：Ridge
3期初期（上記より進行したもの） 3期中期（硝子体への滲出，増殖性変化） 3期後期（牽引性変化）	Stage 3：Ridge with extraretinal fibrovascular proliferation
4期（部分的網膜剥離）	Stage 4：Retinal detachment 4A：中心窩外網膜剥離 4B：中心窩を含む部分的網膜剥離
5期（全網膜剥離）	Stage 5：Total detachment
Ⅱ型	aggressive posterior ROP

注1）厚生省新分類では2期，国際分類ではStage 1からROP発症と定義する．

注2）国際分類では病変の位置を3つのzoneで（視神経乳頭を中心とし，最も内側からⅠ・Ⅱ・Ⅲ），病変の範囲を時計の時刻で記載する．

注3）国際分類では後極部の静脈の怒張と動脈の蛇行が著明な場合にplus diseaseと記載し，拡張蛇行がわずかに認められる場合にpre-plus diseaseと記載する．

注4）国際分類ではzone ⅠまたはⅡにStage 3の範囲が連続5時間（150°）または合計8時間（240°）で，plus diseaseを伴う状態をthreshold ROPと表現する．

注5）網膜凝固治療の適応：
・厚生省新臨床経過分類では3期中期，国際分類ではtype 1 ROPのいずれか，もしくはtype 2 ROPがthreshold ROPに進行した場合に治療適応となる．
［type 1 ROP］
　1）zone I, any stage of ROP with plus disease
　2）zone I, stage 3 ROP without plus disease
　3）zone II, stage 2 or 3 ROP with plus disease
［type 2 ROP］
　1）zone I, stage 1 or 2 ROP without plus disease
　2）zone II, stage 3 ROP without plus disease

2 レーザー治療時の管理

- 開始予定1時間前よりミドリン®Pにて散瞳させる.
- 3時間前より絶食とし,末梢ルートを確保しておく.
- 直前に気管挿管,人工呼吸器管理を開始する.
- 末梢静脈ルートから投薬を行う.

> ミタゾラム® 0.1mg/kg静注
> フェンタニル® 1～2μg/kg静注
> ロクロニウム® 0.1mg/kg静注

すべての薬は追加投与ができるように用意しておく(必要に応じて持続投与する).
- レーザー治療終了後はクラビット®点眼を1日2回×1週間行う.

MEMO

アバスチン®について

アバスチン®(ベバシズマブ,bevacizumab)は,血管内皮細胞増殖因子(VEGF)に対するモノクローナル抗体である.VEGFの働きを阻害することにより,血管新生を抑えたり腫瘍の増殖や転移を抑えたりする作用を持つ.抗がん剤として使用される他,未熟児網膜症・加齢黄斑変性・糖尿病性網膜症の治療薬として期待されている.未熟児網膜症に対するわが国での保険適応はなく,未だ研究段階の治療であるが,その有効性が多数報告されており,大いに期待される治療である.

第3章

呼吸器疾患
の管理

第3章 / 呼吸器疾患の管理

1 呼吸管理の実際

✎ Key point

　　呼吸管理は新生児医療にとって最も重要なものの1つで，呼吸管理の良し悪しが治療成績に直結する．本項は，呼吸器の設定からWeaningの方法まで我々が実際に行っている方法の一部を具体的に記載した．

▶1 呼吸管理の目標

　症状および血液ガスを是正し，pH 7.30〜7.45，PaO_2 60〜80mmHg，$PaCO_2$ 35〜50mmHg，BE＞−4mEq/Lに保つこと．

▶2 呼吸管理の適応

▶ ［呼吸の確立と維持（短期）］
- 蘇生時
- 手術時の麻酔

▶ ［基礎疾患及び病態の治療の一部として（長期）］
- 呼吸不全（呼吸窮迫症候群，胎便吸引症候群，新生児一過性多呼吸，肺出血，肺炎など）
- 心不全，ショック，新生児遷延性肺高血圧症
- 脳浮腫
- その他

▶ ［全身管理の一部として選択的に（長期）］
- 低酸素脳症の予防（遷延する無呼吸，徐脈）
- 仮死

1 機械的人工換気療法

適応：$F_1O_2>0.4$下にて，$PaO_2<60mmHg$あるいは$PaCO_2>55mmHg$の呼吸不全状態にある児
種類：新生児医療でも，使用するモードは多岐にわたる．使用頻度の高いものを中心に以下に詳述する．

　　　間欠的強制換気（intermittent mandatory ventilation; IMV）
　　　吸気同調式人工換気（patient triggered ventilation; PTV）
　　　換気量補償（volume guarantee）
　　　神経調節補助換気（neurally adjusted ventilatory assist; NAVA）
　　　高頻度振動換気（high frequency oscilation; HFO）
　　　経鼻的持続陽圧呼吸（nasal continuous positive airway pressure; nasal CPAP）

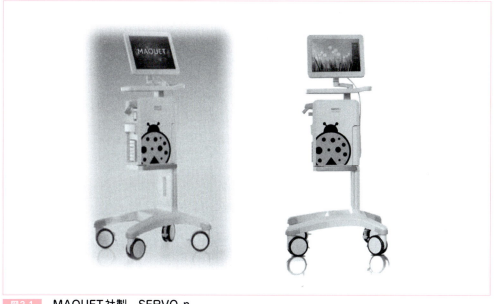

図3-1　MAQUET社製　SERVO-n
同社の呼吸器SERVOにNAVA機能が搭載可能である．SERVO-nはその新生児向け呼吸器である．

A 間歇的強制換気（intermittent mandatory ventilation; IMV）

▷ [定義]

　（自発呼吸を残しながら）強制的に陽圧換気を行い，不足な換気量を補う呼吸法である．なお，自発呼吸がない場合がCMV（continuous mandatory ventilation）であるが，人工呼吸器が行う仕事には両者に差はない．全身麻酔管理中などに用いることはあるが，自発呼吸を生かすことを目的に，後述するPTVを用いることが多い．

Ⓑ 吸気同調式人工換気 （patient triggered ventilation; PTV）

- 従来型の呼吸管理，すなわちCMVやIMVでは，患児の自発呼吸を考慮していないため，自発呼吸の呼気相に人工喚気の吸気相がくるなど，Fightingが生じることが多かった．
- そこで，患児の自発呼吸を人工呼吸器が感知して，それに同調した呼吸を行おうとして生まれたのが，PTVである．

▶1 PTVの種類

- SIMV （synchronized IMV）
- AC （assist control）
- PSV （pressure support ventilation）
- PAV （proportional assist ventilation）
- VG （volume guarantee）
- NAVA （neurally adjusted ventilatory assist）

▶2 同期式間歇的強制換気 （synchronized intermittent mandatory ventilation; SIMV）

▶ ［定義］

　患児の自発呼吸の開始を人工呼吸器が感知し，設定した回数だけ加圧し，自発呼吸を補助する呼吸法．

▶ ［利点］

　自発呼吸の何回かを機械が補助することで，自発呼吸に要する呼吸仕事量が軽減される．機械呼吸が自発呼吸を妨げないため，fightingが起こりにくくなる．

▶ ［適応］

　呼吸不全の回復期（人工換気離脱の準備段階）に使用する．一方，呼吸窮迫症候群（RDS）の急性期など肺のコンプライアンス・気道抵抗が高く，かつ肺の各組織で異なる場合は適さない．

▶3 補助調節換気 （assist control; AC）

▶ ［定義］

　SIMVは，感知した自発吸気の一部のみを補助していたが，ACでは児の吸気の開始を感知し，感知したすべての自発吸気を一定の気道内圧の付加によって吸気を補助する．

▶ ［利点］

　ACではすべての自発呼吸を補助するため，補助換気圧（最大吸気圧）が少なくて済む．

▶ ［適応］

　自発呼吸のしっかりした児では，SIMVより低い補助換気圧（最大吸気圧）で済み，weaningの際には，ACの方が肺に優しい（　図3-2　）．

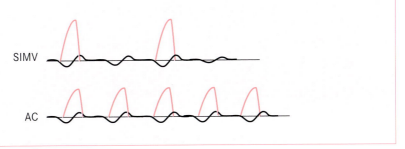

図3-2　ACとSIMVの差
ACではすべての自発呼吸を補助するため，補助換気圧（最大吸気圧）が少なくて済む．

▶ [短所]
- 患児の呼吸数が多い場合，すべての自発呼吸を補助すると，喚気回数が多くなり過ぎる危険性がある（Auto-cycling）．特に，回路内の水滴の動きなどで，吸気を過剰に認識した場合は換気回数が著しく増えてしまう．
- 喚気回数が多いと吸気時間が長くなってしまい，平均気道内圧が高くなってしまう（Auto-PEEP）．

▶4 圧支持換気（pressure support ventilation; PSV）

▶ [定義]
　児の吸気の開始を感知し，一定の気道内圧の付加によって吸気を補助し，吸気の終了を感知すると呼気を開始する換気モード．自発吸気の終了を感知して呼気に移る点がSIMV，ACより肺に優しい（ 図3-3 ）．

▶ [利点]
　SIMVとは異なり，吸気時間は児の吸気／呼気のペースに合わされるため，SIMVよりFightingを起こしにくい．

▶ [適応]
　自発呼吸が，よりしっかりしてきた児の呼吸努力の軽減，weaningなどに適している．

▶ [短所]
- PSVの吸気終了の認識は，吸気流速の減少（最大吸気流速の25％に減少すれば吸気終了と認識するなど）により，なされることが多い．しかし，コンプライアンスの悪い肺の場合，低い吸気流速で吸気が持続するが，PSVでは吸気終了と認識されてしまう．

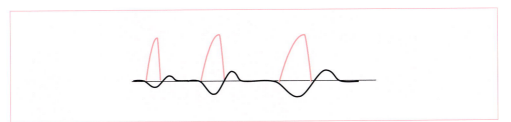

図3-3　PSV
児の吸気に同調して，設定圧の吸気をサポートし，吸気終了を感知して，呼気に転じる．

- リークが大きい場合に，呼吸器が吸気終了を認識できないことがある．この場合，高い設定サポート圧が維持されてしまう．
- 無呼吸発作が問題となるような児には不向きである．

▶5 換気補償モード（volume guarantee）

▶[定義]
基本は従圧式換気だが，あらかじめ設定した1回換気量（tidal volume; TV）に達すると，それ以上の換気圧がかからないようにするモード．

▶[利点]
人工呼吸管理開始後，肺のコンプライアンスが経過とともに改善していく場合，従来のモードでは，設定された圧が一定であるため，肺は過膨張するようになってしまう．

一方，VGによって必要なTVを定めておくと，肺のコンプライアンスが改善し低い圧で求めるTVに達するようになった場合に，それ以上の過剰な圧がかかり，肺が過膨張するのを防ぐことができる．

▶[適応]
- 肺のコンプライアンスが変動（改善）する状態において効力を発揮する．
- ほとんどの呼吸不全に対して適応となり，人工呼吸器管理の第一選択と考えてよい．ただし，エアリークなどのリスクがあり，陽圧換気を行うのが危険な場合は，当初よりHFOを行うのが望ましい．

▶[短所]
使用できる機種が限られること．リークが大きい場合は調節が不正確となることなどが欠点．

換気条件の初期設定

	（RDS以外）	（RDS：S-TA投与時）
PIP（cmH$_2$O）	15〜18	同左
PEEP（cmH$_2$O）	5〜7	同左
換気回数（Rate）	40	同左
吸気時間（IT：sec）	0.4〜0.5	0.5
−換気量補償の場合−		
一回換気量（mL/kg）	5〜7	同左
酸素濃度（F$_I$O$_2$）	0.21〜1.0	0.3〜1.0

人工呼吸器からの離脱（Weaningの進め方）

PaO_2に関わる因子　：F_1O_2，平均気道内圧（MAP），吸気時間

$PaCO_2$に関わる因子：呼吸回数，呼気時間，PIPとPEEPの圧較差

…早期抜管が困難と考えられる場合は，速やかにHFOやNAVAへの変更を検討する．

ー早期抜管が可能な症例の場合ー

1. $PaO_2 > 80mmHg$が持続的に得られるようになれば，F_1O_2を0.6まで0.05ずつ漸減する．
2. PIPを15まで1〜2cmH_2Oずつ下げる．
3. F_1O_2を0.21〜0.4まで0.05ずつ漸減する．
4. $PaCO_2 < 40mmHg$が持続するようなら，PIPを12まで1〜2cmH_2Oずつ下げる．
5. 呼吸回数を20回/分まで2〜3回ずつ下げる（吸気時間は変えない）．
6. 呼吸状態・血液ガス所見に悪化がなければ，抜管可能と考える．

(注) 条件を落としていく過程で，血液ガス所見の悪化・努力呼吸の出現がないかに注意し，Weaningを急ぎ過ぎないよう注意する．

▷ ［人工換気中のモニター］

- 平均気道内圧（MAP：cmH_2O）：換気条件の総合的な圧

  ＝換気回数×〔（PIP−PEEP）×吸気時間/60〕＋PEEP

- 一回換気量（mL）：コンプライアンスによって，同じPIPでも換気量が変わる．

  5〜7mL/kgになるように，PIPを調整する．

- PIP（cmH_2O）：換気量補償（VG）の場合は，PIPが変動するためモニタリングが必要．

- Oxygenation Index（OI）：Stiff Lungの程度を反映

  ＝MAP×F_1O_2/PaO_2×100

- 動脈血肺胞気酸素分圧比（a/APO2）：F_1O_2に影響を受けないシャントの指標

  ＝$PaO_2/\{(760-47) \times F_1O_2 - PaCO_2/0.8\}$

▷ ［抜管に向けての準備］

　無呼吸の危険性のある児は抜管前日から，無水カフェイン（レスピア静注・経口薬®）の投与を開始する．

- レスピア®の投与方法：初回はカフェインクエン酸として20mg/kg（本剤1mL/kg）を30分で静脈内投与，初回から24時間後に5mg/kg（本剤0.25mL/kg）を1回/日，10分以上かけて静脈内投与または経口投与する．

注意　無水カフェイン30mgはカフェインクエン酸60mgに相当する（1バイアル3mLに30mgの無水カフェイン＝60mgのカフェインクエン酸が含有されている）．

- 抜管時の修正週数，体重，自発呼吸の程度，肺の状態を考慮して，抜管後に必要となる呼吸補助のデバイスを検討する．
- 人工呼吸器のモニターで表示されるリーク率やリーク音の有無を確認する．長期挿管になっている場合や，リーク率が極めて少ない場合には，喉頭浮腫予防としてデキサメタゾンの投与を検討する（抜管12時間前／抜管直前に0.15mg/kgを投与）．

▷ ［抜管］

(1) 抜管直前に口腔内・気管内吸引を必要最小限行う．

(2) 必要最低F_1O_2に設定した自己膨張式または流量調節式バッグで加圧しながら抜管する．抜いたチューブの先端は培養検査に提出する．

▷ ［抜管後の対処］

(1) 呼吸補助を要する場合は速やかにデバイスを装着する．

(2) 安静が保てる体位を調整し，聴診を行い十分なair入りがあるかを確認する．抜管後の吸引は，必要以上に行うと喉頭浮腫を誘発するため注意する．

(3) 症例によっては喉頭浮腫対策として，デカドロン®＋ボスミン®の吸入を行う．（ボスミン®0.1mL＋デカドロン®0.1mL＋生食10mL）×3回/日×3日間

(4) 抜管後，1〜2時間後の酸素化・換気が適切かを血液ガスで評価する．

▶6 神経調節補助換気（neurally adjusted ventilatory assist; NAVA）

▷ ［定義］

（胃管としても使用可能な）専用カテーテルを用いて，横隔膜活動電位（electrical activity of the diaphragm; Edi）を計測し，その信号に基づいて補助換気を行う自発呼吸モード．これまでのトリガーが吸気・呼気の流速・流量を基にしていたのとは異なり，横隔膜の電位をトリガーとする点が特徴である．サーボベンチレーター（MAQUET社）のみで使用可．

▷ ［利点］

- 呼吸流量・流速の少ない早産児，リークが大きく呼吸が検出しにくい児においても，呼吸の感知が容易となる点が最大の長所．
- 横隔膜活動電位の大小で，呼吸努力の大きさも検出できるため，適宜必要とされる大きさの補助換気が可能となる点も魅力である．
- 設定した時間自発呼吸を認めなかった場合，バックアップ換気による補助が入る．

▷ ［適応］

自発呼吸が安定して出ていれば適応になる．中でも，従来の換気モードでは，人工呼吸器設定のweaningが進みにくい場合や，超早産児の肺保護目的が良い適応である．

注意 NAVAで重要なEdiカテーテルは，現在最小のもので6Fr 49cmという規格である．超低出生体重児の場合，適切に横隔膜電位を検知するためには，胃壁に当たる程度まで挿入せざるを得ない．しかしEdiカテーテルによる消化管穿孔が複数報告されており，超低出生体重児（特に500g未満の児）は，Ediカテーテルを適切な位置に留置できない可能性があり．NAVAの導入も慎重にすべきである．

▷ ［短所］

　当然ではあるが，自発呼吸のない児は適応とならない．具体的には，仮死・薬物などによる呼吸抑制のみられる児，神経筋疾患などの児には用いにくい．また，AC同様，多呼吸が著しい児でも使用しにくい．

▷ ［NAVAの初期設定例］

PEEP（cmH$_2$O）	5〜7cmH$_2$O
NAVAレベル	1.0〜2.0
Ediトリガー	0.5（固定）
トリガー	−10cmH$_2$O（固定）
無呼吸時間	2〜4秒
Backup PC	10〜14cmH$_2$O
Backup Ti	0.4〜0.7秒

▷ ［呼吸器設定の調整の実際］

1. 児の呼吸様式，酸素化を十分に観察する．
2. 呼吸器の画面上に表示されるトレンドを確認する．Edi peak（呼吸努力の指標）を5〜10，Edi minimum（横隔膜の緊張の指標）を1未満になるように調整する．Backup設定は，Backup換気が過剰にならない，かつ無呼吸時に適切なサポートが入るように調整する．
3. NAVAレベル

　　Edi peakが高値（＞10）であれば，NAVAレベルを0.2〜0.3ずつ上げる．Edi peakが低値（5＜）であれば，NAVAレベルを0.2〜0.3ずつ下げる．
4. PEEP

　　Edi minimum 2以上が続く場合，PEEPを0.5〜1ずつ上げる．PEEPが過剰になると，循環へ影響をきたす可能性があるため注意する．
5. Backup設定（無呼吸時間，Backup PC，Backup回数，Backup Ti）

　・Backup（％）が多い（＞30〜40％）場合，Backup設定が過剰である可能性を考慮し，Backup PCを1〜2もしくはBackup回数を3〜5回ずつ下げる．

　・Backup（Σ）が多い（＞4〜6）場合，過剰にBackupに切り替わっている可能性を考慮し，無呼吸時間を1秒ずつ長くする．

　・肺胞の虚脱を防ぐ目的で，Tiは0.5〜0.7秒程度と長めに設定することが多い．

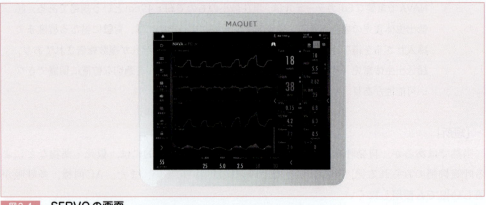

図3-4　SERVOの画面
最下段にEdiの表示，すなわち児の横隔膜活動電位の波形が表示されている．
これが児の自発呼吸に伴う筋活動を示しており，補助呼吸のトリガーとなるだけではなく，呼吸機能のモニターとしても有効である．
(資料提供：フクダ電子株式会社)

MEMO
NAVAについて

　極めて高い同調性・必要最低限の圧・バックアップ設定などの点から，超早産児の呼吸予後を大きく改善する可能性が期待されている．一方で，長期呼吸予後に対する有効性はまだ明らかになっていない．実際にNAVAに大きな期待が寄せられてはいるものの，超早産児の長期呼吸管理において，NAVAだけで呼吸予後を改善させることは難しい印象がある．従来使用していた換気モードや，薬剤をうまく組み合わせることが肝要である．

MEMO
Edi（横隔膜活動電位）について

　Ediは呼吸のトリガーのための電位の変化であるが，有用性はそれだけではない．Ediが著しく低いことは，サポートが過剰あるいは自発呼吸に乏しい（＝無呼吸発作のリスクが高い）ことを意味し，Ediが著しく高いことは，努力呼吸を行わざるを得ない状況になることが数値として評価できる．このように，Ediはバイタルサインのモニタリング項目としても画期的なものと考えられる．

C 高頻度振動換気 （high frequency oscillation; HFO）

▷ ［定義］

換気回数が10Hz以上（＞600回/分）で，1回換気量が生理学的死腔より小さい人工換気療法．

▷ ［利点］

- 気道内圧変化が小さく，肺損傷が少ない．
- 酸素化と換気が独立して調節可能である．
- 自発呼吸が抑制されるため，鎮静を要しない．

▷ ［適応］

(1) 適応疾患

- 呼吸窮迫症候群（RDS）：特に脆弱な肺を持つ超低出生体重児
- 肺低形成を示す疾患（先天性横隔膜ヘルニア，dry lung syndrome）
- 遷延性肺高血圧症（PPHN）
- 胎児水腫
- エアリーク〔気胸，気縦隔，間質性肺気腫（PIE）〕
- 進行性慢性肺疾患（CLD）
- 気管洗浄によって主気管支から胎便が除去された胎便吸引症候群（MAS）
- IMVでは救命困難な症例；
  最大吸気圧（PIP）＞30（成熟児），25（1〜2kg），20（1kg未満）
  F_IO_2＞0.6
  平均気道内圧（MAP）＞15を要する症例

(2) 慎重な適応が望まれる疾患

- 左右シャントを伴った心不全：PCO_2の低下が肺血管抵抗の低下を招き，肺うっ血を増大させる．胸腔内圧の上昇によって右心系への還流血液量が減ると左右シャント量が増大する．
- balloon atrioseptostomy（BAS）後の大血管転位（TGA）：胸腔内圧の変動が減少し，心房中隔欠損（ASD）を介する血液混合が減少する．
- 頭蓋内出血（IVH）を伴った児：脳からの静脈還流を阻害し，頭蓋内圧を上げる．

(3) 効果が期待しがたい疾患

- 閉塞性気道病変を伴った症例：胎便吸引症候群，肺出血，非常に細いチューブ（2mm）の使用例など

MAP（cmH_2O）	12〜15
振動数（Hz）	12Hz
振幅	12〜20cmH_2O
or	
換気量（VGを付加した場合）	2〜2.5mL/kg
I：E比	1：1（基本的には固定）
F_IO_2	0.21〜1.0

注意1	MAPは通常のIMVより2〜5cmH$_2$O高めに設定する.
注意2	F$_I$O$_2$は通常のIMVと同値で開始する.
注意3	振幅は胸郭の震えやPaCO$_2$の値を見ながら調整する.
注意4	機種によって,設定表示が同じでも実際にかかっている平均気道内圧などにはかなりの差がある.このため,数種の呼吸器が混在している施設では注意が必要である.

▶ [HFO施行時の注意]

脳からの静脈還流を保つため,上体挙上位（head up position）をとらせる.

太めの気管内チューブ（2.5mm以上）を使用する.

分泌物が多い場合は頻回に気管内吸引を行う.

▶ [HFO施行中の観察のポイント]

「胸壁の振動が少ない」→分泌物貯留によるチューブの閉塞・チューブあたり

「胸壁運動の左右差」→片肺挿管・気胸

「自発呼吸の旺盛な出現」→チューブ閉塞・事故抜管・気胸・PCO2の上昇

心雑音のチェックは呼吸器を外すか,あるいはIMVにモードを変更してから行う.

HFOからの離脱

PaO$_2$に関わる因子　：F$_I$O$_2$, MAP

PaCO$_2$に関わる因子　：振幅（SV, Amplitude）,振動数

PaO$_2$

1. F$_I$O$_2$を0.3まで漸減する.
2. MAPを1〜2ずつ漸減する（下限は10cmH$_2$O）.

PaCO$_2$

1. 振幅：SVは3mL/kg, dPは12になるまで漸減する.
2. SV, dPとも0になった時点がCPAP.

上記がそろえば抜管する.あるいは,自発が出てきたあたりでSIMVへ移行させる.

　NIV-NAVAを導入して間もなくは,NIV-NAVAがあれば早めに抜管できると考え,できるだけ早めに抜管することを目指していた.しかし,実際にNIV-NAVAを用いたとしても呼吸状態が不安定になり,再挿管が必要になるケースも散見される.そのため,最近ではNAVAにより肺を悪くすることがないのであれば,NAVAによる管理をできるだけ長く継続し,十分な体重増加や,呼吸中枢の成熟を図ってから抜管を目指すこともある.

MEMO

我々の呼吸器管理の実際

- **28週未満の早産児**
  1. 急性期はSIMVで管理．循環の安定化を優先させる．
  2. 急性期離脱後は，SIMV（＋VG）もしくはHFO（＋VG）に変更とする．
  3. できるだけ早めに，NAVAを導入し肺保護を目指す．NAVAでの管理がうまくいかない場合，HFOも併用する．

- **28週以降の早産児**
  1. 呼吸器装着時はSIMVにて開始し，なるべく早い時点で（数日以内の）早期抜管が可能かどうか判断する．
  2. 数日以内の早期抜管が不可能と判断した場合，HFOもしくはNAVA導入を検討する．

2 経鼻的持続陽圧呼吸
(nasal continuous positive airway pressure; nasal CPAP)

▷ **[定義]**
自発呼吸下で，経鼻的に呼期終末圧を陽圧に保つ呼吸法．

▷ **[利点]**
- 気管挿管なしに容易に装着できる．
- 末梢気道の虚脱を予防し，機能的残気量を保ち呼吸障害を改善させる．
- チューブの気道抵抗がなく，呼吸仕事量が軽減できる．
- 気管挿管管理に伴う気道感染症を回避できる．

▷ **[欠点]**
- nasal prongの鼻孔への強い圧迫による鼻腔狭窄，鼻中隔壊死を発症する可能性がある．リークにより十分なCPAPを維持することが難しい．
- 食道へも陽圧がかかるため，腸管が拡張して栄養を入れにくくなることがある．

▷ **[適応疾患]**
- キサンチン系薬剤，酸素投与で軽快しない無呼吸発作．
- 肺のコンプライアンスが若干悪いが，人工呼吸器を装着するほどでもない程度の症例．
  （狭義の）人工呼吸器の離脱の際．

▷ **[nasal CPAP infant flow system（エア・ウォーター株式会社）]**

初期設定　　　：6〜8L/分で3〜5cmH$_2$Oの圧で開始する．

Weaning〜離脱：授乳前30分nasal CPAPをオフとし，無呼吸の増加，呼吸障害の増強がなければ，順次オフの時間を延長していき，中止に持っていく．

　自発呼吸の吸気相にchamberより噴き出すジェット気流は，通常の人工呼吸器での使用よりも流速が速く，吸気が容易となる．呼気中ジェット気流の方向は反転し，呼気排出回路に向かって流れるため，呼気終末圧を確保しながら容易に呼気が可能となり，自発呼吸の呼吸仕事量を軽減することができる．

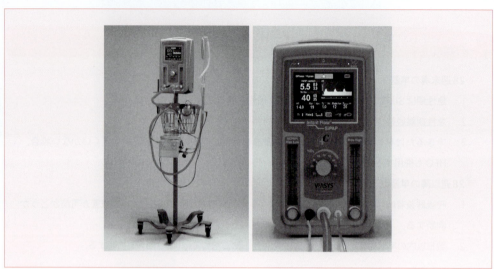

図3-5 インファントフローサイパップ™
(資料提供：エア・ウォーター株式会社)

▶ [nasal CPAPの新たな動き]

非挿管下に，呼気時に陽圧をかけるのがnasal CPAPであるが，この領域では新たなデバイスが次々と発売されている．それぞれの特徴を記す．

(1) BiPhasicモード (BIPAP)

インファントフローサイパップ™（エア・ウォーター株式会社）に搭載されている，2相式換気モード．一律の陽圧だけでなく，間欠的なプレッシャーアシスト（圧力補助）が付加される．これによって，一定頻度で深呼吸が加わることとなり，肺の拡張・無呼吸発作の減少などに有用だとされている．ただし，圧力補助は患者の呼吸に同調するものではない．

(2) NIV-NAVA (non-invasive NAVA)

前術のNAVAを非挿管下に用いる補助換気．大きな特徴は，非挿管下ではあるが，横隔膜電位の変化を検出して，それに同期した補助換気を行う点である．この点で，従来のnasal CPAP，BiPAPとは根本的に異なっている．

3 ハイフローセラピー

近年，注目されている新しい呼吸療法である．持続式陽圧換気と酸素療法の中間に位置する．患児の吸気よりも高い流量でガスを供給することにより呼吸をサポートし，呼吸仕事量を軽減させる．鼻カニューラから供給されたガスは，鼻腔内の死腔量を低減させ，二酸化炭素のウォッシュアウト（洗い出し）を容易にする．また，ある程度のPEEPを生じさせることができるとの見方もある．

現在，わが国では以下の2種の機器が使用可能となっている．

- オプティフローJR™ (Fisher & Paykel社)
- プレシジョンフロー® (Vapotherm：日本メディカルネクスト社)

これらの機器に共通する点は，経鼻カニューラからの空気の投与である点は，通常の経鼻酸

素投与と同様だが，著しく大きな流量で空気を投与する点が異なる（通常，2〜6L/分程度）.

　呼気時に，鼻腔の隙間から吸気ガスが逃げていくとともに，呼気ガスが排気できるよう，十分な余裕（隙間）を持たせてカニューラを装着する（＝50％以上のリークを持たせる）ことが重要であり，この点でも，できる限りリークを少なく固定するnasal CPAPとは正反対である.

　これらの機器においても，十分なCPAPが得られるとのことだが，原理から考えると，十分な陽圧がかけられるかに関して正直疑問はあるが，自験例でも有効例を経験しており，うまく利用すれば有効な武器になると考えられる.

4　気管挿管施行中のケア

Ⓐ 気管内洗浄

▷ [適応] 以下のような，チューブ閉塞を疑わせる兆候が現れた場合
- 気管内分泌物が粘調になり気管内吸引し難い.
- 吸引カテーテルの外側壁に分泌物が付着する.
- 二酸化炭素の貯留.
- HFO装着時に胸郭の震えが悪い，IMV管理時に胸郭の上がりが悪い.

▷ [方法]
- 体温程度に温めた生食0.2mL/kg/回を気管内チューブ内に注入し，人工呼吸器で数秒管理した後，気管内吸引を行う．この際，圧の急激な変化を避けるため，バギングは原則行わない.
- あらかじめ呼吸器の圧（MAP or PEEP）あるいは酸素濃度を少し上げておくと，バイタルの変動が少なく行える．2回/勤務〜2回/日，分泌物の性状を見ながら行う.

Ⓑ 人工換気療法時の主な合併症の管理

▶1　人工換気療法時の主な合併症

①気道内圧損傷・エアリーク
②呼吸器感染症・敗血症
③慢性肺疾患（CLD）
④頭蓋内出血・肺出血
⑤腹満・壊死性腸炎（NEC）
⑥気管支痙攣
⑦トラブル
- 人工呼吸器の作動不良：回路の漏れ・閉塞，加湿加温器の不良，回路内の水溜り
- 気管内チューブのトラブル：計画外抜管，閉塞，片肺挿管，位置の問題
- 呼吸器系の病変：気胸，出血性声門下狭窄，機械的損傷，無気肺

DOPE

人工呼吸管理中の急変対応を要する病態に「DOPE」が挙げられる.
- Displacement
- Obstruction
- Pneumothorax
- Equipment failure

▶2 トラブル発生と考えるべき所見

(1) 症状の急変
- SpO_2 の低下
- 血圧の変動
- チアノーゼの出現・増強
- 腹部膨満の増強・胃残の増大

(2) 換気中のファイティング
- 不規則で激しい自発呼吸
- 吸気時の陥没呼吸の増強
- シーソー呼吸の出現

▶3 トラブルが疑われる場合の対処の手順（チェックポイント）

(1) 人工呼吸器は正常に作動しているか？
- まず，回路を確認する．
- 児の状態が悪い場合には，1人で対処せず他の医師または看護師を呼び，バッグ加圧（バギング）をしてもらっている間にテストラングを着け，人工呼吸器の作動を確認する．
- HFOの場合も，テストラングを着ければ，ある程度作動の確認はできるが，わかりにくい場合はIMVモードに変更して（リークの有無など）作動を確認する．

(2) チューブトラブルはないか？
- まず，チューブの位置を確認する．
  - → 深すぎないか？ 浅くなっていないか？
- 気管内吸引はいつもと変わりないか？
  - → 気管内吸引カテーテルはいつもと同じ深さまで入るか？
    浅いところまでしか入らない場合，カテーテルの外側に吸引物がまとわりついてくる場合には，「チューブの狭窄・閉塞」が考えられる．
    いつもより深く入る場合は，「計画外抜管」が考えられる．
  - → 気管内吸引物の量・性状に変化はないか？
    ミルクなど，それまで胃内から吸引されていたものが気管内吸引物として吸引され

るようになった場合，「計画外抜管（あるいは誤嚥）」が考えられる．

- 胃内吸引をしてみる．
  - → 胃内から次々にエアが引けてくる場合は「計画外抜管」が強く疑われる．気管内チューブの閉塞の際にも，努力呼吸による呑気で胃内ガスが増大するが，バギングと共に胃内ガスが急増する場合は「計画外抜管」が強く疑われる．
- バギングしながら，胸郭の上がり具合を見て，左右肺へのエア入りを聴診する．
  - → バギングした際に「徐脈が改善しない」「まったくチアノーゼが改善しない」「胸郭が上がらない」「エア入りが聴こえない」「腹満が増強する・腹部が持ち上がる」「胃内ガスが増大する」場合は，「計画外抜管」が強く疑われる．食道挿管になっている場合は，バギングしながら，胃内ガスを引いてみると，次々ガスが出てくる（ただし，胃チューブが正しい位置に挿入されていることが前提）．
  - → 高濃度酸素で強くバギングすると胸郭が多少持ち上がりSpO_2の改善傾向がみられるが，弱めにバギングした場合胸郭の上がりが悪くSpO_2の改善がみられない．このような場合は「気管内チューブの狭窄（閉塞）」が強く疑われる．
  - → 肺がさほど悪くない児の場合，計画外抜管していても高濃度酸素でバギングすると，SpO_2が多少改善することがある．これは，口腔内の酸素濃度が上がるために自発呼吸下に酸素化が改善しているのである．このため，SpO_2の変化にばかり気を取られるのではなく，「胸郭の上がり具合・呼吸音・腹部所見」をしっかり判断することが重要である．
  - → バギングしながら聴診するときは，まず上腹部（胃）の音を聴く．この場合，胃チューブの挿入確認時のような「バスッ」や「ボコッ」などの音が聴取されたら，食道挿管になっている．肺野の音（呼吸音）はファイティングの強いときは非常に判断しにくい．つまり，本人の自発呼吸の音（肺胞音）も聴こえ，胃に入るガスの音の反響も聴こえるため，肺の音から判断すると間違える危険性が高い．肺野の聴診では「バギングとタイミングの合った肺胞音の聴取」が重要！
  - → HFOの場合，聴診所見で判断するのは不可能である．たとえ，肺野の聴診上，呼吸音が聞こえたとしてもそれは自発呼吸の音を聞いているに過ぎず，挿管チューブが正しく気管内に位置することを意味しない．また，食道挿管でもチューブの位置によっては多少胸郭が振動しているように見えることもあるため，胸郭の振動に頼って判断するのも危険．児の状態にもよるが，基本的には，HFOモード下で判断しようとせず，バギング下で判断する！

挿管チューブが気管内に位置するか，食道内に位置するかを鑑別する最も確実な方法は，二酸化炭素検出器（Pedicap™, Mini STAT™）を装着してバギングしてみることである！

- → もし気管内にあれば数回バギングすれば必ず二酸化炭素を検出するが，食道挿管の場合はいつまでも二酸化炭素は検出しないためである．

計画外抜管・チューブ閉塞の唯一の対処法は"気管内チューブの抜去"である.
気管内チューブを抜去すれば, 児はそれだけでも楽になる！
抜去した後, 適切なマスク＆バッグでバギングを行えば, 必ず換気状態は改善する.

→ 「バギングしても, 胸郭が上がらない」「チアノーゼが増強し, 血圧が下がっていく」にもかかわらず, 陥没呼吸が目立たない場合は気胸が強く疑われる.
→ バギングした際, 左右の肺のエア入りに差がある場合は, チューブ位置が深く片肺挿管になっているか, 無気肺を作ったかのいずれかである.

(3) 気胸あるいは無気肺が疑われる場合

ただちに透光試験を行い胸部X線を撮る.

→ 透光試験はアトム社製ウィー・サイト™などの光源を胸壁に当てることで, 簡易に行える.

気胸になっている場合は, 穿刺・脱気の必要性がないかを速やかに判断する.
緊張性気胸の場合, トロッカーカテーテルの留置を速やかに行う. 緊急性が高い場合は, 一時的に点滴留置針での脱気も検討する.
ただし, 点滴留置針での脱気はあくまで緊急の処置であり, 長期留置が必要な場合は必ずトロッカーカテーテルを留置する.

無気肺と判明した際は, 気管内洗浄を行った後, 患側を上にし, 頻回に気管内吸引を行う. また, 肺炎による無気肺を考慮し, CBC/CRP（生化学）を測定, 血液・気管内分泌物・胃内吸引物培養を採取した後に, 抗菌薬の投与を開始する.

(4) 気管挿管チューブのトラブルではないと判断した場合

上記の過程を経て, 計画外抜管・無気肺・気胸が完全に否定され, チューブの閉塞も否定的な場合でも, はっきりした原因が思い当たらなければ, まず気管チューブを入れ替えてみる.

それでも呼吸状態が改善しない場合, CBC・CRP・血液ガス分析と血糖値を測定し, 出血・感染の可能性を考慮する.

- Hb/Htの急速な低下がみられた場合, 体腔内への出血（頭蓋内・腹腔内・消化管内などへの出血）を考え, 超音波検査を行う. Hb/Ht値によっては, 同時に輸血（FFP・赤血球濃厚液）の準備を始める.
- 白血球数・血糖値（and/or CRP）の上昇がみられた場合, 感染を疑い, 血液・気管内分泌物・胃内吸引物便・尿の培養を採取した後に, 抗菌薬の投与を開始する（便・尿に関しては, すぐに入手できなければ, 抗菌薬投与が先になっても止むを得ない）.
- いずれの状況においても, 急速な呼吸状態の悪化が生じた場合, それが落ち着くまで, とりあえず絶食とする. 呼吸状態不良の際に無理に経腸栄養を進めると, 誤嚥・壊死性腸炎など重篤な合併症をきたす恐れがある.

第3章 / 呼吸器疾患の管理

2 無呼吸発作

✎ Key point

　無呼吸発作は低出生体重児では，頻繁に見られる病態である．一方，成熟児では，重篤な疾患の一症状であることもあり，注意を要する．

▷ [概念]
　20秒以上続く呼吸停止あるいは20秒未満の呼吸停止でも徐脈やチアノーゼを伴うもの．

▷ [頻度]
　在胎週数が34週未満の児に多くみられ，出生体重2,500g未満の低出生体重児の25%，1,000g未満の児の84%に認められる．

▷ [診断]
　症候性無呼吸発作〔感染・貧血・低Na血症・低血糖・高CO_2血症・慢性肺疾患・動脈管開存症（PDA）・脳室周囲白質軟化症（PVL）頭蓋内出血・痙攣・低体温〕をCBC，CRP，血糖，Na/K/Cl，Ca，血液ガス分析，超音波検査（心・中枢神経系），胸部X線，aEEGにて除外する．

▷ [治療]
1) 腹臥位（無呼吸の起こりにくい体位）に保つ．
2) 発作を誘発する要因の除去
　● 上気道閉塞を招く体位・口腔鼻腔内分泌物・胃食道逆流を除く．
　● 経口哺乳は中止し，腹臥位でゆっくり時間をかけ経管栄養する．
　● グリセリン浣腸（GE）により，腹部膨満を軽減する．貧血の是正．水分制限．
3) 発作時の刺激による回復
　● 足底部を叩く，摩擦する．胸郭を揺する．必要なら酸素投与・バギング．
　● 1回1回の刺激は確実に行い，充分覚醒させる．
4) 低濃度酸素療法
　● 低濃度酸素の持続投与（22～23%程度）：SpO_2が100%キープにならぬ程度に．
5) キサンチン系薬剤の投与
　　レスピア®：初回はカフェインクエン酸として20mg/kg（本剤1mL/kg）を30分で静脈内投与，初回から24時間後に5～10mg/kg（本剤0.25～0.5mL/kg）を1回/日，10分以上かけて静脈内投与または経口投与する．

> **注意** 無水カフェイン30mgはカフェインクエン酸60mgに相当する（1バイアル3mLに30mgの無水カフェイン＝60mgのカフェインクエン酸が含有されている）.

6) 以上にも関わらず, SpO_2 の低下を伴う無呼吸が持続する場合は nasal CPAP, NIV-NAVA と呼吸補助を強化する. それでも無効の場合は, ドプラム®の使用あるいは気管挿管を考慮する（MEMO参照）.

　なお, 週数の浅い児は慢性肺疾患や閉塞性無呼吸が混在していることがあるため, このような場合は早めにCPAP・人工呼吸管理を導入した方が良い場合がある. また, 未熟性では説明できないような頑固な無呼吸は気道病変や胃食道逆流（gastroephageal reflux; GER）などを疑い, 精査する必要がある.

▶ ［予後］

　症候性でない限り,（修正36週頃までに）児の成熟と共に減少～消失する.

MEMO

中枢性無呼吸発作に対する薬物治療について

　2014年にカフェイン製剤のレスピア®（注射・内服）が承認された. また, ドプラム注射液®（塩酸ドキサプラム）も, 以前は壊死性腸炎など重篤な合併症の懸念があり, 早産児無呼吸発作に適応はなく, 使用には同意書が必要であった. 近年, 投与量が見直され, 未熟児無呼吸発作に対する使用が禁忌から外されたことにより, 選択肢が広がった. 施設によって方針は異なるが, それぞれの薬剤の長所と短所をまとめてみる.

● **カフェイン（レスピア®）**

　少なくともテオフィリンと同等の効果があり, 副作用が少ない. 半減期が長く1日1回投与で良い. 血中濃度を測定できる施設が限られていることが難点でもあるが, 安全域が広いため, 血中濃度をモニタリングする必要がないとも言える.

● **塩酸ドキサプラム（ドプラム®）**

　壊死性腸炎などの合併症が報告されて以来, 禁忌薬剤に指定されていたが, 他の無呼吸発作治療薬に抵抗する未熟児無呼吸発作に対して, 使用可能となった. 通常, 初回投与量1.5mg/kgを1時間かけて点滴静注し, その後, 維持投与として0.2mg/kg/時の速度で, 点滴静注する. なお, 十分な効果が得られない場合は, 0.4mg/kg/時まで適宜増量する.

第3章／呼吸器疾患の管理

3 新生児一過性多呼吸
transient tachypnea of neonate（TTN）

✎ Key point

　多呼吸は新生児において非常によくみられる病態だが，TTN と診断するのはあくまで，他のすべての疾患を除外してからである．ここでは，多呼吸を認めた場合の管理について学ぶ．

▷ ［概念］

　肺液の吸収障害によると考えられる多呼吸を主徴とする呼吸障害．多くは数日間の酸素投与のみで軽快するが，時に呼吸窮迫症候群（RDS）と鑑別困難なもの，気胸・新生児遷延性肺高血圧症（PPHN）などを合併する重症例も含まれる．

▷ ［診断］

1）生後6時間以内に発症する多呼吸（呼吸数＞60/分）
2）多呼吸が12時間以上持続
3）特徴的な胸部X線像：肺門部の血管陰影の増強・肺の過膨張・葉間腔の液貯留・軽度の心拡大

上記1）〜3）の所見が生後24〜72時間までに改善すること

4）多呼吸をきたす他の疾患〔RDS，胎便吸引症候群（MAS），エアリーク，心疾患，肺炎，多血症〕の除外

▷ ［治療］

1）酸素投与：SpO_2 などを参考に適切な濃度の酸素（30〜40％前後）を投与する．
2）重症例では，人工換気・nasal CPAP を要することもある．
3）呼吸障害が強いときは絶食の上，経静脈輸液にて管理する．
4）アシドーシスの補正：必要ならば，メイロン®にて補正する．
5）利尿剤投与：利尿の乏しい場合．
6）アルブミン投与：低蛋白血症を伴う場合．
7）抗菌薬の投与：肺炎などの感染症が完全に否定できるまでは，ABPC＋CTX 各 100mg/kg/日（分2）を投与する．
8）サーファクタント補充療法：重症型に行うこともある．
9）PPHN を合併した場合は，PPHN の治療に準ずる．

▷ ［予後］

　一般に数日で症状消失し，予後良好．ただし，稀に慢性肺疾患に移行する症例もある．

95

TTNに対するβ2刺激薬であるサルブタモール（ベネトリン®）の吸入療法

　TTNに対してβ2刺激薬の吸入療法が有効であるという報告が複数ある．Armangilの報告もその1つである[1]．

　2021年のCochrane reviewではわずかに入院期間を減少させるなどの結果はあったものの，人工呼吸やCPAPの必要性に関する有効性は示されなかった．安全性・有効性を含め，まだ十分なエビデンスがない状況である．

文献
1) Armangil D, et al. Inhaled beta-2 agonist salbutamol for the treatment of transient tachypnea of the newborn. J Pediatr 2011; 159: 398-403

第3章／呼吸器疾患の管理

4 胎便吸引症候群
meconium aspiration syndrome (MAS)

Key point

胎便吸引症候群（MAS）は産科領域でもっとも訴訟の対象となることが多い病態である．なぜなら，分娩直前まで元気に出生することを信じていた両親にとって，我が子が仮死・MASで出生し，生死の危機に瀕するなどということは予想もしなかったことだからである．我々新生児科医はその病態をよく理解し，適切に対処する必要がある．

▶ ［概念］

胎児仮死に陥り子宮内で胎便を排泄した児が，出生前後に胎便を気道内に吸引し，呼吸障害を呈する状態．

▶ ［頻度］

羊水中に胎便が混入する率は全分娩の12.3％と多く，気道内に胎便が吸引されるのがその35％で，実際に呼吸障害を発症するのは，羊水に胎便が混入した児の10％とされている．

▶ ［病態生理］

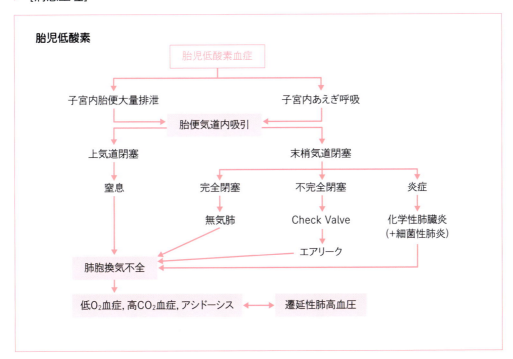

▶ ［症状］

　チアノーゼ，多呼吸，努力呼吸．

▶ ［診断］

　羊水混濁，気道内胎便，呼吸障害，X線所見（不均等なpatchy appearance），皮膚などの黄染．

▶ ［予防］

- 分娩前・分娩中は胎児モニタリングを慎重に行い，仮死出生を避けることが第一．
- 仮死状態にある場合，胎便が口・鼻腔内にある状態でのバギングは禁忌．
- 典型的な病態（2〜3時間）が完成すると予後は悪いため，分娩時の対応が重要である．
- とりわけ，羊水が不透明で胎便の粒が混じり"豆スープ"様である場合には注意が必要であり，病態に応じた適切な呼吸管理を早期より開始する．

▶ ［治療］

（1）呼吸管理

　　　①人工呼吸管理：高い平均気道内圧（MAP）が必要となる．症例によっては高頻度振動換気（HFO）〔時に膜型体外循環（ECMO）〕．

　　　②薬物療法：サーファクテン®による洗浄・補充．生食による洗浄よりも有意に胎便の回収率が良い．

- ステロイド療法：様々な炎症を抑制
- 抗菌薬
- 鎮静　　　　　　：ドルミカム®や筋弛緩剤
- 脳代謝抑制　　　：フェノバール® 10〜20mg/kg静注

（2）循環管理

　PPHN の管理（p.106 参照）

（3）全身管理

　仮死に続発する種々の病態に対する治療は，p.166参照．

第3章 / 呼吸器疾患の管理

肺出血・出血性肺浮腫
pulmonary hemorrhage・hemorrhagic pulmonary edema

Key point

肺出血が生じると，児の呼吸状態は急速に悪化する．このため，日頃から的確な診断・治療の要点を学んでおくことが重要である．

▷ [概念]

以下の病態による，肺血管からの出血．
- 大量の左右短絡や循環血液量の増大により左房圧が上昇し，肺の毛細血管圧が上昇することによって，肺血管が破綻する．
- 血漿膠質浸透圧の低下により，肺血管の透過性が亢進する．
- 障害を受けた内皮で凝固異常が生じる．

▷ [リスク・ファクター]
- 仮死を伴った満期産児・重症の早産／子宮内発育遅延（IUGR）・児の未熟性・低出生体重・双胎・胎児仮死・低体温・動脈管開存症・左右短絡を伴う先天性心疾・骨盤位分娩・男児など．
- 母親の喫煙や年齢・DIC・母体血の吸引・ウイルス感染・高浸透圧液の輸液なども関係するという症例報告がある．

▷ [分類]
- 血性羊水吸引：Apt testでは母体血．
- （狭義の）肺出血（pulmonary hemorrhage）：気管吸引物のヘマトクリットは末梢血と同程度．
- 出血性肺浮腫(hemorrhagic pulmonary edema)：気管吸引物のヘマトクリットは低い．
- 動脈管開存症（PDA）に伴う肺出血：早産児に多い．

▷ [症状]

多呼吸，陥没呼吸，チアノーゼと徐脈を伴う急激な呼吸状態の悪化．しばしば胃内，気管からの出血を伴う．

▷ [診断]
- 胸部X線：片側または両側肺の不透過性が急激に変化する．
- 検査所見：ヘマトクリットの低下，時に凝固異常．
- 上記症状・検査所見より疑い，気管挿管し，挿管チューブからの出血を確認する．

▶ [治療]

- 呼吸管理：気管内洗浄，人工肺サーファクタントの補充，IMVでは呼気終末時陽圧（PEEP）を高く設定（5～7cmH$_2$O），HFOでは平均気道内圧を高く設定．
- 赤血球輸血，凝固機能の是正（FFPの投与など）．
- 心機能低下があればカテコラミン投与．
- 症候性動脈管開存症（PDA）にはその治療．

第3章 / 呼吸器疾患の管理

エアリーク
air leak

> **Key point**
>
> 急激な呼吸状態の悪化を見た際，エアリークは第一に考えるべき病態である．本項において，その診断・治療の要点を学ぶ．

▶ [概念]

過度の，また不均一な換気のために肺胞壁に対し，持続性に裂くような圧がかかり肺胞壁が破れ，そこから空気が漏れ出した状態．

▶ [リスク・ファクター]

血液／粘液／胎便吸引の既往・難産・胎児仮死・気管内チューブの挿入・蘇生・陽圧換気・肺炎など．

▶ [分類]
- 気胸：肺胞が破れて空気が直接胸腔内に及ぶ．
- 間質性肺気腫（PIE）：肺間質の空気が捕捉されて生じる．
- 縦隔気腫：漏れ出た空気がリンパ管や血管周囲の空間を通って中央に集まり，縦隔に貯留する．
- 皮下気腫：漏れ出た空気が頸部などの皮下組織に集積する．
- 気腹：漏れ出た空気が食道裂孔を通って後腹膜へ波及する．
- 心囊気腫：大血管周囲に沿って破裂した場合や，胸膜と心外膜の結合の近くにある縦隔の結合組織に沿って心膜腔内に破裂した場合に生じる．

A 気胸（pneumothorax）

▶ [症状]

多呼吸，陥没呼吸，チアノーゼ，胸郭の非対称，無呼吸発作，徐脈，心尖拍動の変位，呼吸音の変化，低血圧など．

▶ [診断]
- 透光試験：部屋を暗くし強い光源を前胸壁に当て，漏出した空気（いわゆる「ぼんぼり」）や縦隔偏位を確認．
- 胸部X線：前後像，仰臥位のままの側面像（cross table lateral view），気胸が疑われる側を上にした側面のデクビタス像．

▶ [治療]

(1) 保存的治療

肺に基礎疾患がなく，気胸を増悪する可能性のある治療が行われておらず，呼吸障害が

ない児は，なるべく泣かせないようにし，十分な観察と胸部X線のフォローを行う．通常24〜48時間で吸収される．酸素濃度は高めの方が気胸の吸収を早める．

(2) 穿刺吸引

呼吸循環障害を伴い極めて重篤な児，または呼吸障害を呈するが，1回の穿刺吸引でエアリークの消失が期待できる児．

準備：

> 18〜24Gの静脈留置針，イソジン®，10〜20mL注射器，三方活栓，延長チューブ，滅菌手袋，滅菌穴あきシーツ，テープ（ステリストリップ™），スピッツ

方法：

①仰臥位で穿刺側の上肢を挙上させ，穿刺部位を術者側へ突き出すように体幹を固定してもらう．

②滅菌手袋を着用し，穿刺部位の皮膚をイソジン®で消毒し，滅菌穴あきシーツを当てる．

③穿刺針を中腋窩線上，第5肋骨直上を45度の角度で刺入する．

④胸腔内に進入すると抵抗がなくなるため，内套針を少し抜き，胸壁に沿わせて肺尖部方向へ針を進める．針が胸腔内へ十分に進入したら内套針を全部抜き，あらかじめ三方活栓と注射器を接続していた延長チューブと接続し，注射器で吸引する．

⑤吸引により呼吸状態が改善したら穿刺針を抜き，穿刺部位をテープ（ステリストリップ™）で塞ぐように貼る．

(3) 胸腔内ドレーン挿入

エアリークが持続する児や人工呼吸器管理中の児．

準備：

> イソジン®，6〜8Frのトロッカーアスピレーションキット（静脈切開セット，針と絹糸を含む），弾力絆創膏，低圧持続吸引器

方法：

①穿刺吸引の手順①，②に従い準備する．

②第5〜6肋骨の中腋窩線上にメスで約0.5cmの小切開を加え，トロッカーカテーテルを用いて穿刺する．ただし皮膚の脆弱な超早産児では切開不要．

③胸腔内に達すると抵抗がなくなるため内套針を少し引き抜き，肺尖部へ向かってカテーテルを進める．

④内套針を全部引き抜いた後すぐに延長チューブを接続し，三方活栓部から注射器で吸引する．

⑤持続ドレナージの回路を，カテーテル→延長チューブ→三方活栓→シリコンチューブ→低圧持続吸引器となるように接続し，5〜10cmH$_2$Oの吸引圧で持続吸引する．

⑥針付き絹糸を用いて切開創を縫合し，その糸でカテーテルを硬く結び穿刺部の皮膚に固定する．

⑦シリコンチューブは弾力絆創膏で皮膚に接着して，体動により曲がるのを防ぐ．

⑧処置がすべて終了したら胸部X線を撮り，吸引の効果とカテーテルの位置を確認する．

合併症：肺損傷，出血，感染，ドレナージ不良（事故抜去，閉塞）

注意1 ある程度，エアがたまった状態で穿刺しないと，肺実質を損傷する危険性が高いため，穿刺後にドレーンを留置する場合は，エアの再貯留を待って行うのが安全．

注意2 乳腺組織を傷つけると，思春期以降大きな問題となるため，とりわけ女児の場合は前腋窩腺より前方は絶対に穿刺しない配慮が必要．

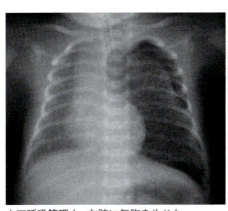
人工呼吸管理中，左肺に気胸を生じた．

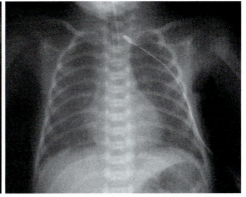
トロッカーカテーテル挿入にて，気胸は改善した．

図3-6　胸腔内ドレーン挿入

MEMO

超低出生体重児のトロッカーカテーテル挿入

　大きな児同様，超低出生体重児も緊張性気胸を発症してしまうことはある．超低出生体重児では肋間腔が狭く，カテーテルの挿入には勇気が要る．このため，我々も18Gの静脈留置針の留置による持続脱気を試みたこともあるが，十分な効果が得られず，不安定な状態を長引かせることになってしまった．

　そこで現在は，たとえ体重500〜600g台の児であっても，持続的な脱気が必要なケースではアーガイル社製の6Frのトロッカーカテーテルを挿入することにしている．

B 間質性肺気腫 （pulmonary interstitial emphysema; PIE）

▶ [症状]

生後2日間に最もしばしば発生しやすく，他のエアリークに先立って，または同時に起こる．種々の程度の呼吸障害を呈することがある．

▶ [診断]

胸部X線では，気管支の走行とは異なる嚢胞様または線状の，肺門部から放射線状に広がる透亮像を認める．

▶ [治療]

保存的治療が有効．呼吸器では圧と吸気時間を低下させ，換気回数を多く設定する．片側性では，患側肺を下にした体位をとり，胸部の理学療法を行う．重篤で広範な間質性肺気腫（PIE）には，高頻度振動換気（HFO）や膜型体外循環（ECMO）も考慮する．上記の治療に抵抗し，呼吸・循環動態に影響する場合は外科的切除を考慮する．

C 縦隔気腫

▶ [症状]

聴診で心音が遠くに聞こえる．

▶ [診断]

側部からの胸部X線で，縦隔内に気体を認める．前後像では，胸腺の周囲の気体により"sail sign"が認められる．

▶ [治療]

一般に縦隔気腫は臨床的にあまり重要ではない．可能であれば，呼吸器の圧と吸気時間を低下させる．

D 心嚢気腫

▶ [症状]

低血圧，チアノーゼ，徐脈が急激に発生する．心音は遠くに聞こえる．

▶ [診断]

透光試験は迅速な診断のために重要である．胸部X線では，正面，側面像で心陰影の周囲に気体が見られる．

▶ [治療]

心拍出量が減少していなければ，保存的治療が適切．

心タンポナーデや心拍出量の減少があれば，針穿刺の適応となる．

第3章／呼吸器疾患の管理

新生児遷延性肺高血圧症
persistent pulmonary hypertension of the newborn（PPHN）

Key point

以前は胎児循環遺残症とも呼ばれていた本病態は，新生児期の様々な疾患の中でも，最も難治性のものであったが，近年NO吸入療法の導入によって，大きく治療法が変わってきた．本項では，その診断・治療の要点を学ぶ．

▷ ［概念］

肺血管の機能的な異常，肺血管または肺血管平滑筋の構造上の異常により，出生後も肺動脈圧が異常に亢進しているため肺循環への血流が少なく，動脈管あるいは卵円孔を介する右左シャントが持続している状態．

▷ ［病因］

(1) 単純型（心筋障害を伴わない．肺動脈圧の絶対値が高い）
　a) 特発性：胎内で異常筋層化した肺血管床が出生後わずかのストレスに過剰反応する．
　b) 二次性：肺血管抵抗を高める基礎疾患を有するもの．
　　①肺実質疾患：胎便吸引症候群（MAS），呼吸窮迫症候群（RDS），肺炎，気胸
　　②肺血管床減少：先天性横隔膜ヘルニア，肺低形成
　　③血液疾患：多血症，心内膜血栓
　　④代謝疾患：低カルシウム血症，低血糖，代謝性アシドーシス，低体温
　　⑤感染症：B群溶連菌（GBS），Ureaplasma，echovirus 2肺炎
　　⑥機序不明：腹壁破裂，胎児ヒダントイン症候群，肝の動静脈奇形
(2) 複合型（心筋障害による相対的肺高血圧）
　　①新生児一過性心筋虚血（myocardial dysfunction）
　　②周産期の大量出血（hypovolemic shock）

▷ ［診断］

(1) 上下肢のSpO$_2$の差

上半身と下半身（preductal＝右上肢とpostductal＝下肢）でSpO$_2$に10％以上の較差（PDAを介したシャント）を認めた場合に強く疑われる．ただし，卵円孔レベルでのRLシャントが優位な場合，上下肢のSpO$_2$の差を認めないこともあり，上下肢のSpO$_2$の差がないことがPPHNを否定する根拠とはならない．

(2) 心エコー
　● 動脈管，卵円孔レベルでの右左シャントの証明が確定診断となる（三尖弁逆流，肺動脈

血流速度の減弱も参考になる).

- 肺高血圧の評価

①右室圧の推定

三尖弁逆流の最大流速（V）から右室圧が推定できる（簡易ベルヌーイの式より）

右室圧 $= \Delta P + 5$（〜10），$\Delta P = 4 \cdot V^2$

なお，わずかな三尖弁逆流や肺動脈弁逆流はあっても正常範囲内である.

②Main PAでの加速時間（AcT）と駆出時間（ET）の比

全駆出時間がET（ejection time）で，立ち上がりからピークまでの時間がAcT（acceleration time）.

AcT/ET≦0.25は肺高血圧がある（正常値は0.4前後）.

- チアノーゼ型先天性心疾患を除外する（総肺静脈還流異常との鑑別が困難なことがある）.

▶[治療]

（1）全身管理

"minimal handling" を心がける.

鎮静・筋弛緩（薬剤の使用法に関しては，p.74, 163参照）.

（2）呼吸管理

①高濃度酸素吸入療法

低酸素血症が持続することは肺血管収縮，肺血管抵抗を上昇させる.このため，高濃度酸素投与によるPaO_2の上昇は肺血管抵抗を低下させ，PPHNの悪循環を断ち切るために有効である.

②HFO（高頻度振動換気法）

平均気道内圧を上げずにPCO_2を低値に保つことが可能であり，過換気療法による圧損傷を防ぐ人工換気療法で，高濃度酸素吸入のみで改善しないPPHNには早期に導入すべき呼吸方法.ただし，胎便吸引症候群（MAS）のように気道の閉塞性病変を伴っている場合は振動が肺胞まで伝わらないため，注意を要する（詳細は呼吸管理の実際の項p.85参照）.

③過換気療法（hyperventilation）

肺血管抵抗は血液pHと反比例の関係にあり，アルカローシスに保つ.あるところまで過換気によりCO_2を抜いてくると卵円孔，動脈管での右左シャントが消失する値があり，critical CO_2と呼ぶ（PCO_2で30mmHg以下，多くは25mmHg前後）.過換気によりそれを維持する（低CO_2血症による脳虚血や肺の圧損傷に注意）.通常，換気回数は60/分以上100/分前後まで必要になる.

ただし，脳血流の低下により脳室周囲白質軟化症（PVL）のリスクを高めるため，我々はあまり使用していない.

（3）薬物療法

1. 一酸化窒素（NO）吸入療法

▶[概念]

人工呼吸器回路内へNOガスを投与することにより，吸入されたNOが肺血管平滑筋へ直接作用し，血管拡張作用を期待する治療法.NOは肺血管内に拡散すると，ただちに不活性化され，体血圧に影響がないのが特徴.

▶ ［トピックス］

2008年7月にNOガス「アイノフロー®吸入用800ppm」が医薬品として，またNO投与装置「アイノベント」が医療機器として，製造販売承認され，現在，新生児遷延性肺高血圧症に対する標準治療となっている．

図3-7　アイノフロー®吸入用800ppm（左），アイノベント（中），アイノフローDS（右）
（資料提供：エア・ウォーター株式会社）

▶ ［適応］

新生児の遷延性肺高血圧症に対しては，後述する他の薬物療法と比べて効果に優れ，副作用も少ないことから，第一選択とすべき治療である．

①重度の呼吸不全がある

導入開始は施設によって異なる．京都大学では，$F_IO_2=100\%$でもPaO_2 80以上かつSpO_2 94%以上が保てない場合を1つの目安としているが，状況によっては，より早期に導入することもある．

②PPHNの所見を認める

必須所見：動脈管（PDA）and/or 卵円孔（PFO）の右左短絡

参考所見：肺動脈血流の減少，重度の三尖弁逆流（TR），上下肢のSpO_2較差を認める．

▶ ［NO吸入療法の実際］

初期設定：（我々の施設では通常）HFOモードでNO導入を行う．

> NOは原則，20ppmで開始する

注意　ただし，肺血流の急速な増加がPDAの症候化を招く危険性のある早産児では，5ppmから開始した方が安全だという意見もある．

2. 血管拡張薬

経静脈血管拡張薬は肺血管に対する選択性がなく体血圧も低下させるため，低酸素血症が増悪することがある．したがって，連続的に血圧をモニターしながら，血圧低下に対処できる準備をしてから使用する．

ニトログリセリン（ミリスロール®）：0.5〜5 μg/kg/分

少量投与（0.5〜3 μg/kg/分）では静脈拡張作用，大量投与（3 μg/kg/分〜）では動脈拡張作用がある．静脈拡張作用が強いため，少量でも低血圧をきたしやすく，事前に循環血液量不足を補正しておく必要がある．半減期が2〜4分と短く，使いやすい．延長チューブを用いることによってミリスロールが吸着されやすいため，ミリスロールの吸着されにくい材質で可能な限り細く短いチューブ（ポリエチレンなどの専用チューブ）を使用すること，希釈により投与速度を速めること，最初の数mLを破棄するなどして，チューブ内の吸着をできるだけ減少させる．

プロスタグランジン（プロスタンディン® PGE1-CD）：20〜200ng/kg/分，リプル® lipo-PGE1：2〜10ng/kg/分

PGE1-CDと脂肪製剤化されたlipo-PGE1がある．低血圧の合併も少なく，短期投与ではほとんど問題となる副作用はない．ただし，未熟児に投与した場合，肺血管抵抗が下がると症候性PDAとなる可能性があり注意を要する．

硫酸マグネシウム（コンクライトMg®）

Mgは，プロスタサイクリンの産生，放出，代謝産物の増加に関与し，その結果，アデニルシクラーゼを活性化し，平滑筋細胞内のc-AMPが上昇し細胞内遊離Caを抑制させることで，筋弛緩作用を有する．またMgは内因性NO産生や放出にも関係し，NOを介してグアニレートシクラーゼを活性化し，c-GMPを上昇させ肺血管平滑筋による弛緩作用を仲介する．初期量150〜250mg/kgを30分かけて投与する．低血圧，不整脈，心機能抑制に注意．

イソプロテレノール（プロタノール®）：0.005〜0.2 μg/kg/分

肺血管拡張作用が強く，同時に心拍数増加作用があるため，徐脈傾向のある児には適している．また，気管支拡張作用もあり，PPHNの治療だけでなく慢性肺疾患の合併した肺高血圧，右心不全にも有効である．

3. 昇圧剤

動脈管レベルでのシャント血流の方向および流量は肺動脈と大動脈の圧較差による．したがって，体血圧を維持することは重要（使用法に関しては，循環管理の項p.113参照）．

- volume expander
- ドパミン（イノバン®）
- ドブタミン（ドブトレックス®）

NO療法からの離脱（Weaningの進め方）

PaO$_2$，SpO$_2$，エコーを繰り返し評価しながら，慎重に進める．

1. SpO$_2$ 95％以上or上下肢差が消失orOIが4未満になれば，F$_I$O$_2$を0.4まで徐々に下げていく．
2. F$_I$O$_2$が0.4まで下がったら，NO濃度を10ppmまで5ppmずつ下げる．
3. 上記設定となったら，NO濃度を5ppmまで，1～5ppmずつ下げていく．
4. NO導入開始後20時間以上経過後，NO濃度を3ppmまで下げる．
5. F$_I$O$_2$＝0.4，NO濃度3ppmがNO離脱の目安となる．
6. NO 5ppmからは1ppmずつ下げる．1ppmからは0.5ppmを挟んでから中止することもある．

① NOに対する反応が良好な場合，開始数分で右左短絡が左右短絡となり，PaO$_2$の急上昇がみられるため，PaO$_2$，心エコーのこまめなチェックが必要となる．

②離脱できない場合は，効果のみられる最低濃度でさらに12～24時間継続し，離脱を試みる．

③無反応の場合は，時期を失せずECMOに移行すべきであろう．

④病態によってはサーファクタントによる気道内洗浄が，気道閉塞を取り，肺のコンプライアンスを改善してNO到達度を改善することがある．

⑤ PPHNから脱した後もしばらくは肺高血圧の状態が続いており，不用意な換気条件の変更やNO濃度の減量もしくは中止はPPHNの再燃をきたすため，慎重に心エコーでPDA，PFOレベルでの短絡の方向，三尖弁逆流（TR），駆出率（EF）をチェックする．

▶ ［NO吸入療法の副作用とその予防］

副作用	作用機序
肺胞上皮の障害	フリーラジカルとしての作用
メトヘモグロビン血症	NOとヘモグロビンの結合
出血傾向	血小板凝集の抑制
動脈管開存症の悪化	肺血流の必要以上の増加
肺出血	血小板機能低下，肺血流増加

① NO$_2$中毒：NO$_2$濃度を1.0ppm未満に保つことが必要．

②メトヘモグロビン血症：メトヘモグロビン濃度を，吸入開始後4，12，24時間後とそれ以降は24時間ごとに測定し，2％未満に保つことが必要．

第4章

循環の管理

第4章／循環の管理

1 循環管理の基本

✎ Key point

　新生児は様々な原因で低酸素血症，アシドーシスとなり，このために循環障害をきたすことが多い．心拍出量の低下により，さらに全身状態の悪化を招くため，早期から注意深く対応する必要がある．

1 心不全

▶ [概念]
　組織の適切な代謝を維持するのに必要な心拍出量を保てなくなった状態．新生児は様々な原因で負荷が増加すると，対応しきれず心不全に陥りやすい．

▶ [心拍出量を規定する因子]
● 心拍数
● 前負荷：心臓が収縮する直前にかかる負荷（循環血液量あるいは拡張末期容積）
● 後負荷：心室から血液を送り出そうとする際に生じる抵抗（動脈圧・末梢血管抵抗）
● 心筋収縮性

▶ [新生児の心機能の解説・特徴]
(1) 心拍数
　新生児の心臓は小さく硬いため，拡張・収縮の予備能（＝1回拍出量の変化）が乏しい．心拍出量＝心拍数×1回拍出量となるため，新生児では心拍数が減る（徐脈になる）と，一気に心拍出量が減ってしまう．

(2) 前負荷
　バネをどのくらい伸ばすかが前負荷である．通常，伸ばしすぎない限り，バネは伸ばした方がたくさんの仕事を行う．よって，心臓も収縮する前に多くの血液（＝前負荷）があればあるほど，心拍出量が増えるはずである．しかし，伸びきったバネの仕事量が減るのと同様，前負荷が大きすぎると心拍出量は減少する．

(3) 後負荷
　伸ばされたバネが縮む場合，真空中にあれば抵抗は最小限であるが，水中にあるなど抵抗があれば，その分だけバネは縮みにくくなる．拡張期血圧・収縮期末血圧・末梢血管抵抗・血液粘稠度などが後負荷を規定する．すなわち，拡張期血圧が高いと後負荷が大きくなり，心臓が血液を拍出する際の仕事量が増える．

(4) 心筋収縮性
　胎児期は左心室の役割は少なかったが，出生後，肺血流の急増により左心室の前負荷が増

112

加する．また，胎盤から切り離され体血圧が上昇するため，左心室の後負荷も増加する．以上のことから，心筋に対する負荷が急増する．心筋の未熟な早産児ではこの変化に対応できず，出生後早期に低血圧に陥る．

(5) 心筋拡張性

　心拍数の項で記したように，新生児の心臓は固く小さい．そこに心筋の収縮力を上回るような大きな前負荷・後負荷がかかると，心筋は容易に伸びきってしまうのである．

▶ ［原因］

心筋障害：未熟性，仮死，新生児遷延性肺高血圧症（PPHN），双胎間輸血症候群（TTTS）の受血児，胎児水腫，動脈管開存症（PDA），低酸素血症，アシドーシス，多血症，貧血，心筋炎

急性循環障害：貧血，TTTS（供血児），脱水，敗血症

静脈還流減少：気胸，心タンポナーデ，人工換気，外科手術後

静脈還流増加：動静脈瘻

▶ ［症状］

(1) 低拍出による症状：頻脈，多汗，四肢冷感，乏尿，皮膚蒼白，胃残増加，腹部膨満

(2) 肺うっ血による症状：多呼吸，陥没呼吸，無呼吸，哺乳障害，肺出血，チアノーゼ

▶ ［治療］

(1) 全身管理

- 各種モニター：血圧，尿量，血液ガス（経皮モニター），中心静脈圧，血清乳酸値
- 原疾患の治療
- 水，Na制限，利尿薬
- アシドーシスの補正
- 循環の確保
  - ・適切な換気，酸素化の確保
  - ・循環血液量の確保

(2) 薬物療法：心血管作動薬の投与法

ドパミン（DOA）（イノバン®）：1A＝5mL＝100mg

特　徴：容量依存性の作用を有し，心収縮増強作用が強いため心不全にはよい適応となる．また，末梢血管に対しては$\beta2$作用が主であり，末梢循環を改善する．

作り方：0.6mL/kgを5％ブドウ糖液に溶解し全体を20mLにする（0.1mL/時＝1γ）

注意点：血管収縮作用のため末梢ラインでは血管に沿って白く見える（これだけならば放置してよい．しかし，刺入部周辺だけが全体に白く見える場合は漏れているため，すぐにルートを取り直す必要がある）．なるべく，専用のPIカテーテル®を確保し，3〜5γで開始する．

ドブタミン（DOB）（ドブトレックス®）：1A＝5mL＝100mg

特　徴：心収縮作用を増強するが末梢血管収縮作用はないため，昇圧作用に乏しく，通常DOAを併用する．

作り方：イノバン®と同様．投与量はイノバン®と同量〜倍量にする．

アドレナリン（ボスミン®）:1A＝1mL＝1mg

作り方：1mL＋5％ブドウ糖液19mL（全体で20mL）とする（0.05mg/mL）．0.05～0.1γから開始．3.3kgの児に0.4mL/時で投与すると0.1γになる．

ニトログリセリン（ミリスロール®）:1A＝10mL＝5mg

特　徴：末梢血管拡張による前負荷の減少，肺血管拡張による肺血管抵抗・後負荷の減少，冠動脈拡張による心内膜・心筋への血流増加などにより，心の仕事量を増加させずに心拍出量を増加できる．

　　　　ただし，低血圧がある場合は使いにくい．

作り方：10mL＋5％ブドウ糖液10mL（全体で20mL）とする（0.25mg/mL）．0.5γから開始．3.3kgの児に0.4mL/時で投与すると0.5γになる．

　　　　普通のシリンジ，延長チューブでは壁に吸着されるため専用のものを使う．

ミルリノン（ミルリーラ®）:1A＝10mL＝10mg

特　徴：ホスホジエステラーゼ（PDE）Ⅲ選択的阻害剤であり，cAMP濃度上昇に伴い肺血管拡張・末梢血管拡張・心筋収縮力増強作用を示す．PPHNではloadingにより効果的に肺血管抵抗を低下させる．ただし，副作用に不整脈，血小板減少が見られることがある．

作り方：2mL＋5％ブドウ糖液18mL（全体で20mL）とする（0.1mg/mL）．0.5γから開始．3.3kgの児に1mL/時で投与すると0.5γになる．

　　　　Loadingする際は，溶解したものを10分だけ3mL/kg/時で投与（これで0.05mg/kg），その後，上記の維持量へ移る．

表4-1　主な心血管作動薬の作用

薬　剤	容量(γ)	作　用	前負荷	末梢血管抵　抗	肺血管抵　抗	心収縮力	心拍数	効　果
ドパミン	2～5 5～10 ＞10	D, β_1 D, α, β α, β	± ↓ ↓, ↑	± ↑ ↑↑	0 ↑ ↑↑	↑ ↑↑ ↑↑	± ↑↑ ↑↑	心拍出量↑ 血圧↑ 血圧↑
ドブタミン	2～20	α, β_1, β_2	±	↓	↑↑	↑	0	心拍出量↑
イソプロテレノール	0.005～2	β_1, β_2	↓	↓↓	↓	↑↑↑	↑↑↑	心拍出量↑ 心拍数↑
アドレナリン	0.05～1	α, β_1	↓, ↑	↓	↓, ↑	↑↑↑	↑↑↑	心拍出量↑ 血圧↑
ニトログリセリン	1～5	ERDF様作用	↓↓↓	↓↓	↓	0	↑	心拍出量↑ 血圧↓
ミルリノン	0.25～0.75	PDEⅢ阻害	↓	↓↓	↓	↑↑	0	心拍出量↑

α：末梢血管収縮作用，β_1：心収縮力↑，心拍数↑，不整脈誘導，β_2：末梢血管拡張，D（ドパミン作動性）：腎血管拡張

> 補足： ヒドロコルチゾン（ソル・コーテフ®）：1A＝2mL＝100mg
> 特　徴：容量負荷，カテコラミンなどの昇圧剤に不応性の低血圧時に適応となる．
> 使用量：1〜5mg/kg/回の範囲で使用する．
> 　　　　1〜2mg/kg/回程度で血圧上昇がみられることも多いが，ショック時など高容量が必要となる場合もある．必要な場合は，血圧の推移を見ながら，6〜12時間程度の間隔で繰り返し投与する．

2　心エコーの撮り方

▶ ［一般事項］
1. 胸部圧迫に注意し，できるだけ短時間に検査を終了するようにする．
2. 心尖部，胸骨傍，胸骨上，季肋下のエコーウィンドウから，心臓の軸に関連した面で観察する．
3. 心血管形態に異常がないかどうか確認する．
   ・左右の心房，心室を確認し，著しい偏りがない．
   ・両大血管が存在し，その位置関係は左前右後である．
   ・心房中隔，心室中隔は連続性を示し，欠損は認めない．

▶ ［モードの選択とその特徴］
1. Mモード：心機能の定量的解析を行う．
2. カラードプラ：断層エコーで形態診断を行った後，動脈弓や肺静脈，PDA，VSD，PFO，弁逆流の観察を行う．
3. パルスドプラ（pulse Doppler），連続波ドプラ（continuous wave Doppler）：カラードプラで観察した短絡血流や弁逆流について流速の計測を行う．流速が速い場合には連続波ドプラを用いる．

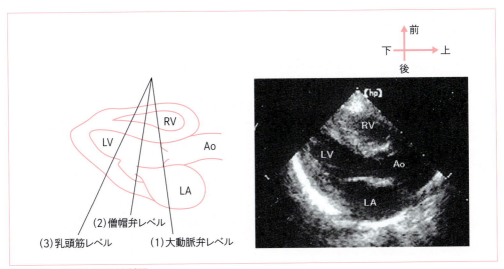

図4-1　胸骨左縁長軸断面

▶ [アプローチの仕方]

Ⓐ 胸骨左縁アプローチ

A-1. 胸骨左縁長軸断面（parasternal long axis）

　最も基本となる断面であり，プローブを第3～5肋間胸骨左縁に置き，マーカーを児の右肩に向ける．Bモードで，左室（LV）・大動脈起始部（Ao）・左房（LA）・右室（RV）・心室中隔・左室と大動脈および僧帽弁の連続性が観察される．ドプラ法を用いると，この断面で大動脈弁の逆流・VSDなどを診断できる．

　以下の断面で，Mモードに変更し，それぞれのポイントをチェックする．
(1) 大動脈弁レベル：大動脈弁がBox型に見える．大動脈・左房径が最大となる様計測し，LA/Ao比を計測する（正常値は1.16±0.10）．
(2) 僧帽弁レベル：前尖がM字型に見える．
(3) 乳頭筋レベル：左室機能の評価を行う．
　　左室駆出率EF（％）＝（LVDd3－LVDs3）／LVDd3×100（小児の正常域は60～90）
　　左室内径短縮率FS（％）＝（LVDd－LVDs）／LVDd×100（小児の正常域は27～45）

> 補足：
> PDAではLA/Ao比≧1.4をインダシン®投与開始基準の1つとみなす．

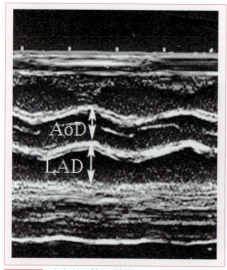

図4-2　LA/Ao比の計測

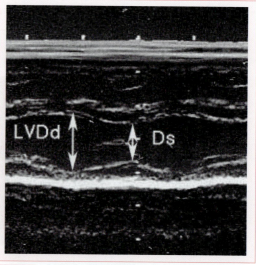

図4-3　LVDd，Dsの計測

A-2. 胸骨左縁短軸断面（parasternal short axis）

　長軸断面からプローブを時計方向に90度回転し，やや斜め内側上方に傾けると得られる．すなわち，マーカーは左肩を向いている．以下の4つのレベルを観察する．

(1) 肺動脈分岐レベル（図4-4）：このレベルでは肺動脈とその左右の分岐が観察される．肺動脈の後方に下行大動脈が位置し，PDAがあるとドプラ法にて検出できる．また，末梢性肺動脈狭窄もこの断面で診断する．

(2) 大動脈弁レベル（図4-5）：大動脈弁・右室〜肺動脈・左房・右房が観察される．

(3) 僧帽弁レベル（図4-6）：右室と僧帽弁が観察される．

(4) 乳頭筋レベル（図4-7）：ほぼ円形の左室が観察される．このレベルでMモードにして，左右心室径の測定・EF・FS（前述）など心室機能を評価する．

　右室径の正常値は，体重2.5kgの児で12.8±2.1mm，3.5kgの児で14.1±2.8mm
　左室径の正常値は，体重2.5kgの児で19.1±2.1mm，3.5kgの児で20.1±2.8mm

> **注意**　大動脈と肺動脈は"ねじれ"の関係にあり，正常心では決して同一画面で，共に長軸に見えることはない．もし，両者が共に長軸に見えたなら，大血管転位症など，血管の位置異常が疑われる．

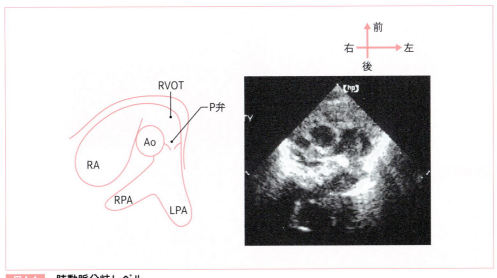

図4-4　肺動脈分岐レベル

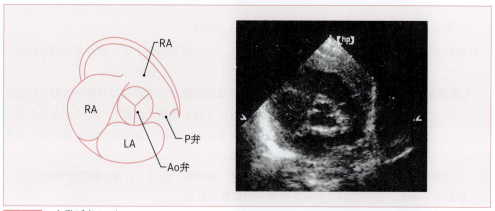

図4-5 　大動脈弁レベル

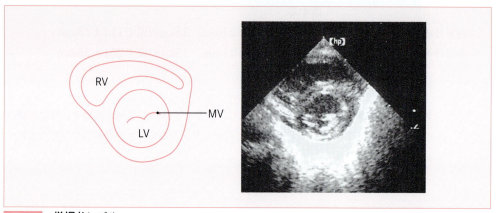

図4-6 　僧帽弁レベル

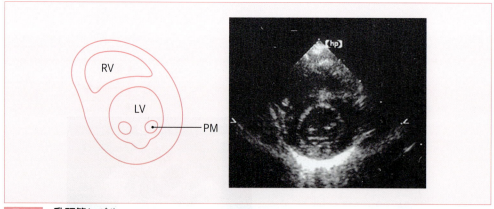

図4-7 　乳頭筋レベル

B 心尖部四腔断面（apical 4-chamber view）

心尖部にプローブを置き，右上方に向けると得られる．なお，マーカーは左肩に向けておく．4つの心房心室腔，心房中隔，心内膜床および心室中隔が連続して観察される．すなわち，大きなVSD/ASDはこの断面で観察される．また三尖弁逆流・僧帽弁逆流などがある場合，この断面でドプラ法を用いると観察でき，逆流の重症度評価は最大到達距離で行う（1cm以下の逆流を軽度，右房壁まで達する場合を高度，その中間を中等度とする）．

なお，三尖弁の逆流流速から，以下の簡易ベルヌーイの式（$P=4×v^2$）から右室圧・肺高血圧の程度を推測できる．

右室圧＝肺動脈圧＝4×（三尖弁逆流流速m/秒）^{2}＋右房圧（＝10mmHg）

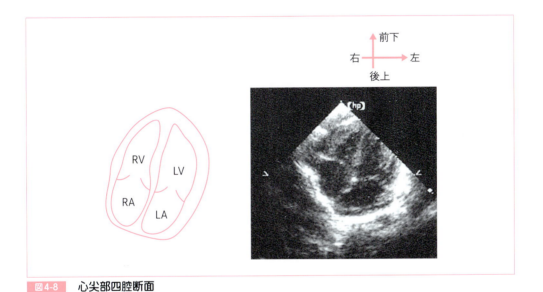

図4-8　心尖部四腔断面

四腔断面では，動脈管開存症の重症度評価の1つの指標として，左房容積を測定する（p.59 補足3．LA volumeの計測参照）．

ⓒ 胸骨上窩長軸断面（suprasternal notch long axis）

胸骨上窩にプローブを置き，マーカーを左肩背部に向け，大動脈弓を描出する．

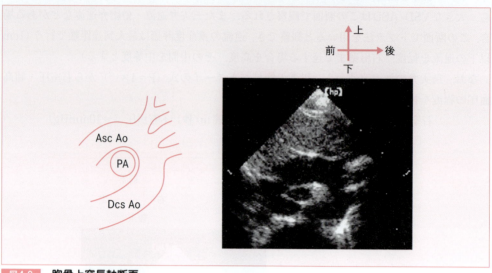

図4-9　胸骨上窩長軸断面

ⓓ 剣状突起下アプローチ（subcostal view）

剣状突起下にプローブを置きマーカーを頭側に向ける．特に心房中隔，卵円孔が観察される．

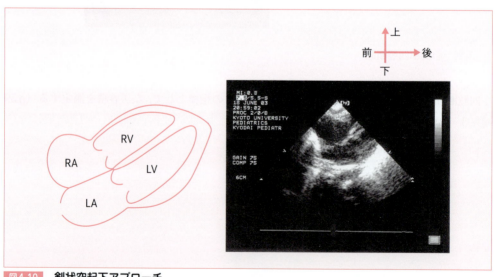

図4-10　剣状突起下アプローチ

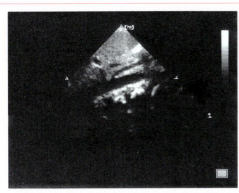
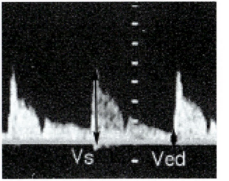

図4-11　臓器血流の計測

▶［腹部血流の測定方法］
低血圧・乏尿・消化管蠕動不良・PDAなどの症例では，腹部臓器血流も同時に評価する．

(1) 腹腔動脈，上腸間膜動脈の血流速度計測法

　腹部縦断面像で腹部大動脈を確認する．カラーをつけながら探すと分かりやすい．探触子を臍上部におき，正中よりやや左方で描出する．腹腔動脈，上腸間膜動脈は，それぞれ腹部大動脈分岐部より3～5mmの部にサンプルボリュームを設定し，ドプラ入射角度の補正を行い記録する．プローブをあまり押しつけない方がよく見えることもある．

　一般に血管の走行はBモードで確認できるが，カラードプラを使用すると容易．

(2) 腎動脈の血流速度計測法

　腎動脈の血流走行を側腹部から描出した水平断面像で同定し，腹部大動脈より分岐後3～5mmの部にサンプルボリュームを置き，腎動脈血流速度波形を記録する．

　動脈管開存時に拡張期にductal stealが認められることがある．

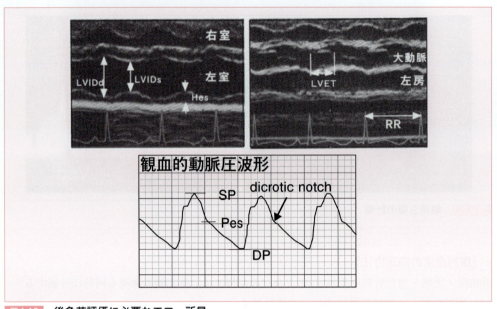

図4-12 後負荷評価に必要なエコー所見
(豊島勝昭．Stress-Velocity 関係を基にした早産児の急性期循環管理．小児科診療 2007; 70(4): 609-615. 図1より許可を得て掲載)

▶ [後負荷の程度の測定方法]

　後負荷が高く十分な心拍出が得られない状態を後負荷不整合（afterload mismatch）と呼ぶ．これは，血管抵抗（後負荷）の上昇によって，左心室内腔の圧が上昇して動きが悪くなり，その結果，左心室は拡大し心筋壁が薄くなる病態である．

　この指標がESWS（収縮末期左室壁応力）とmVcfc（平均左室円周心筋短縮速度）である．

$$収縮末期左室壁応力：ESWS (g/cm^2) = 1.35 \times LVIDs \times \frac{収縮末期圧（Pes）}{\{4 \times Hes (1 + Hes/LVIDs)\}}$$

　Pes：収縮末期圧，Hes：収縮末期左室壁厚，LVIDs：収縮末期左室径
意味することは，収縮末期左室壁応力は，左室径が大きく，左室壁が薄いほど，大きい．

$$平均左室円周心筋短縮速度：mVcfc (circ/秒) = \frac{(LVIDd - LVIDs) \times RR^{1/2}}{LVIDd \times LVET}$$

　　LVIDd：拡張末期左室径，LVET：左室駆出時間

- 平均左室円周心筋短縮速度は，心駆出率（EF）同様のパラメータ（左心室の拡張期と収縮期の差）を心拍補正した指標である．
- 駆出時間で割ることによって心筋が収縮している時間あたりの収縮率を計算する．
- RR間隔のルートをかけることによってRR時間隔が長い（＝心拍数が少ない）ほど，単位時間当たりの収縮量が多いことを示す．

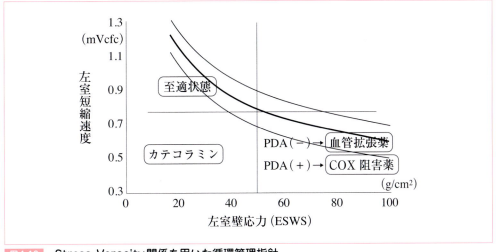

図4-13 Stress-Verocity関係を用いた循環管理指針
(豊島勝昭. Stress-Velocity関係を基にした早産児の急性期循環管理. 小児科診療 2007; 70(4): 609-615.図3より許可を得て掲載)

　すなわち，左室壁応力が高値（＝左心室にかかる後負荷が高値）で，心筋短縮速度が小さい場合（＝心筋収縮力が低下した状態），図4-13 の右下部分に位置することになる．つまり，この状態で動脈管が開存していれば，それを閉鎖することが急務であり，そうでない場合は血管拡張薬を用いて後負荷を下げることが重要ということである．

MEMO
内大脳静脈のゆらぎ

　脳室内出血の好発部位である上衣下胚層は，解剖学的にも血行動態的にも脆弱であることが知られている．上衣下胚層から還流する静脈系はうっ滞しやすく，いわゆる「しみ出す」ような脳室内出血が起こりやすい．その静脈系を評価したものが，「内大脳静脈（ICV）のゆらぎ」である．

　Ikedaらの報告では，超低出生体重児の急性期にICVの強いゆらぎを認めた症例に多く脳室内出血を発症していたとしている．当院で症例振り返りを行った所，心機能上明らかな後負荷不整合を認めていなくともICVの強いゆらぎを認めていた症例で脳室内出血を発症していた．ICVのゆらぎがどのような状態を意味しているのはいまだはっきりしていないのが現状であるが，振り返りを経て当院では，エコー上心機能異常がなくてもICVのゆらぎを2度以上認めた場合，血管拡張薬（ニトログリセリン）±動脈管治療を行うようにしている．

文献
池田智文．日新生児成育医会誌 2019; 31(2): 15-19.

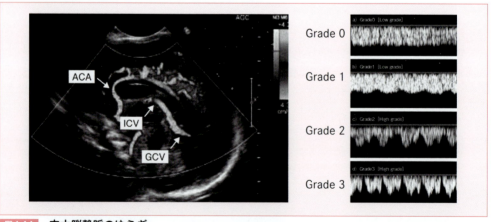

図4-14　内大脳静脈のゆらぎ

（池田智文．日新生児成育医会誌 2019; 31(2): 15-19より許可を得て掲載）

第4章 / 循環の管理

2 先天性心疾患の管理

✎ Key point

　先天性心疾患は出生1,000に対し7〜8の頻度で発生する．新生児期に発症する例には重症が多く，迅速，的確な診断，処置が必要となる．本項で，その診断・治療の要点を学ぶ．

1 先天性心疾患

Ⓐ 視　診

チアノーゼ：しばしば見落とされる．顔，口唇ばかりでなく，爪床や粘膜をチェックする．
呼　　　吸：呼吸回数のみならず，呼吸様式　努力呼吸・陥没呼吸等の有無を観察する．
形 態 異 常：多発奇形，ある種の症候群に心疾患を伴うことは多い．

Ⓑ 触　診

脈　　　診：上下肢，あるいは頚動脈や股動脈を触知する．大動脈縮窄などの発見の契機になることもある．
肝 脾 腫：心不全の兆候，また内臓逆位などを知る．季肋下cmで記載する．

Ⓒ 聴　診

（重症であっても心雑音が聴取されないことは多い）
心 雑 音：疾患特有の心雑音に注意する．
心音の異常：できれば心雑音の前に心音所見を聴き取りたいが，脈も速く困難．

Ⓓ 検　査

胸 部 X 線：疾患特有の所見－木靴型，雪ダルマ型などや心拡大，肺血管陰影の増減．
心 電 図：年齢による変化も考慮する．時に病型に特徴的な所見を呈し，診断に役立つこともある．
心エコー図：大抵の診断がつけられる．→基本断面に慣れ，"何かおかしい"と気づけるようになっておく．

125

Ⓔ 疾患の分類

以下のように分けると理解しやすい.

▶1 肺血流増加群

肺血流増加による心肺への容量負荷が多くなると心不全／呼吸不全をきたす.

(1) 非チアノーゼ性左右短絡性疾患
- 左心系から右心系に大量の血流が短絡する.
- 心室中隔欠損 (VSD), 動脈管開存 (PDA), 心房中隔欠損 (ASD), 心内膜床欠損 (ECD), 両大血管右室起始 (DORV) など.

(2) チアノーゼ型疾患のうち肺動脈狭窄を伴わないもの
- 体血圧と同等の圧が肺動脈にかかり肺血流が増加する.
- 完全大血管転位 (TGA) (短絡を持つもの), 単心室, 一側房室弁閉鎖, 両大血管右室起始 など.

一方, 肺血管床は攣縮して血流増加に抵抗するが, 酸素投与などで肺血管抵抗を低下させると肺血流が増加し, 心不全は増悪する. よって, この場合酸素投与は原則禁忌である.

▶2 肺血流減少群

肺血流減少・静脈血の左心系への流入によるチアノーゼを生じる.

① ファロー四徴, 肺動脈閉鎖／狭窄, 肺動脈閉鎖／狭窄を伴う複雑心奇形 (PDA 依存型).
② PDA 依存型心疾患の管理の原則は, PDA 開存などによる肺血流の維持・増加と鎮静により酸素消費の減少を図ること.

▶3 左心系閉塞型＝非チアノーゼPDA依存型

動脈管の閉鎖に伴って下行大動脈への血流障害をきたし, 急性腎不全, 肝不全を引き起こす.

① 大動脈縮窄, 大動脈離断, 左心低形成症候群など.
② "ductal shock" によって急速に症状悪化, 死に至るため, 迅速な対応が必要である.
③ VSD などを伴うことが多い (coarctation complex という).
④ 肺血管には下半身と同等の血圧がかかっており, 肺血管抵抗が下がると, 肺血流増加による心肺への容量負荷が急速に増加することがある. このため, 安易に酸素を投与してはいけない.

▶4 肺うっ血型

肺うっ血によるガス交換不良と肺高血圧によるチアノーゼと右心不全を生じる. 総肺静脈還流異常など.

2 疾患別の管理

Ⓐ 肺血流増加群

▶1 管理の原則

　短絡量・容量負荷・症状に応じた対応が必要で，**酸素投与など，肺血管抵抗を低下させる治療は原則禁忌！！**

● 利尿剤投与・水分制限による仕事量の軽減，肺の状態の改善．

● 強心剤，あるいは（末梢）血管拡張薬（ACE inhibitor）使用の是非は症例ごとに検討が必要である．

● 重症例では鎮静・人工呼吸管理による低換気によって低酸素・高CO_2状態とし，肺血管抵抗を上昇させ肺血流を減少させることもある．

　以上の手段により，「high flow ⇔ 心不全」の悪循環からの離脱を図る．しかし根本的には，手術による血行動態の正常化が必要である．

▶2 管理の実際

● 水分制限
　重症度にあわせ，50〜60mL/kg/日程度まで制限することもある．ただし，やみくもな制限は脱水，低血糖／低栄養などを引き起こすため注意が必要である．

● 利尿剤投与
　重症度により，1〜3mg/kg/日程度のラシックス®（＋アルダクトンA®）の経口投与．
　重症例では，2〜5mg/kg/日程度のラシックス®静注投与．
　電解質のバランス，脱水，尿酸値上昇などに注意する．

● 水分出納のチェック
　重症度にあわせ，一定時間ごとにチェックする．
　体重の2〜3％/日以上のバランスオーバーは注意が必要であり，利尿剤頓用などを考慮する．
　なお，体重の増減，発汗なども加味して考える．

● 体重のチェック
　水分出納における大事なパラメーターであり，不当水分貯留を監視する．

● バイタルサインのチェック
　心拍の上昇：心不全のサインの1つ．ジゴシン®投与の指標となる．
　呼吸数の上昇：心不全・肺血流増加の進行を示唆する．

▶3 診察上のポイント

- 浮腫：脛骨前部（pretibial pitting edema），眼瞼（puffy eye lids）など.
- 肝腫大：右心不全や不当水分貯留のサインとなる.
- 末梢冷感，皮膚色（pale）：心不全による末梢循環不全を示す.
- 心音：ギャロップ（gallop），拡張期心雑音は房室弁の相対的狭窄，すなわち肺血流増加のサインとなる.

Ⓑ 肺血流減少型≒チアノーゼ型心疾患群

▶1 管理の原則

- 呼吸器に問題がない限り，原則酸素投与は不要.
  アシドーシス（BE 値の悪化）や乳酸上昇がなければ，PaO_2 30mmHg であってもクリティカルではない. **クリティカルな場合も PGE_1 投与を酸素投与に先行させる**ことが多い.
- 呼吸器疾患の除外（高濃度酸素負荷など），PDA 依存性か否かの確認を奨める.
- 症例により鎮静や人工呼吸管理を行うが，その目的は，酸素消費量の減少にある.

▶2 管理の実際

- 水分制限／利尿剤投与：肺血流減少型は基本的には不要.
  ただし肺血流増加型チアノーゼ型心奇形の場合は別（TGA など）.
- βブロッカー投与：ファロー四徴型のチアノーゼ発作の予防（右室流出路狭窄の軽減）.
  ミケラン® 0.2〜0.3mg/kg（分2）経口投与，またはインデラル® 1〜2mg/kg/日（分3）
- PGE1 持続点滴：PDA 依存例では管理に必須.
  lipo-PGE1 5〜10ng/kg/分で投与開始する. 不応時はPGE_1-CD 製剤へ変更（50ng/kg/分〜）.
  発熱，無呼吸，低血糖などの副作用に注意.
  酸素投与の前にPGE1 の投与を開始することが重要. たとえPDA 依存型が確認できなくても，すぐに問題は生じない.
- 臍カテーテルやPI カテーテル，CV ラインの確保は長期管理となるため，感染に注意して管理する.

▶3 診察上のポイント

- チアノーゼの観察：口唇，爪床，口腔粘膜など. SpO_2 モニターの普及により，管理は容易になった.
- 心音／心雑音：疾患の性質により様々な所見が得られる.
  例）ファロー四徴の収縮期心雑音＝肺動脈弁狭窄音（PS）（最強点2LIS，harsh，long，発作時は消失するという）
- PDA持続性心雑音（machinery）＝PGE_1 効果の確認.

Ⓒ 左心系閉塞型＝非チアノーゼPDA依存型

▶1 管理の原則

- PDA閉鎖により，急速にショック状態（＝ductal shock）に陥り，死亡することがある．このため，早急な診断，PGE1投与開始が必要である．
- 原則，酸素投与は禁忌．
- アシドーシス（BE値の悪化）などを積極的に補正しつつ，診断確定に努める．
- 状況により積極的に鎮静や人工呼吸管理を行う．

▶2 管理の実際

- PGE_1持続点滴：PDA依存例では管理に必須．
  lipo-PGE_1を5〜10ng/kg/分で投与する．不応時はPGE_1-CD製剤へ変更（50ng/kg/分〜）．
  発熱，無呼吸，低血糖などの副作用に注意する．
  PDA依存性疾患が疑われる場合，ただちに投与を開始する．
- 臍カテーテルやPIカテーテル，CVラインの確保〜長期管理となるため，感染に注意して管理する．
- 水分制限／利尿剤投与．
  症例により考慮：肺血流を制限し，肺うっ血を改善する．
- 鎮静／人工呼吸管理：低換気により低酸素・高CO_2で管理する．
  肺血管抵抗を上昇させ，肺血流を制限し，肺うっ血を改善・全身への血流を維持する．

▶3 診察上のポイント

- 肝腫大：しばしば認める．
- 末梢冷感，皮膚色（pale）：心不全による末梢循環不全の指標となる．
- 心音／心雑音：
  もともと心雑音を聴取しないことが多い．
  症状が出始めると，gallop rhythmが聴こえる．
  PDA持続性心雑音（machinery）も聴こえない．
- "differential cyanosis"の確認．すなわち，上肢SpO_2＞下肢SpO_2
  四肢の動脈拍動の触知．特にductal shock近傍では，下肢の触れが弱い．

3 心雑音を認める児の取り扱い

新生児期早期より心雑音が聴取される場合，それが緊急に対応を要する心疾患に関与している可能性はかなり低い．新生児期に対応を要する重症心疾患の場合，心雑音を伴わないことの方がかえって多いくらいである．しかし，聴取された心雑音をそのまま放置することは許されない．新生児に心雑音が聴取された場合，以下の手順で対応することとする．

▶1 児の背景を確認

- 児の背景（在胎週数，出生体重，出生時の状況など）に問題がある場合，ただちに心臓専門医に診察を依頼する．
- 背景に問題のある児の場合，本来軽微な疾患であっても病状を左右することがあるため．
  例）低出生体重児におけるPDA.

▶2 児の現状を確認

- 多呼吸や哺乳力不足，黄疸・奇形など，何らかの問題がある場合，ただちに心臓専門医に診察を依頼する．
- "not doing well"の原因として心疾患が隠れている可能性があるため．また，奇形症候群に心合併症は多い．

▶3 上記1，2に問題がない場合

翌日〜翌々日の平日の日勤帯（ただし退院予定前日まで）に心臓専門医に相談する．それまでに，
i) じっくり聴診して以下を把握する．
- 心雑音は収縮期か拡張期か，連続性か．
- 最強点，quality（音質），pitch（音高），location（部位），duration（持続）．
ii) 可能ならば自分で心エコー施行して以下を把握する．
- 4-chamber〜MR，TRの程度，四腔の大きさ関係，大きな欠損孔の有無．
- LV long axis 〜基本形態の確認，colorでVSDの有無確認．
- LV（outflow）short axis〜VSDの有無（color）.
- PFO，PDAが開存しているかどうか．
- 肺動脈血流速のチェックなど．

補足1：　心雑音の最強点と疾患の位置

2L ～肺動脈（弁），流出路，大動脈（弁）．やや高位でPDA

2R ～大動脈（弁）

3-4L ～三尖弁，心室中隔，（僧帽弁）

apex ～僧帽弁

その他，背面で聴かれるものとして，肺動脈，大動脈弓，下行大動脈．

補足2：　心雑音の性状に関する用語

1. quality

blowing：中等度までのenergyを持つ音．下記に当てはまらない音．普段聴かれる
　　　　　心雑音は，ほとんどこれである．

harsh：圧較差が大きく，energyの高い粗い音．低調～高調幅広い成分を含む．

machinery：PDAに代表される連続性雑音．比較的高調．

rumbling：相対的僧帽弁狭窄（拡張期）に代表される低調な音．
　　　　　　　その他に，harsh-blowing，soft，musicalなど．

2. pitch

high：圧較差が大きく，energyの高い音（≒ harsh）．乳幼児に多い軽やかな柔ら
　　　かい音とは異なる！

medium：中等度の音程の音．普段聴かれる心雑音は，ほとんどこれである．

low：相対的僧帽弁狭窄（拡張期）に代表される低調な音（≒rumbling）．

3. location

最強点の時相により，early，mid，pan（holo）など．

4. duration

心雑音の持続時間により，short，moderate，longなど．

第5章

輸液・栄養の管理

第5章／輸液・栄養の管理

1 経静脈栄養

✎ Key point

　　不十分な栄養が児の予後を悪化させることは明らかである．生後早期からの適切な栄養管理は児の正常な発育発達に必要不可欠である．本項では新生児に対する栄養法の考え方を学んでいただくが，現在「早産児に対する栄養方法」に確立したものはない．このため，あくまで筆者の個人的な見解に基づくものであることを，ご容赦いただきたい．

1 輸液量の設定

表5-1 **日齢・体重別標準輸液量（mL/kg/日）**

体重	日　齢					
	0	1	2	3	4	5〜
<1,000g	60	60	70	80	90	100
<1,500g	60	70	80	90	100	100
>1,500g	70	80	90	100	100	100

注意1 経口（経管）栄養が始まった場合は，総水分量が上記表となるよう，輸液量を計算する．

注意2 上記水分量はあくまで参考値であることに留意する．つまり，日々の体重変化に応じて増減する必要がある．

注意3 在胎25週未満児では不感蒸泄が多いため，100〜150（〜200）mL/kg/日の輸液を要することもある．

①水分を減量する必要がある場合：動脈管開存症（PDA），低Na血症，呼吸不全（人工換気療法下）

②水分を増量する必要がある場合：光線療法下，高Na血症，small for gestational age（SGA）

③輸液療法中のチェック項目
- 24時間ごと：体重
- 8〜12時間ごと：イン・アウトバランス
- 適宜：浮腫，点滴局所の観察，血糖，CBC，血清電解質，T-BIL/BUN/CRE（尿糖・尿電解質）

2 輸液療法の実際（基礎編）

Ⓐ 出生体重＞1,500gで低血糖や低Ca血症がなく，末梢ライン1本で管理する児の場合

① 10%ブドウ糖液の単独輸液で開始する．
② 日齢2頃に利尿がつき，高Na血症がなければ，生食などNaを30～40mEq/Lとなるように輸液に加える．
③ 日齢3以降にK利尿がつき，高K血症がなければ，Kを含む輸液（我々は通常フィジオ35®を使用）に変更する．

上記輸液にて管理中，低血糖あるいは低Ca血症がみられ，10%を超える濃度のブドウ糖液あるいはCa製剤を含む輸液が必要となった場合はPIライン®を確保する．

Ⓑ 出生体重＜1,500gあるいは低血糖や低Ca血症でPIライン®で管理する児の場合

① 基本的には上記のように進める．
   ・ 低血糖に対しては，血糖値が60mg/dL以上に維持できるようブドウ糖液の濃度を調節する．糖の投与量に関しては，糖投与速度（glucose infusion rate；GIR，単位mg/kg/分）を用いて評価する．初期輸液では（10%ブドウ糖液60mL/kg/日），4.1mg/kg/分となる．
   ・ 低Ca血症に対しては，カルチコール®を4～6mL/kg/日，輸液に加える．
② 経腸栄養で120mL/kg/日（100kcal/kg/日）以上になるまでは輸液を行う．

3 高カロリー輸液

▷ ［適応］

消化管奇形あるいは未熟性のためなど何らかの理由で経腸栄養が十分に期待できない症例に対しては，中心静脈ルートを確保し，高カロリー輸液を開始する．

▷ ［内容］

ブドウ糖，電解質，アミノ酸，ビタミン，微量元素，脂質などの栄養を加える．以下にそれぞれについて概説する．

Ⓐ ブドウ糖

- 経静脈栄養で最も重要なエネルギー源である.
- 10%で開始した後，カロリー増を図るべく，漸次糖濃度を上げる（最高約20%）.
- 糖投与速度（GIR）4〜6mg/kg/分から開始し，血糖値をみながら漸次増量する（上限 12mg/kg/分）.
- 未熟性の強い児は耐糖能が低いため，高血糖（>150mg/dL）にならないよう注意する.
- 4kcal/gのエネルギー源となる.

高血糖 → 高浸透圧利尿による脱水，電解質喪失，頭蓋内出血
低血糖 → 中枢神経障害

Ⓑ 電解質

Na，K，Ca，Pを血液，尿の値をみながら適宜調整する.

- Naは生食（154mEq/L）か10%NaCl（1.7mEq/mL），KはコンクライトK®（1mEq/mL），PはコンクライトP®（1mEq/mL）あるいはリン酸Na補正液®（0.5mEq/mL）を用いて調整する．なお，コンクライトP®はKを含むため，高K血症に注意が必要である.
- 極低出生体重児ではカルチコール® 4〜6mL/kg/日の投与が必要なことが多い．Caはカルチコール®を用いて輸液を作成するとよいが，フィジオ35®，ソリタックスH®，ソリタT3®などの製剤を用いてもよい.
- 生後1〜2日経過し，利尿がつきNaが低下してくれば，Naを30〜50mEq/Lから開始する.
- Kが低下してくればKを20〜30mEq/Lから開始する．コンクライトPを用いて，PとKを同時に加えることもある.
  ※ルート中のK濃度は原則40mEq/Lを超えないようにする.
- 出生後当初は，①低Ca血症の予防（治療）に重点が置かれること，②CaとPは同時投与できないこと（同時投与すると結晶化してしまう）などから，Pの投与がおざなりにされる傾向がある．その結果，生後数日には，著しい高Ca低P血症に陥ってしまうことが少なくない．このため，適宜，血清P濃度もモニタリングし，早い時期からPの投与を開始することも重要である.

表5-2 **新生児の電解質投与量**

電解質投与量（目安）	（mEq/kg/日）
Na	3〜5
K	1〜2
Cl	3〜5
Ca	1〜2
P	2〜3
Mg	0.2〜0.5

輸液中の濃度（mEq/L），一日投与量（mEq/kg/日）を随時計算しておく．

Ⓒ アミノ酸

　生下時から糖とともにアミノ酸を投与することで，蛋白異化を防ぎ，早期に良好な発育が期待できる．一方，これに伴う副作用はみられないといわれている[1]．
- 生後早期から1.0g/kg/日（プレアミンP®では13.2mL/kg/日）より開始し，1～2日ずつ様子をみながら，2.0～2.5g/kg/日まで徐々に増量していく．
- 経腸栄養が順調に増量できる場合は，あわせて3～4g/kg/日になるようにする．
- 投与中は肝機能，血液ガス，アシドーシス，電解質，血糖値などに注意する．

アミノ酸投与量について

アミノ酸は4kcal/gのエネルギー源となる⁉

　アミノ酸が4kcal/gのエネルギーとなると言われることもあるが，実はこれは必ずしも正しくない．確かにアミノ酸は異化されると，1gあたり4kcalのエネルギーを産生するが，同時にアンモニアを生じてしまう．このアンモニアを無毒化して尿素に変換するためには尿素回路を回す必要があるが，そのためにはほぼ同量のエネルギーを必要とする．つまり，実際には，アミノ酸はあまり効率の良いエネルギー源とは言えないのである．

　従来，投与量の指標としてカロリー窒素比（C/N比）を200～400に保つようにすることが重要とされた．しかし，近年，「C/N比は気にせず，積極的にアミノ酸の投与を開始すべきだとする考えが主流となっている．

　しかし，アミノ酸は同化されてこそ重要な物質であり，異化にまわされる状態で投与する事に意味はない．そう考えると，生体が必要とするエネルギー源（炭水化物・脂質）を十分量投与しつつ，必要なアミノ酸を投与することが重要なことは明白であり，C/N比はやはり重要な指標だと考える．ただし，従来考えられていたほど，高いC/N比は必要ないのも事実であろう．早産児・新生児に必要なC/N比の設定が望まれる．

▷〔計算式〕

$$\frac{\text{カロリー窒素比}}{\text{（非蛋白カロリー（kcal）/総投与窒素量（g））}} = \frac{\text{糖＋脂質のカロリー数（kcal）}}{\text{総窒素量1.175g/100mLプレアミンP®}}$$

＊プレアミンP®のアミノ酸含有量は7.6g/100mL

＊脂質を投与していない場合，下記の計算式でも計算できる．

$$\text{C/N比} = \left(\frac{\text{GIR（mg/kg/分）} \times 60 \times 24 \times 4}{1000} \right) \times 6.25 / \text{アミノ酸投与量（g/kg/日）}$$

MEMO: Aggressive Nutritionの功罪

Aggressive Nutritionが脳の発達に重要という考えが浸透してきた．その一方で，出生後早期の過剰栄養がメタボリックシンドローム（MS）のリスクを増すとの概念が広まり，NICUでの栄養管理を考える上で，難しい選択を迫られるようになってきた．しかし，MSのリスクを考える上でも，出生後も低栄養が持続し，EUGR（子宮外発育不全）に陥らせることはMSのリスクを増すとの報告もあり，出生後早期に適切な栄養を投与することはどちらの側に立っても重要と考えられる．

ただし，過剰栄養がMSのリスクを高めることも疑いはなく，体重増加曲線の推移を参考にしつつ，オーダーメイドで栄養管理を行うことが重要かもしれない．

D ビタミン

- アミノ酸と同時期より開始する．
- マルタミン®1バイアルを注射用蒸留水5mLに溶き，1mL/kg/日となるよう輸液に加える．
- ビタミンA，B_1，B_2，B_6，C，Kは，光線により失活するため遮光する．

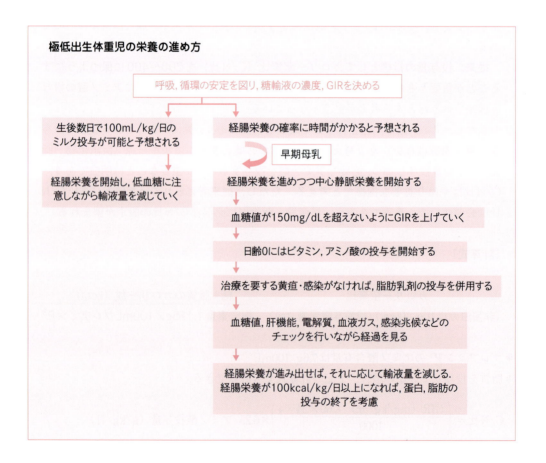

極低出生体重児の栄養の進め方

新生児用製剤はなく，適正量の投与は困難なため，長期投与の際は過量投与に注意し，血中濃度のモニタリングをした方がよい．

Ⓔ 微量元素

- 高カロリー輸液が始まって経腸栄養が110〜120mL/kg/日に達するまで，1週間に1回，輸液に加える．
- ミネラリン®（Mn，Cu，Zn，I，Fe）を0.1mL/kg/日となるよう輸液に加える．
- 閉塞性黄疸がある場合，Cu，Mn（ミネラリン®）は加えない．

経静脈栄養が長期化する場合に補充する．

Ⓕ 脂　質

- 黄疸，感染などの問題がなければ，生後3〜5日までには開始する．
- 高濃度，等張性で効率の良いエネルギー源（9kcal/g）であり，必須脂肪酸欠乏を防ぐ．
- 20%イントラリピッド®（2kcal/mL）を用い，0.5〜1.0g/kg（＝2.5〜5mL/kg）から開始し，血液検査（トリグリセリド，コレステロール，血小板数，感染徴候など）に異常なければ，3g/kg/回まで0.5g/kgずつ増量する（脂質カロリー＜総カロリーの30%となるようにする）．
- 投与法は，ポリ塩化ビニル（PVC）フリーのチューブを用い，末梢静脈ラインよりフィルターを介さず0.08g/kg/時以下の速度で点滴静注する．

核黄疸の危険がある場合は，投与は控える．呼吸障害を伴う児では，脂肪粒子がガス拡散障害を起こすこともあるため，投与中は注意する．

▶ [高カロリー輸液の合併症とモニタリング]
高カロリー輸液施行中にしばしばみられる合併症を 表5-3 に，適切な栄養を行うために必要なモニタリング項目を 表5-4 に示す．

| 表5-3 | 高カロリー輸液の合併症 |

1. カテーテルに関連した合併症
  感染症, 血栓症, 位置異常, 挿入時のトラブル, 破損や閉塞, 事故抜去など.

2. 代謝に関連した合併症
  高血糖・低血糖, 電解質異常, 高アンモニア血症, アミノグラムの異常, ビタミン欠乏・過剰症, 微量元素欠乏・過剰症, 高脂血症・必須脂肪酸欠乏症, 代謝性アシドーシス, 肝障害〔経静脈栄養 (TPN) associated hepatic dysfunction, PNAC (PN associatted cholestasis)〕, 骨病変など.

3. 絶食に伴う合併症
  消化管粘膜の萎縮, 消化管ホルモン分泌の低下, 食欲低下など.

4. 精神運動発達への影響
  行動範囲の制限などによる運動発達の遅れなど.

(位田忍. 高カロリー中心静脈栄養. 周産期医学 1995; 5: 661-666. を参考に著者作成)

| 表5-4 | 高カロリー輸液のモニタリング |

| 連日 | 体重・水分バランス・便の回数と性状 |

1~3回/週 血糖・検尿(比重・糖・ケトン体・電解質)
肝機能, 電解質 (Na, K, Cl, Ca, P, Mg), TP, ALB, BUN, Cre, 総コレステロール, トリグリセライド, Fe, CBC, CRP, 静脈血ガス, ラクテート(乳酸), アンモニア

長期になるとモニターした方が良いもの
 1回/月　：血中アミノ酸分析, ビタミンA, D, E, Zn, Cu, フェリチン, プレアルブミン
 1回/3ヵ月：Mn, Se(保険外検査)

中心静脈ルートの管理方法

穿　刺　部　位：穿刺時にイソジンで消毒した後テガダームで密閉する[※]. その後は汚染などがない限り, 原則貼り替え・消毒は行わない.

閉　鎖　回　路：三方活栓は極力なくし, 輸血, 投薬などの併用は感染防止の点から避けることが望ましいが, 施設によって使用方法は異なる.

抗　　菌　　薬：感染防止のための抗菌薬の予防投与は行わない.

閉　塞　防　止：カテーテルの血栓による閉塞を防止するため, 輸入液にヘパリン1単位/mL を加える施設もある.

急に中止する時：低血糖防止のため, ただちに末梢静脈ラインから10%ブドウ糖の輸液を開始する.

[※]ヨウ素過剰暴露を避けるため, イソジンの使用は避けるべきとの考えもある.

▷ [モニタリング項目の評価について]

(1) アミノ酸代謝に関する指標

- BUN：BUNはアミノ酸が異化された際に生じたアンモニアが尿素回路で処理された結果できる物質である．このため，BUNが上昇している場合，腎障害・脱水などがない場合は，アミノ酸がうまく同化されていないことが推定される．よって，炭水化物・脂質といったエネルギーが不足していないか？アミノ酸が過剰となっていないか？を検討する必要がある．

- アンモニア：著しい高アンモニア血症は中枢神経障害をきたす．よって，新生児・早産児においても120〜150 μmol/Lを超える高アンモニア血症となった場合は，アミノ酸投与量を減少させるなどの介入が必要である．

(2) 脂質代謝に関する指標

- トリグリセリド (TG)：早産児は，TGを遊離脂肪酸とグリセロールに分解する脂質分解酵素（リポプロテインリパーゼ; LPL）の活性が低いことが多い．このため，TGの分解が滞ると，TGが高値を呈することとなる．すなわち，高TG血症を呈している場合には，脂質がうまく利用できていないことを意味する．脂肪乳剤の粒子の大きさはカイロミクロンと同程度であり，脂肪乳剤が利用できないと，これらが網内系に捕捉され，免疫反応の低下をきたしうる．よって，高TG血症を認める場合には，脂質の投与量を減じるなどの対処が必要である．

(3) Refeeding syndromeに関する指標

Refeeding syndromeは，絶食状態など栄養不足に陥っていた個体に急速に高カロリー輸液を開始した場合に生じる代謝障害で，低K血症・低P血症を呈し，心不全など重篤な病態をきたす病態を指す．

- 低K血症：急速に負荷されたグルコースが細胞内に取り込まれる際にKも細胞内に移行するために生じる．

- 低P血症：細胞内で急速なATP産生が生じるが，この反応にはPが必須である．すなわち，ATPを産生するためにPの需要が高まり，低P血症を生じる．P欠乏は，ATP産生障害をきたすとともに，Hb酸素解離曲線を左方偏位させるため，組織の酸素欠乏を招いてしまう．よって，高カロリー輸液開始時は，血清K，Pにも注意が必要である．

文献

1）te Braake FW, et al. Semin Fetal Neonatol Med 2007;12:11-18.

第5章／輸液・栄養の管理

2 経腸栄養

Key point

　母乳栄養が優れていることは周知の事実であり，特に早産児では，自らの母親からの母乳を第一選択とする．本項では補足としての人工乳も併せてその実際の進め方について学ぶ．

1 母乳栄養

　母乳育児は赤ちゃんにとって最良の健康をもたらすのみならず，最良の発達や社会心理的に好ましい結果をもたらすものである．

▶ [母乳が人工乳より優れている点]
　①免疫物質：IgA，リゾチーム，ラクトフェリン，マクロファージ，メモリーT細胞など
　②抗炎症物質：白血球，サイトカインなど
　③成長因子：IGF-1，神経成長因子，上皮成長因子など
　④ホルモン：消化管ホルモン，コルチゾール，甲状腺ホルモンなど
　⑤吸収されやすさ：亜鉛など

Ⓐ 正常新生児

- 生後すぐより「欲しがるサイン」に合わせた授乳→母乳育児が早期に確立．
- 出生体重の7％以内の体重減少．
- 日齢4以降体重が増え出し，日齢9までに出生体重に戻る．

参考
- 新生児の胃の生理的容量は日齢1で2mL/kg，日齢3で8mL/kg，日齢7で21mL/kgとなる．
- 胃内の半減期は，母乳は47分，人工乳は65分であるため，母乳栄養児は授乳間隔が短くなる．

Ⓑ 早産児

- 母乳栄養による利点が大きい.
①早産した母親からの母乳は正期産の母親からの母乳に比べ，蛋白質，電解質，中鎖脂肪酸，多価不飽和脂肪酸が多く，乳糖は少ない.
②1回の授乳あるいは搾乳時において，母乳は出始めよりも，後（後乳）になるほど脂肪濃度が高くなる．よって，母乳栄養児で体重が増えにくい場合は後乳を優先的に飲ませてみると良いことがある（母乳中の脂肪はカロリー源のみではなく，ホルモン，成長因子，免疫物質などが含まれているため，MCTオイルより優先して使用する）.
③母乳蛋白の多くは消化から守られるため，免疫物質，成長因子，消化酵素などが優位に働く.
④正期産児に比べて脳の発育スピードが速いため，脳や網膜の発達においてnear termまでの母乳栄養は特に重要である.

Ⓒ 搾母乳

- 特に低出生体重児では，他の母親からの母乳より児自身の母親からの母乳を飲んだ方が成長，発達が良い.

　　　　↓

- 特に低出生体重児では，母乳分泌の確立，維持が重要である.
①早期からの搾乳（生後2週までに母乳分泌確立へ）.
②2～3時間ごとの搾乳.
③残乳感がなくなるまで，制限なしに最大限まで搾乳（500mL/日以上）.
④手による搾乳で痛みを感じる場合は，シンフォニー®など乳頭刺激モードのある搾乳器を使用する.
⑤母親の搾乳への理解と意欲：prenatal visit あるいは生後早期に，小児科医（新生児科医）が早期授乳の必要性を説明する.
⑥父親の理解：院外出生の場合，父親（運搬者）にも母乳の必要性を説明する.
⑦カンガルーケア時に非栄養的吸啜，可能なら直接授乳開始（児によっては30週で実際に摂取できたという報告もあり，呼吸心拍の安定により考慮）.

表5-5 **推奨される搾母乳の保存期間**

	NICU入院児	健康な児
新鮮（室温）母乳	1時間	4時間
新鮮冷蔵母乳	48時間	72時間
冷凍（−20℃）母乳	3ヵ月	3～6ヵ月
解凍（冷蔵）母乳	24時間	24時間

(Riordan J, et al. 2005; 21: 406-412を参考に著者作成)

D 母乳と薬剤

日本の添付文書では「投与中は授乳を避けさせる（ヒト母乳中への移行が報告されている）」と記載されている薬剤が多い.

● 実際には母乳禁忌となる薬剤，注意すべき薬剤は極めて少数である.

> **禁忌**
> ①抗がん剤（代謝拮抗剤）
> ②麻薬など乱用物質
> ③シンチ検査や治療に使用する放射性同位元素

● 安全性の高い薬剤を選択する.
　①M/P比（薬剤の母乳中濃度／母親の薬剤血中濃度）の低い薬剤
　②半減期の短い薬剤
　③exposure index（10×M/P/児の薬剤 clearance）の低い薬剤
　④小児にも使用する薬剤

2 経腸栄養の開始

開始時期：生後12～24時間を目安とし，児の状態（呼吸，消化器など）をみて判断する.
開始方法：在胎週数＜36週，出生体重＜1,800g未満の場合は経管栄養を考慮する.
　　　　　胃内チューブを留置している児では，哺乳前に胃残の量を確認する.

表5-6　開始量および増量法

出生体重	初回授乳量	一回増加量／日
＜1,000g	0.5mL	0.5～1.0mL
1,000～1,500g	1.0～2mL	1～2mL
1,500～2,000g	3～5mL	3～5mL
2,000～2,500g	5～10mL	5～10mL
＞2,500g	10～15mL	10～15mL

3 経腸栄養の実際

Ⓐ 経口哺乳児

　原則母乳で開始するが，それがかなわない場合は，人工乳の投与を考慮する．授乳は，開始時は3時間ごととするが，順調に授乳量を増加でき，よく啼泣がみられるようなら自律哺乳へ移行する．

注意　当施設でもずいぶん前には，母乳が出ない間，5％ブドウ糖液を投与していた時期があったが，現在は行っていない．直母のみで数日様子を見るが，どうしても母乳が出ず，児の状態から必要と判断した場合には両親の同意を得た上で人工乳の投与を開始している．

MEMO
人工乳の組成

　低出生体重児用人工乳は，概ね　通常の人工乳に比してカロリーが高く，Ca，Pなどのミネラル，ビタミンの含有量が多いが，メーカーによって成分が異なる．このため，自施設が採用している人工乳のメーカー・種類・その組成を知っておくことが重要である．

　例として，アイクレオと雪印の低出生体重児用人工乳の組成の一部を載せたが，ビタミンD含有量など違いがあることが分かる．

表5-7　アイクレオバランスミルクと雪印ビーンスタークPmの組成（100g当たり）の相違

成分	アイクレオ	雪印
エネルギー	514kcal	480kcal
蛋白質	13.5g	13.2g
脂質	26.7g	20.7g
炭水化物	54.8g	60.6g
ビタミンD	15μg	45μg
カルシウム	500mg	460mg
リン	280mg	290mg
鉄	8mg	10mg
亜鉛	4mg	4mg

B 経管栄養児

　原則，母乳で開始する．我々の施設では，在胎約30週未満の早産児あるいは極低出生体重児に関しては，生後早期（1〜2日）に母乳が得られない場合，その間はビフィズス菌の投与のみで様子を見て，母乳が出るのを待って本格的な経腸栄養を開始するようにしている．

　授乳は3時間ごととするが，3時間ごと哺乳では血糖が維持できないような場合や嘔吐・胃食道逆流症（gastroesophageal reflux; GER）がある場合，無呼吸発作が多い場合には2時間ごと哺乳とする．ただし，授乳時に無呼吸発作を頻発する場合などは1回の授乳時間を長くする場合や（1時間/回），ED-tubeを挿入した上で，持続投与する場合もある．

　1,500g未満の場合，当院では，できる限り，母乳での開始を目指すが，どうしても人工乳で開始せざるを得ない場合もありうる．

▶ ［母乳が使用できない場合の対応策］

　施設によっては，通常の人工乳使用もやむを得ず許容しているところもあるだろう．一方，アレルギー等のリスクが高いのではとの懸念からアレルギー用調製粉乳（MA-miなど）から開始している施設もある（実は，京都大学ではそのようにしている）．

　また，どうしても母乳栄養でと考える施設は「もらい乳」「母乳バンク」の利用を行っている施設もある．母乳バンクに関しては，現在，日本母乳バンク協会（https://jhmba.or.jp/）が推進活動を行っている．

　母乳栄養を行う場合は母乳にHMS-1®（母乳強化剤）を添加する．HMS-1®は，開始後数日間は30mLに1/2包，下痢，腹部膨満，胃残増加などがなければ以後は30mLに1包とする．

　ミルクが100kcal/kg/日以上になるまでは，経静脈輸液を併用する．

MEMO
ビフィズス菌の投与について

　近年，腸内細菌叢への関心が高まっている．赤ちゃんの腸内細菌叢がビフィズス菌有意に保たれていることは，感染のリスクを下げるばかりでなく，種々の面で健康増進に役立つとの報告が多い．もちろん，まだ確固たるエビデンスはないが……．

　ということで，我々の施設でも，極低出生体重児を中心とするハイリスク児に対して，経腸栄養開始に先立って，ビフィズス菌の投与を行っている．なお，消化管の術後などで絶食期間が長引いた症例に対しては，経腸栄養開始に先立ってGFOの投与を行っている．GFOとはグルタミン（glutamine），食物繊維（fiber），オリゴ糖（oligosaccharide）のことである．

　「グルタミン酸は小腸の栄養源として重要」「食物繊維は大腸で発酵され短鎖脂肪酸を生じる」「オリゴ糖はビフィズス菌の栄養源」とされており，GFOの投与もビフィズス菌の定着を促す効果を期待してのことである．

4 摂取カロリーの計算法

母乳の場合：母乳量（dL）×65kcal

母乳＋HMS-1®の場合：母乳量（dL）×（65＋9）kcal

母乳＋HMS-2®の場合：母乳量（dL）×（65＋20）kcal

SMA®の場合：SMA量（dL）×67kcal

LBW®の場合：LBW量（dL）×82kcal

糖（g）×（4kcal/g）

アミノ酸（g）×（4kcal/g）

脂質（g）×（9kcal/g）＝イントラリピッド®（mL）×（2kcal/mL）

MEMO

HMS-1®とHMS-2®の違い（ともに森永乳業）

　HMS-2®は従来品の約2倍のカロリーを有するが，その大きな理由は，MCTを主体とする脂質の含有量が大幅に増えている点にある．また，ミネラルも1.5〜2倍程度増やされている．HMS-2®を使用している施設も多いと思うが，我々の施設では使用経験がないので，本書ではこれ以上の記述は控える．

---

5 トラブルへの対処

Ⓐ 胎便排泄遅延を認め，経腸栄養の増量に支障をきたす場合

(1) 25〜50％グリセリン浣腸液（GE）1〜2mL/kgを1〜3回/日で開始する（少量から開始し，反応を見て必要なら増量していく）．

(2) 腹部膨満が改善せず胎便排出が弱く経腸栄養が進まない場合，X線写真で腸管拡張像が改善しない場合，ガストログラフィン®で注腸造影する．蒸留水で4〜5倍に希釈し，5〜10mL/kgをネラトンカテーテルで慎重に投与する．抵抗がある場合は無理をしない．造影剤投与直後・投与12時間後・投与24時間後，および完全排泄が得られるまでは，1日1回腹部X線を撮影する．なお「はさみうち療法」として胃内に3〜5倍に希釈したガストログラフィンを2〜4mL/kg注入することによって胎便排泄を促す手法も報告されているが，京都大学では行っていない．造影1週間後にはFT3，FT4，TSHをチェックする（造影剤にはヨードが含まれている！）．

参考文献

・Breastfeeding management for the clinician: using the evidence, Sudbery. Jones and Barlett Publishers.

・Hale TW, Medications and Mothers' Milk, 12th ed. Hale Publishing, 2006

・Riordan J, et al. Breastfeeding and Human Lactation. Boston, Jones and Bartlett Publishers, 2005

・Nyqvist KH, et al. Early Hum Dev 1999; 55: 247-264.

補足1： 超早期授乳 minimal enteral nutrition（trophic feeding）
（早期からの少量の経腸栄養）

1. 背景

かつて低出生体重児では，壊死性腸炎（NEC）の予防として経腸栄養を2週間近く行わず，経静脈栄養を中心に行っていた．その結果として経腸栄養が遅れ，経静脈栄養に伴う胆汁うっ帯や腸管運動の低下，腸管粘膜の萎縮，代謝性骨疾患，bacterial translocation などの合併症が多く報告されている．

胎児は，胎内では羊水を嚥下しており，消化管の蠕動も確認されている．また，少量の経腸栄養により消化管ホルモンの分泌促進が起こる．壊死性腸炎を恐れるあまり，長期間飢餓状態にすることはかえって非生理的だと考えられる．

そこで，あくまでも腸管の蠕動，正常細菌叢の定着などを目的として，早期に少量の経腸栄養を開始するようになった．ただし，gut priming hypocaloric feeding が基本で，量は増加させないことが基本である．

2. 効果

①順調な経腸栄養の進行→完全経口栄養の早期確立

②経静脈栄養期間の短縮

③体重増加改善

④生理的黄疸の軽減

⑤胆汁うっ滞性黄疸の軽減

⑥腸管粘膜の成長，刷子縁の防御機能の早期成熟

⑦消化管ホルモンの増加

⑧消化酵素の合成，放出促進

⑨小腸の運動パターンの成熟（胃前庭，十二指腸の蠕動運動，協調運動の改善）

⑩壊死性腸炎発症率に有意な増加は認めない．

3. 方法

●対象は超低出生体重児．生後12〜24時間から3時間ごとに母乳0.5mLを注入する．なお，母乳が得られない場合は投与しない．

●2日間行うこととし，3日目以降は通常の進め方へ移行する．

4. 課題

超早期授乳の利点に関するエビデンスはあるが，具体的な実施法については未だ定まっていない[1].

文献

1) Cochrane Database 2005; CD 000504

補足2： 新生児胆汁うっ滞neonatal cholestasis について[1]

定義：生後2週間以上遷延する血清抱合型ビリルビン（直接ビリルビン）値の上昇

直接ビリルビン値の上昇は以下のように定義される.

(1) 総ビリルビンが5.0mg/dL未満の場合は直接ビリルビン1.0mg/dL以上

(2) 総ビリルビンが5.0mg/dL以上の場合は直接ビリルビンが総ビリルビンの20％以上

新生児胆汁うっ滞は2500人に1人の割合で発生し，間接ビリルビン高値とは異なりすべて病的である.

1. 胆汁うっ滞をみた場合，次に評価すること

A. 病歴・身体所見の確認

妊娠分娩経過，感染情報，児の輸血歴. 身体所見では小奇形，肝脾腫の有無，便の色に注意する.

B. 肝障害の程度を把握する

(1) 肝"細胞"障害の指標

●AST/ALT：高感度に肝細胞障害を反映するが，特異度は低く，予後とも相関しない.

　　AST の臓器分布（心臓100，肝臓93，骨格筋63，腎臓58，膵臓18，脾臓9）

　　ALT の臓器分布（肝臓100，腎臓42，心臓16，骨格筋11，膵臓5，脾臓3）

　　AST/ALT＜1.0は急性肝炎・慢性肝炎，AST/ALT＞1.0は慢性胆汁うっ滞・肝硬変

●ALP：ricketsによるⅢ型上昇と鑑別するためには，アイソザイムを分析する（肝臓は
　　　　Ⅰ・Ⅱ型）.

●γGTP：肝細胞や胆管上皮に存在する酵素. γGTPが正常ならば進行性家族性肝内胆
　　　　汁うっ滞（PFIC）1型2型もしくは胆汁酸合成障害を疑う.

(2) 肝"機能"障害の指標

●肝臓の生合成能力の評価：凝固能（PT，APTT），ALB，ChE，TCHO，BS

●肝臓での尿素回路による尿素合成能（解毒能力）の評価：NH3

C. 速やかに治療を行う必要のある疾患を除外する

●敗血症の除外：CBC，CRP，培養（血液や尿など）

●代謝異常のスクリーニング：血液ガス，先天性代謝異常等検査，尿・血漿のアミノ
　　　　　　　　　　　　　　酸・有機酸分析

●内分泌：fT4，TSH，GH，コルチゾール，ACTHなど下垂体機能の評価

D. 鑑別診断のための特殊な血液・尿検査を考慮する

●感染症（TORCH，パルボウイルスB19，HHV-6，HIV）

●血清α1アンチトリプシン，鉄・フェリチン（新生児ヘモクロマトーシス）

●血清セルロプラスミン・銅（Wilson病），血漿極長鎖脂肪酸分析（Zellweger症候群）

●尿Benedict反応（ガラクトース血症，フルクトース血症），尿塩化第二鉄反応（チロ
　シン血症）

●尿・血清の胆汁酸分析（胆汁酸代謝異常症）

●酵素活性：赤血球galactose-1-phosphataseなど

●遺伝子検索：嚢胞線維症，Alagille症候群，進行性家族性肝内胆汁うっ滞

E. 肝臓・胆道系の超音波検査

● 肝臓の大きさと構造，胆嚢の大きさ・囊腫・胆石の確認，腹水の有無

● 胆道閉鎖症と新生児肝炎の鑑別（→p.152）

→ triangular cord sign，胆嚢の大きさ，哺乳前後の胆嚢収縮率

新生児肝炎と胆道閉鎖症で全体の70〜80％を占める[2]．未熟児では経静脈栄養や敗血症に伴うものが多い．超低出生体重児では一過性の胆嚢腫大（原因不明），SGA児では脂肪肝による胆汁うっ滞を認めることがある．

---

neonatal cholestasis の鑑別疾患（◎は高頻度）

1. obstructive cholestasis

◎胆道閉鎖症，総胆管囊腫，胆管減少症，新生児硬化性胆管炎，濃縮胆汁症候群（溶血），胆石，囊胞線維症，Caroli病

2. intrahepatic cholestasis

● ウイルス感染症：単純ヘルペス，サイトメガロウイルス，HIV，パルボウイルスB19

● 細菌感染症：敗血症，尿路感染症，梅毒

● 遺伝性・代謝疾患：α1アンチトリプシン欠損症，チロシン血症，ガラクトース血症，進行性家族性肝内胆汁うっ滞（PFIC），Alagille症候群

● 内分泌疾患：甲状腺機能低下症，汎下垂体機能低下症

---

2. 検査の進め方

遷延する黄疸の検査の進め方をStep順に記す[3]．

1) 病歴・身体所見を確認するとともに，直接型ビリルビンの上昇を認める場合は以下に進む

2) 生化学検査（AST，ALT，ALP，γGTP，ALB，TCHO，PT/APTT，NH_3）など

　CBC，CRP，培養，血液ガス分析

　甲状腺機能（FT3，FT4，TSH），アミノ酸/有機酸分析

　TORCH，鉄/フェリチン，銅，$α_1$AT，胆汁酸分析

3) 超音波検査

　　#胆嚢よく見えない場合

　　　　→胆道シンチを行い，胆汁排泄が遅延している場合は開腹胆道造影へと進む

　　　　→胆汁排泄が正常な場合も，重篤かつ原因が不明な場合は肝生検を考慮する

　　# 正常な胆嚢を認める場合

　　　　→胆管拡張などの疾患を認める場合は，外科的治療を考慮する

　　　　→胆道系の異常所見を認めない場合も，重篤かつ原因不明の場合は肝生検を考慮する

3. 慢性胆汁うっ滞の管理

A. 消化管への胆汁酸分泌不全により，腸管内脂肪分解・水溶化・長鎖脂肪酸の吸収が低下する

- 児の成長に必要なエネルギー量より2〜3割増を目標に投与.
- 胆汁酸が乏しくても吸収しやすい中鎖脂肪酸（MCT）を投与する. MCTのみでは必須脂肪酸が不足してしまうため，イントラリピッド®などの経静脈的な補充が必要である.
- 2〜3g/kg/日程度の十分な蛋白質投与. 肝移植前は低栄養状態を改善するため4g/kg/日程度与えることもある.
- 脂溶性ビタミン（ビタミンA，D，E，K）を補充する[4]. PT延長を呈する場合は，原則として経静脈的に十分なビタミンKを補充する.

表5-8　慢性胆汁うっ滞がある場合の脂溶性ビタミン投与

ビタミンの種類	欠乏した場合の症状	投与量
ビタミンA	眼球乾燥症，角膜軟化症，夜盲	5,000〜25,000U/日
ビタミンD	くる病，骨軟化症	骨型ALP，尿Ca/Creを見て調節
ビタミンE	進行性の神経筋変性（運動失調，筋力低下，眼筋麻痺）	15〜25 IU/kg/日
ビタミンK	出血傾向	PTが正常範囲に入るよう調節；経管/静脈

B. 胆汁排泄促進

- ウルソデオキシコール酸10〜20mg/kg（著しい胆汁うっ滞があれば肝障害の恐れあり），タウリン100mg/kg/日.

C. 合併症への対策

- 高アンモニア血症：蛋白質投与量を減らす，一方で異化防止のためカロリーは十分与える. ラクツロースは食餌中のアミノ酸が腸管内の細菌叢により脱アミノ化され，アンモニアが生成されるのを防ぐが，高浸透圧であるため壊死性腸炎の恐れのある超早産児には使用しにくい.
- 腹水：細菌性腹膜炎のリスクファクターとなる. Na投与量を1〜2mEq/kg/日以下に制限する. 利尿が十分ならば水分制限は不要である. 効果がなければスピロノラクトン3〜5mg/kg/日分4を投与する[5].

文献
1) Stephanie H. Approach to neonatal cholestasis. 2006 UpToDate®
2) el-Youssef M, et al. Semin Liver Dis 1998; 18: 195-202.
3) Venigalla S, et al. Semin Perinatol 2004; 28: 348-355.
4) Suchy FJ. Pediatr Rev 2004; 25: 388-396.
5) Hassan H. Chapter 337 Cholestasis. Nelson Pediatrics 17th ed.

補足3： 胆汁うっ滞の児の超音波検査のポイント

1. triangular cord sign

門脈分岐部の頭側に接する太さ3mm以上の紡錘形の高エコー輝度域で，線維状になった胆管組織の痕跡ではないかと考えられている.

2. 小さい胆嚢

胆嚢の大きさが1.5cm未満の場合，もしくは内腔が描出できない場合は異常である.

3. 胆嚢収縮率の低下

胆嚢の容積を0.52×幅×幅×長さで求め，(空腹時容積−食後容積)÷(空腹時容積)×100で収縮率を求める. 生後6週では86±18%，生後4ヵ月では67±42%が正常範囲(平均±SD)である.

文献

Kanegawa K, et al. AJR Am J Roentgenol 2003；181：1387-1390.

補足4： MCT オイル

(1) 中鎖脂肪酸とグリセリンで構成されたトリグリセリドであり，天然には存在しない.

(2) 膵リパーゼによる加水分解を容易に受け，胆汁酸が存在しなくても吸収される.

(3) 吸収されたMCTはリンパを介さず，直接門脈系に入る. 肝細胞内に取り込まれる場合にカルニチンを必要とせず，容易に酸化，吸収され利用速度も速い.

(4) 同時にケトン体を生成するが，生成されたケトン体はエネルギー源として利用される.

① 投与対象：水分制限を行う児(CLD，先天性心疾患の児など)，低血糖児.

② 投与時期：黄疸のリスクが減り，経管栄養が進み始めたら開始する.

③ 投 与 法：チューブへ吸着しやすいため，ミルクの直前に投与する.

④ 注意事項：誤嚥性肺炎のリスクがある児(GER，嘔吐)には注意する. 便中脂肪，血清TGをチェックし，脂肪の過剰とならないように注意する.

⑤ 投与の実際：1mL/kg/日分4〜分8で開始し，最大2mL/kg/日まで徐々に増量する.

補足5： プロバイオティクス (Probiotics)

経腸栄養の開始と共に始める (p.192 参照).

第5章／輸液・栄養の管理

3 低Na血症・高K血症

✎ Key point

　　新生児は電解質のバランスを保つ機能に乏しく，容易にそのバランスが崩れてしまう．本項では，新生児期の輸液管理中にしばしばみられる低Na血症と高K血症の管理の要点を学ぶ.

1　低Na血症

● **生後早期**（生後0～数日）：希釈性低Na血症が多い.
　①治療の基本は水分制限（50～60mL/kg/日）.
　②利尿が充分ついている場合は，Naを輸液に加える（30～50mEq/Lから開始）.
● **晩発性**（生後1～2ヵ月）：尿へのNa排泄が多く，それに見合うNaが投与されない場合.
　治療：10% NaCl（1mL＝1.7mEq）を4～5mEq/kg/日（分4～8）でミルクと同時に投与する.
● とりわけ，極低出生体重児などの場合，元々，尿へのNa排泄が多いうえに長期にわたって利尿剤の投与を要することも多く，血清Na濃度を維持するために8mEq/kg/日以上のNaClの投与を要することも少なくない.
● 低Na血症は晩期循環不全の主要徴候の1つである．Naを十分投与しても，低Na血症が遷延することは晩期循環不全の診断の一助となる.

2　高K血症

▷ ［概念］
　新生児では6.5mEq/L以上を指す．新生児は仮死・感染・溶血・出血などKが負荷される状態をきたしやすく，また腎からの排泄も低下しているため，比較的容易に高K血症をきたしやすい.

▷ ［症状］
　6.5mEq/L程度までは無症状のことが多く，それ以上になると心電図異常（T波の先鋭化・QRS幅の拡大・AVブロック・心室細動）をきたす.

▷ ［治療］
（1）Kフリーの輸液を行い，ラシックス®1mg/kg/回を投与し，利尿を図る.
（2）血糖を150mg/dL程度まで上げ，細胞の異化を防ぐように努める.
（3）アシドーシスがある場合は，ハーフ・メイロン®1～2mL/kgを投与して補正する.

（1mEq/kgのNaHCO$_3$が1mEq/L程度のK値を低下させる.）

(4) カルチコール®を投与する.

(5) **グルコース・インスリン療法（GI療法）**：Kが6.5～7mEq/L以上となったら開始する.

> **One Shot法**：グルコース0.5g/kg/回にレギュラーインスリン0.1～0.15U/kg/回を加え（G/I比3～5），15～30分で投与する.

例：20%ブドウ糖液9.6mL＋1U/mLとなるよう希釈したレギュラーインスリン0.4mL（G/I比＝5），これを2.5mL/kg投与する.

> **持続法**：レギュラーインスリン0.5～1.0U/kg/日をG/I比15から開始する.
> 以後，血糖値をみながらG/I比を調節する.

例：20%ブドウ糖液15mL＋1U/mLとなるよう希釈したレギュラーインスリン1mL＋25%アルブミン4mL（G/I比＝3）．これを0.8mL/kg/時で投与する（＝0.96U/kg/日）.

> **注意1**　メインの輸液の糖濃度を調節し，G/I比が15となるようにする.
> **注意2**　アルブミンを混点すると，インスリンの輸液ルートへの吸着が防げる.

(6) **陽イオン交換樹脂（カリメート®，ケイキサレート®）**：0.5～1.0g/kg/回を5%ソルビトール液で懸濁し，注腸し，Kを体外に排泄促進させる.

3　胎児・新生児の尿中電解質の特徴

▶ ［胎児期の尿中電解質］

(1) 胎児は尿中Na排泄が多い

　胎児は10ヵ月近くの長期にわたり，羊水に浮かんで生活する．我々なら数十分プールや風呂につかるだけで皮膚がふやけてしまうが，胎児の皮膚は過期産になるまでふやけることは無い．これは，羊水の浸透圧が胎児の皮膚・皮下組織の浸透圧に大きな差がないためである．胎児は羊水の浸透圧を自らの血漿浸透圧に近づけるために，糸球体をろ過した原尿からNaを再吸収しない．なぜなら，胎児の排出する尿が羊水の主成分であり，浸透圧を規定する最も重要なミネラルがNaだからだ.

(2) 胎児は尿中K分泌が少ない

　胎児の成長にとって最も重要なことは，体細胞を増やすことである．そのためには，細胞内に蓄える必要がある物質が胎児に最も重要な物質となる．そこで，胎児が保持すべき最も重要なミネラルの一つがKである．このため，胎児は尿中K排泄を極力抑えるようプログラムされている.

（3）胎児はアルドステロン抵抗性を有する

尿中Na排泄を促進し，K排泄を抑制する．これは，アルドステロ作用と正反対の状況である．妊娠後半の胎児血中アルドステロンは決して低値ではなく，アルドステロン抵抗性があるのは疑いない．

▷ ［早産児のNa必要量］

早産児は在胎週数が短いほど，尿中Na排泄率（Fractional excretion of Natrium; FENa）が高値であり，Na必要量が多いことが報告されている．表に在胎週数ごとの凡そのNa必要量を示す．

表5-9　在胎週数ごとのNa必要量

在胎週数	23〜24週	25〜26週	27〜28週	29〜30週	31〜32週	33週以降
Na必要量 （mEq/kg/日）	8〜12	4〜10	2〜6	1〜3	0.5〜2	0.5程度

▷ ［早産児の非乏尿性高K血症］

Kに関しては在胎週数ごとの詳細なデータはないが，早産児に特有な病態として，非乏尿性高K血症賀ある．30〜50％の極低出生体重児および在胎28週未満の早産児では，Kの投与がないにもかかわらず，生後48時間以内に非乏尿性の高K血症（血清K値が6.5 m Eq/Lを超えるもの）が見られる．この現象は，成熟児や生後72時間以降の極低出生体重児では見られない．

この生化学的観察は，Na-Kポンプの活動性の低さとともに腎臓のK排泄能の低さから，細胞内から細胞外液へのK移動によると考えられている．

第6章

中枢神経系の障害と管理

第6章／中枢神経系の障害と管理

1 新生児発作

> **Key point**
>
> かつて新生児発作は，臨床的観察によって診断されてきた．しかし，ここ数年，発作時脳波を記録することの重要性が喚起され，その診断・治療に関する考え方が大きく変わってきた．

1 新生児発作の新たな概念

　新生児発作では，多くの場合，臨床症状と発作時脳波所見との乖離が著しいことが判明している．すなわち，脳波所見では発作性変化が明らかだが臨床症状は伴わない潜在発作（sub-clinical seizures）が高率に認められる．このため，新生児発作を診断するには脳波による評価が欠かせない．

　脳波を装着するには経験が必要であり，24時間体制で脳波が取れる施設は限られていたが，近年，aEEG（amplified electroencephalogram）を使用する施設も増え，脳波の記録が急速に普及してきた．

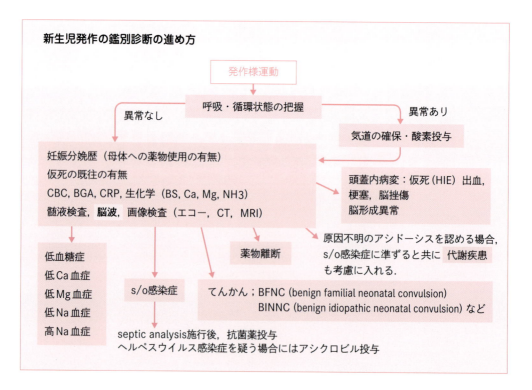

新生児発作の鑑別診断の進め方

2 新生児発作の診断

- 振戦・痙攣を疑う不随意運動
- 新生児発作の鑑別診断（前頁チャート）
- aEEGあるいはEEGで発作時脳波を確認する

3 新生児の脳波

A 新生児の正常脳波

1）正期産児の正常脳波の特徴
　①覚醒波（連続性パターン）：覚醒時・浅い睡眠（動睡眠，REM睡眠）時に脳波活動が連続的に出現する（図6-1）．
　②睡眠波（交代性パターン）：深い睡眠（静睡眠，non-REM睡眠）時に高振幅波と低振幅波が4〜8秒ごとに交互に出現する（図6-2）．
　③覚醒・睡眠のサイクルに応じて，覚醒波と睡眠波が変化する．

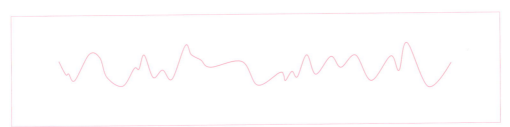

図6-1　連続性パターン（覚醒波）

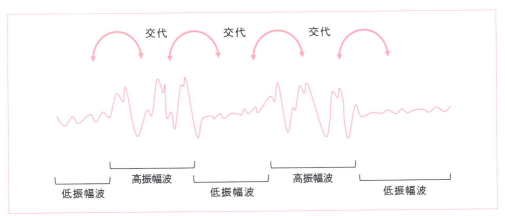

図6-2　交代性パターン（睡眠波）

2）早産児の脳波の発達の特徴

①中枢神経系は子宮内外に関係なく一定速度で成熟するため，受胎後週数（在胎週数＋生後週数）で，脳の成熟度（＝脳波の成熟度）が評価できる．

②未熟な児ほど，覚醒・睡眠のサイクルが不明瞭：とりわけ，修正25〜26週までは覚醒・睡眠サイクルは不明瞭で，その後週数が経過するごとに明瞭になっていく．

③静睡眠時には「非連続性パターンを認める」：未熟な児ほど低振幅波の振幅が低く，平坦部分が多いが，成熟とともに連続性が増加していく．

④高振幅徐波の変化：成熟とともに，振幅は小さく，周波数が大きく，多相性が増していく．

Ⓑ 新生児の異常脳波

1）正期産児の異常脳波

①発作性の変化

- 発作波とは，背景脳波とは明らかに区別される持続的（10秒以上）な脳波活動.
- 同様のあるいは類似した波形が律動的に繰り返し出現する.
- 発作波は経過中，次第に周波数が遅く，振幅が大きくなることがある.
- 発作波は経過中，他の部位へ移動することもある.

②背景脳波の異常

- 連続性パターンの消失：低振幅波の振幅が小さく，平坦化する.
- バースト・サプレッション：背景脳波に活動が乏しい部分（suppression）と活動を認める部分（burst）がみられ，連続性パターンが全くない.
- 最高度活動低下：平坦脳波か，わずかな低振幅脳波（5 μV以下）がみられるのみ.

2）早産児の異常脳波

- 連続性の低下
- 振幅の低下
- 速波成分の減少

4 aEEG

Ⓐ aEEGの原理（ 図6-3 ）

　脳波記録を基に，通常は時間軸（横軸）を6cm/時に圧縮して表示される．波形は一定区間内の脳波の最大振幅値と最小振幅値を1本の帯として連続表示したものである．

　ただし，アーチファクトを除く目的で，2〜15Hzの周波数成分のみを検出するようフィルターがかけてある．

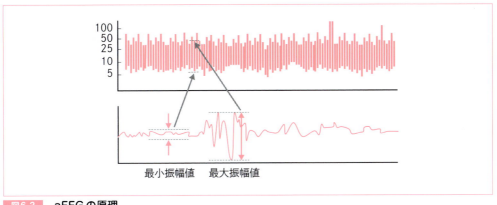

図6-3 aEEGの原理

図6-4 非連続性背景パターン
最小振幅値がしばしば5μVを下回っている

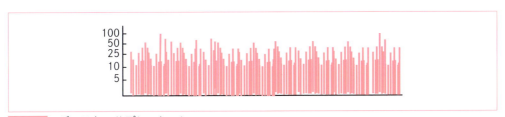

図6-5 バースト・サプレッション
最小振幅値が0〜1μVで固定している．最大振幅値は通常10〜25μV以上である

図6-6 低振幅背景活動パターン
最大・最小振幅値がともに5μVあたりで持続する

図6-7 平坦背景活動パターン
最大振幅値が常に5μV以下で持続する

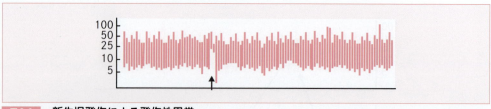

図6-8 新生児発作による発作性異常
突然, 最小振幅値が上昇する.
低振幅成分が消失・高振幅成分のみからなる発作波を反映する.

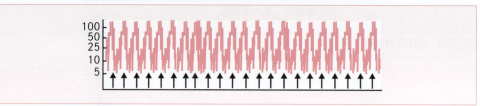

図6-9 新生児発作重積
発作が繰り返し反復するため, 鋸歯状 (saw-tooth) パターンを呈する.

B aEEGの測定部位

- 1チャンネルの場合は, 両側頭頂部 (P3-P4) あるいは両側中心部 (C3-C4) での記録が一般的.
- 2チャンネルの場合は, 前頭部正中に基準電極 (Ref) を置き, それとP3 (P3-Ref) およびP4 (P4-Ref) で記録することが多い.

▶ [aEEGによる診断のポイント]
(1) 正常aEEG
- aEEGの下限のラインが5μVより上にある (=連続性背景) (図6-3).

(2) 異常aEEG
①背景脳波の異常
(a) 非連続性背景 (図6-4): aEEGの下限のライン (=最小振幅値) が5μVより下となる.
(b) バースト・サプレッション (burst suppression) (図6-5): aEEGの下限のライン (=最小振幅値) が0〜1μVで固定する. なお, 最大振幅値は10〜25μV以上となる.
(c) 低振幅 (low voltage) (図6-6): 最大・最小振幅値がともに5μVあたりで持続する.
(d) 平坦 (flat) (図6-7): 最大振幅値が5μV以下で持続する.

②発作性異常
(a) 突如として最小振幅値が上昇し, 最大振幅値と最小振幅値の差が減少する (図6-8).
(b) 重責発作の場合は, aEEGは鋸歯状となる (図6-9).

MEMO

aEEG の長所と短所

● 長所

①装着が簡単で，フィルタリングなど面倒な設定が不要である．

②判読が容易である（パターン認識； 図6-4 〜 図6-9 を覚えればOK！）．

③定量性がある．

④長時間測定が可能である．

● 短所

①情報量が限定的であり，発作波の検出感度は低く，発作の焦点の部位の特定は不能である，など…

---

5 新生児発作に対する薬物療法

表6-1 薬物療法

	初期投与量	維持量
フェノバルビタール	20mg/kg	2.5〜5mg/kg/日
ミダゾラム	0.1〜0.2mg/kg	0.1〜0.4mg/kg/時
リドカイン	1mg/kg	1〜4mg/kg/時
ホスフェニトイン	22.5mg/kg	4〜5mg/kg/日

　新生児発作の薬物治療に関する明確なガイドラインはまだ存在しないが，現時点では以下のような順位付けがなされることが多い．

- 第一選択：フェノバルビタール（ノーベルバール®）
- 第二選択：ミダゾラム（ドルミカム®），リドカイン（キシロカイン®），ホスフェニトイン（ホストイン®）

Ⓐ 抗痙攣剤

フェノバルビタール（ノーベルバール®）

用 法 ・ 用 量：ノーベルバール®の調整．

　　　　　　　　1バイアル（250mg）を5mLの注射用水または生理食塩水に溶解する（調整されたものはフェノバルビタールとして50mg/mL）．

投与時の注意点：通常の初回投与量は20mg/kg.

　　　　　　　　血圧・心拍数・呼吸などを慎重に観察しながら，5〜10分かけてゆっくり静注する．フェノバルビタールの半減期は130時間と長いため，投与後も継続的な観察が必要である．有効血中濃度域に入っているか，血中濃度を測定することが有用である．

| 表6-2 | フェノバルビタールの血中濃度と副作用 |

血中濃度（mg/L）	
90	
↕	呼吸停止・徐脈
80	
↕	嗜眠
70	
↕	筋緊張低下・哺乳不良（腸蠕動の低下）
60	
↕	心拍数への影響・鎮静・哺乳不良・傾眠・眼振
50	
↕	呼吸抑制・血圧低下・自発運動の低下
40	
↕	有効血中濃度
15	

すなわち，有効血中濃度は15～40mg/Lであり，それを超えると，呼吸抑制・血圧低下をきたす．より血中濃度が高くなると消化器障害もきたす．

ホスフェニトイン（ホストイン®）

用法・用量：ローディング22.5mg/kg点滴静注（20分程度かけて）．3mg/kg/分を超えない速さで投与する．維持量4～5mg/kg/日（分1～2）点滴静注（10分程度かけて）．血圧低下に注意する．

適　　応：痙攣．

副　作　用：血圧低下．

ジアゼパム（セルシン®）

用法・用量：0.5mg/kg注腸，0.1～0.3mg/kg静注（繰り返し投与可能だが，バルビツール酸系薬剤を使用した場合は呼吸抑制が増強するため注意が必要）．

適　　応：痙攣．

副　作　用：呼吸抑制，血圧低下，非抱合型ビリルビン増加．

ミダゾラム（ドルミカム®）

用法・用量：0.3mg/kg鼻口腔投与，0.1～0.3mg/kg/回静注，0.05～0.3mg/kg/時で持続静注．

※小児に対しては，ミダゾラム鼻口腔投与はジアゼパム注腸より鎮痙効果が高いとされるが[1]，現在，抗痙攣薬として保険適応はない．

適　　応：痙攣，人工換気療法，脳低温療法．

副　作　用：無呼吸，呼吸停止，ミオクローヌス．

文献

1) McIntyre J, et al. Lancet 2005；366：205-210.

MEMO

早産児に対するベンゾジアゼピン系薬剤投与の懸念

　GABA-A受容体にベンゾジアゼピン系薬剤（ミダゾラムなど）が結合すると，Cl-イオンチャネルが開口し，Cl-イオンの細胞内外の移動が生じる．成人では，細胞内のCl-イオンは細胞外より低く維持されているため，Cl-イオンチャネルが開口すると，細胞外から細胞内へのCl-の透過性が亢進し，細胞内の電位が下がり（過分極），神経細胞の興奮が抑制される．

　一方，早産児では，細胞内のCl-イオンを低く保つ機構が未熟なために，細胞内のCl-イオン濃度は細胞外より高くなっている．このため，Cl-イオンチャネルが開口すると，逆に細胞内から細胞外へのCl-の透過性が亢進し，細胞内の電位が上がる可能性がある（脱分極）．すなわち，早産児に対するベンゾジアゼピン系薬剤の投与は，逆に興奮性を惹起する可能性があると考えられる．しかし，このような奇異反応は，おそらく24～26週の児ではもう生じないだろうという文献もある．

文献

Dzhala VI, et al. Ann Neurol 2008; 63 (2): 222-235.
Ben-Ari Y, et al. Neuroscientist 2012; 18 (5): 467-486.

第6章／中枢神経系の障害と管理

2 新生児仮死の蘇生後の管理と脳指向型集中治療

✎ Key point

　心肺脳蘇生（CPCR；cardio-pulmonary cerebral resuscitation）という用語が用いられるように，蘇生後の中枢神経集中治療管理の重要性が認識されている．脳蘇生の基本は適切な呼吸循環管理が大前提であることは言うまでもないが，脳障害機転の後に起こる二次的脳障害（遅発性神経細胞壊死やアポトーシスなど）を防ぐための特別な治療についても，その有効性・安全性が検討されつつある．

1　仮死後の呼吸障害とその管理

　胎便性の羊水混濁を認める場合には，その後に胎便吸引症候群を起こす可能性がある．この他にも仮死後の呼吸障害の鑑別診断には，心機能低下や血管透過性亢進による肺水腫・肺出血，肺炎，エアリーク，RDS（早産児）などが挙げられ，病態に応じて適切な呼吸管理を行う必要がある．無呼吸発作にも注意する．

　過剰な酸素投与は有害な酸素ラジカル産生増加の原因となり，低酸素血症は肺高血圧の悪化の原因となり得る．管理目標としては，SpO_2 90〜95％，PaO_2 60〜80mmHgを目指す．また脳ヘルニア・頭蓋内圧亢進症状がないにもかかわらず，ルーチンで過換気を施すことは避けなければならない．$PaCO_2$は40mmHgを下回らないようにする．

2　仮死後の循環障害とその管理

　低酸素のストレスにより心筋収縮力が低下し，肺高血圧を合併することも多い．仮死の原因が敗血症や失血の場合には，循環血液量が著しく低下している可能性がある．低血圧などの循環不全徴候を認める場合には，臨床症状や胸部X線，超音波所見から病態を鑑別し，適切な治療を行う．重症仮死の症例ではPPHN（新生児遷延性肺高血圧症）のリスクが高いため，上下肢のSpO_2をモニタリングして，より早期に発見し対応する（PPHNの項p.106参照）．

▶1 心収縮力低下が疑われる場合

- ドパミン（イノバン®），ドブタミン（ドブトレックス®）の使用を考慮する（循環管理の項p.112参照）.

▶2 循環血液量低下が疑われる場合

- 生理食塩水10mL/kgを，1〜3時間で点滴し反応をみる.
- 上記治療に反応しない低血圧の場合，ステロイド（ハイドロコルチゾン1〜5mg/kg）の使用を考慮する.

3 仮死後のその他の問題とその管理

- 生後間もなくはストレスにより分泌されるカテコラミンの働きで**高血糖**となり，その後グリコーゲンが枯渇して**低血糖**になることが多い．仮死後の著しい高血糖も低血糖も脳障害を悪化させるため，正常血糖を保つように糖供給量を調節する.
  - → 低血糖時のボーラス投与：10%ブドウ糖液1〜2mL/kgをゆっくり静注.
- 著しい**乳酸アシドーシス**があると，心筋収縮力低下，肺血管収縮，末梢循環不全の原因となるため，pH>7.25を目標に補正する．代謝性アシドーシスの半分を補正するには，注射用蒸留水で2倍希釈した炭酸水素ナトリウム（メイロン®）（Base Deficit×0.2×体重）mLを15〜30分かけて投与する．ただし十分な換気が確立しておらず，呼吸性アシドーシスがある状態では，換気の確立が重要である.
- 電解質異常では，**低Na血症・低Ca血症**を起こす可能性が高い．低Na血症は体液量とのバランスによって治療方針が異なる．重症の低Na血症は血漿浸透圧の低下から脳浮腫を助長する恐れがあるため注意が必要である.
  - → 神経細胞内へのカルシウム蓄積が，虚血後の二次的な脳障害の原因の一つと考えられており，低Ca血症による痙攣や心不全があるか，よほど低値でない限りカルシウムの補充は行わないが，この方法を支持するエビデンスはない.

4 低酸素性虚血性脳症（HIE）

低酸素・虚血によってもたらされる中枢神経系の不可逆的な損傷であり，胎児・新生児死亡や脳性麻痺，精神発達遅滞の原因となる．完成されたHIE（hypoxic ischemic encephalopathy）に対する特別な治療はなく，何より予防が重要である．HIEの病期分類・予後推定にはSarnatの分類が有用である（表6-3）.

表6-3 正期産児の低酸素性虚血性脳症の病期分類

	Stage 1（軽症）	Stage 2（中等症）	Stage 3（重症）
意識レベル	過覚醒・不穏	嗜眠・鈍麻	昏迷
筋緊張	正常	軽度低下	弛緩
姿勢	軽度の遠位部屈曲	高度の遠位部屈曲	間歇的除脳姿勢
腱反射	亢進	亢進	減弱〜消失
原始反射（吸綴・Moro）	容易に誘発	減弱	消失
瞳孔	散瞳（4mm以上）	縮瞳（1mm未満）	不等，対光反射低下
痙攣	なし	あり	通常なし
脳波	正常	低電位，痙攣時電位変動	バーストサプレッション
予後	死亡率0％ 重度後遺障害5％	死亡率5％ 重度後遺障害30％	死亡率70％ 重度後遺障害100％

(Sarnat HB, et al. Arch Neurol 1976; 33: 696-705 を参考に著者作成)

5 脳指向型集中治療 (brain oriented intensive care)

低酸素虚血により傷害を受けた脳細胞はもう回復しないが，傷害を受けた細胞の周囲には，まだ致命的なダメージには至っていない部分がある．受傷後数時間から72時間程度の間に，この領域のエネルギー需要が高まるにも関わらず，エネルギー供給が十分になされないことにより，さらに細胞傷害が進んでしまう（second energy failure）.

このさらなるダメージをできるかぎり防ぐことにより，低酸素性虚血性脳症の予後を改善させることを目指して，数々の治療法が試されてきた.

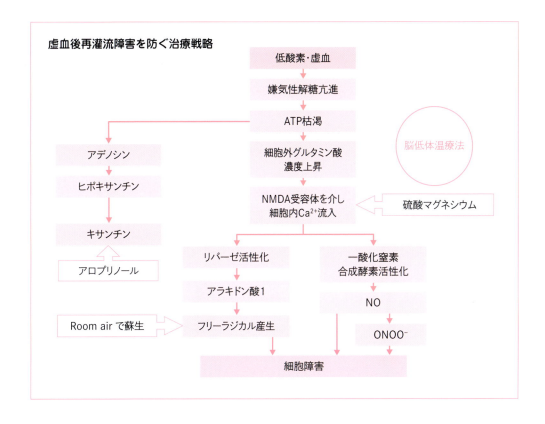

Ⓐ 低体温療法

　周産期の低酸素性虚血性脳症を防ぎ，後遺症のない生存を勝ち取ることは，周産期医療の最大の目的の1つである．新生児蘇生法（NCPR）の目的はその効果的な予防法を世界中に広めることであるが，残念ながら，重症仮死の児をゼロにすることはできない．そこで，低酸素性虚血性脳症に陥った児を後遺症なく回復させるための試みがこれまで数多く試みられてきたが，これまで明らかな有効性が証明されたものはなかった．そこに唯一高いレベルの臨床エビデンスに支持された治療法として，臨床の場に登場したのが低体温療法である．

▶1 低体温療法の実際（冷却方法）

(1) 全身冷却と選択的頭部冷却
　全身冷却と選択的頭部冷却の2つの方法があるが，両者の効果には大きな差はない．
(2) 冷却温度
　目標とする深部体温は，全身冷却で33.5℃，選択的頭部冷却で34.5℃で有効性が確認されている．
(3) 導入・維持・復温
　導入：イベント発症後6時間以内に，目標とする核温に達するようなるべく早期に冷却を開始する．
　維持：72時間　低体温を維持する．

復温：1時間当たり0.5℃を超えない速度で，12時間以内に復温を完了させる．

▶2 低体温療法の適応

2010CoSTRに基づく低体温療法の適応基準と除外基準．

▶[適応基準A]

在胎36週以上で出生し，少なくとも以下のいずれか1つに該当する．

①Apgarスコアの10分値が5以下．

②10分以上の持続的な新生児蘇生（気管挿管・陽圧換気など）が必要．

③生後1時間以内の血液ガス分析で，pH 7.00未満．

④生後1時間以内の血液ガス分析で，Base Deficit 16mmol/L以上．

▶[適応基準B]

中等度以上の脳症の所見（Sarnat分類2度以上に相当）すなわち，意識障害（傾眠・鈍麻・昏睡）を呈し，その上で，少なくとも以下の神経学的所見のいずれか1つに該当する．

①緊張低下

②人形の目反射もしくは異常反射（眼球運動や瞳孔異常を含む）

③吸啜の低下もしくは消失

④臨床的痙攣

▶[適応基準C]

少なくとも30分以上のaEEGの記録で，中等度以上の異常背景活動，あるいは，発作波が存在する．

（1）異常背景活動
- 中等度異常；最大振幅値＞10μVかつ最小振幅値＜5μV（非連続性背景）（　図6-4　）
- 高度異常；最大振幅値＜10μV（低振幅〜平坦）（　図6-6　，　図6-7　）

（2）痙攣発作波
- 突発的な電位の増加と振幅の狭小化（　図6-8　，　図6-9　），それに引き続いて生じる短いバースト・サプレッション（　図6-5　）．

▶[除外規定]

以下のいずれかに該当する場合は除外する．

①在胎週数36週未満の児

②出生体重1,800g未満の児

③大奇形がある

④現場の医師が全身状態や合併症から低温療法によって利益を得られない，あるいは，低体温療法によるリスクが利益を上回ると判断した場合

⑤必要な環境が揃えられない場合

▶3 低体温療法の実際

（1）低体温療法適応の判定（前述）

（2）低体温療法中のモニタリング

①呼吸循環モニタリング：通常の重症管理と同様．

・心拍呼吸モニタリング

・パルスオキシメーター

・呼気炭酸ガスあるいは経皮的炭酸ガスモニター

注意　血液ガスと温度

　　血液に溶解するガスの量は温度の上昇とともに少なくなるため，同一検体でも測定する温度を高くすると，ガス分圧は高くなる．このため，冷却中の体温と同じ温度で評価するよう，補正する必要がある．

（例）　33.5℃に冷却中の場合

　　　33.5℃の児の$PaCO_2$ 40mmHg pH7.4である場合，37.0℃に加温した分析器の測定値は$PaCO_2$ 47mmHg pH7.35となる．

表6-4　低体温療法中の血液ガスデータの評価

	37℃加温測定値	患児体温（33.5℃）補正値 （冷却時の真の値）
$PaCO_2$	30.0 35.0 40.0	25.7 30.0 34.3
pH	45.0 50.0 55.0 60.0 7.00 7.10 7.20 7.30 7.40	38.6 42.9 47.2 51.5 7.04 7.14 7.25 7.35 7.45

②深部体温・皮膚音・環境温のモニタリング：深部体温測定は直腸あるいは食道で計測する．

　　直腸温測定：肛門から3〜5cmの位置に温度プローブを留置する．

　　食道温測定：経鼻的にプローブを挿入する．鼻孔から胸骨下縁までの距離から，2cm差し引いた長さに仮固定し，X線で位置を確認する．胸郭の下部1/3に位置するように調節する．（体重3kgの児で15cmくらいが目安）

　　　　　　　導入時・復温中は5〜10分間隔での確認が必要．

　　　　　　　低体温維持期など体温が安定している時でも1回/時間程度での確認が必要．

③脳機能モニタリング（aEEG，標準脳波検査）

　　aEEG：脳障害の程度の概略を評価し，痙攣発作波を検知することが可能となる．ただし，痙攣発作の検出感度は必ずしも高くないため，より詳細な情報を得るには標準脳波が必要である．

④超音波検査：頭蓋内出血の有無，脳血流などを繰り返し評価する．

（3）低体温療法中の併用療法
①鎮静薬の投与
　低体温に反応して交感神経系が興奮し，末梢血管が収縮して心負荷が増すなど，全身のエネルギー消費が増加するのを防ぐために必要.

塩酸モルヒネ
用法・用量：初回投与量50〜100 μg/kg静注，維持量は10〜20 μg/kg/時.

作　　用：オピオイド受容体に作用し，鎮痛作用をあらわす.

副　作　用：薬物依存性，呼吸抑制，麻痺性イレウス．胃，腸管の運動抑制．胃液，胆汁，膵分泌を抑制．尿閉.

フェンタニル
用法・用量：1〜2 μg/kg静注，維持量は1〜2 μg/kg/時で持続投与.

作　　用：強い鎮痛作用を持つ.

副　作　用：呼吸抑制，血圧低下，尿閉.

②痙攣発作の予防と治療
　痙攣発作は興奮性傷害を助長するとともに，深部体温を上昇させる可能性があるため，状況に応じて抗痙攣薬の投与を考慮する.

第一選択：フェノバルビタール

第二選択：ホスフェニトイン

第三選択：リドカイン，ジアゼパム，ミダゾラムなど

Ⓑ グルタミン酸受容体拮抗薬（硫酸マグネシウム）

　母体子癇発作に対してマグネシウムを投与し，仮死で産まれた児は意外に予後が良いという発見に始まる治療法である．マグネシウムはNMDA（N-メチル-D-アスパラギン酸）受容体と拮抗し，神経細胞内への過剰なCa流入を抑えると言われており，動物実験では虚血前後に投与することにより，神経保護効果があると報告されている．①在胎37週以上，②5分後アプガースコアが6点以下，③出生後10分間自発呼吸なし，④HIE症状，のすべてを満たす場合に，$MgSO_4$を生後6時間以内，日齢1，日齢2にそれぞれ250mg/kg，1時間で点滴静注する方法が報告されている[1]．投与中は低血圧や徐脈に注意する.

Ⓒ フリーラジカル対策

　より高濃度の酸素を投与することにより，有害な酸素ラジカル産生量が増す．「酸素は必要悪である」という認識を持ち，蘇生中だけでなくNICU入院後も過剰な酸素投与を避けることが重要である．アロプリノールやビタミンEなどのラジカルスカベンジャーの投与については，まだ十分なエビデンスがない.

D その他の治療

- 脳圧降下剤（マンニトール，ステロイド）：これらを予防的に投与することで予後が改善するというエビデンスはない．脳浮腫は脳障害の結果生じるものであり，重症度の指標にはなるが，脳障害の原因としての意味は少ない．
- 抗痙攣剤（予防的バルビツレート投与）：痙攣は脳代謝を亢進させ，エネルギー枯渇による二次的障害をもたらす．仮死児に対する予防的バルビツレート投与に関して評価は一定していない．大量投与後には低血圧を起こすこともあり，ルーチンに使用することは奨められない[2]．

6 仮死の初期治療に必要な薬剤の使い方

　以下に示す薬剤は，近年エビデンスに乏しいとしてあまり使用されなくなってきているものもある．しかし，比較的よく用いられているようであり，投与法を示しておく．

10%ブドウ糖液

低血糖を認めた場合，2mL/kgをゆっくり静注する．

炭酸水素ナトリウム（メイロン®）

メイロンを注射用蒸留水で2倍に希釈する．
投与基準：pH<7.1〜7.2　かつ　BE<−10
half correct：理論的必要量（Base Deficit×0.2×体重）mLの半量を15〜30分で投与する．
それでもBE<−5の場合は追加量を補正する．

ドパミン（DOA）（イノバン®）

0.6mL/kgを生理食塩水で希釈し，総量20mLとする．これを，0.1mL/時で点滴静注すると，1γ（＝μg/kg/分）となる．通常開始量＝0.5mL/時で点滴静注する（＝5γ）．

> **注意**　イノバンラインは単独ラインとし三方活栓は付けない．早送りしないよう「早送り厳禁」を明示する．

ドブタミン（DOB）（ドブトレックス®）

イノバン®のみでは血圧上昇が得られず，頻脈のみを生じる場合，しばしばDOA/DOBを混注投与する．溶解法・使用濃度などはDOBもほとんどDOAと同様．DOBを投与する際は，ヘパリン混注禁．

文献

1) Ichiba H, et al. Pediatr Int 2006; 48: 70-75.
2) Cochrane Database 2001; CD001240

参考文献

　aEEG，低体温療法は現在最も注目されている分野であり，分かりやすいテキストが多数出版されている．以下，本書を記載するにあたって，参考にさせていただいたテキストを紹介する．

・奥村彰久編著：新生児発作と脳波モニタリング，診断と治療社，2009．
・茨　聡編：新生児・小児のための脳低温療法，メディカ出版，2011．
・田村正徳監修：CONSENSUS 2010 に基づく新生児低体温療法　実践マニュアル，東京医学社，2011．

第6章／中枢神経系の障害と管理

3 頭蓋内出血

✎ Key point

　　頭蓋内出血は，NICUの管理の中で最も深刻な病態であり，呼吸・循環管理などすべての治療はその予防のために行っているといっても過言ではない．本項では，その予防・診断・治療の要点を学ぶ．

▷［分類］

頭蓋内出血は下記のように分類される．本書では，その中でも低出生体重児に多い，脳室内出血を中心に述べる．

　①硬膜外出血

　②硬膜下出血

　③くも膜下出血：出生体重2,500g以上では最多

　④脳実質出血

　⑤脳室内出血：出生体重2,500g未満では最多

1 脳室内出血（IVH）

▷［概念］

　　分娩前と分娩時の要因（アプガースコア，アシドーシス，分娩様式など），新生児期の低酸素症・低血圧が要因となり，早産児のIVHのほとんどは脳室上衣下出血（80～90％はモンロー孔レベルの尾状核頭部）が脳室内へ進行して生じる．重症例では，側脳室近傍の大脳白質の梗塞性変化（特に出血性梗塞）により脳実質内出血を合併する場合が多い．脳室拡大を合併する重症例の発達予後はかなり不良である．低出生体重児の死亡と発達障害の原因として最も重要な因子の1つである．

▷［症状］

　　痙攣，無呼吸，血圧低下，貧血・代謝性アシドーシスの急激な進行など．早産児の脳室内出血は生後72時間以内に最も多くみられ，日齢0・1・2にそれぞれ50％・25％・15％と言われている[1]．

▷［診断］

　　IVHの診断には超音波検査が極めて有効である．超音波所見による重症度評価にはVolpeの分類あるいはPapileの分類を用いる．

表6-5	Volpeの分類
Grade Ⅰ	脳室上衣下出血±わずかな脳室内出血 (傍矢状断で出血が脳室面積の10%未満)
Grade Ⅱ	脳室拡大のない脳室内出血 (傍矢状断で出血が脳室面積の10〜50%)
Grade Ⅲ	脳室拡大を伴う脳室内出血 (傍矢状断で出血が脳室津面積の50%より大きい)

(Volpe JJ. Neurology of the Newborn. 6th ed. Saunders Elsevier, 2018)

表6-6	Papileによる脳室内出血の分類
Grade Ⅰ	脳室上衣下出血のみ
Grade Ⅱ	脳室拡大のない脳室内出血
Grade Ⅲ	脳室拡大を伴う脳室内出血
Grade Ⅳ	脳実質内出血を伴った脳室内出血

(Papile LA, et al. J Pediatr 1978; 92 (4): 529-534)

▶ [リスク・ファクター]
①脳血流のふらつき：人工換気中の児でファイティング時によくみられる.
②脳血流の増加：気管内吸引, 気胸, 交換輸血, 急速輸血, 高張液, アルカリ剤の急速静注, 高炭酸ガス血症.
③脳静脈圧上昇：陣痛, 経腟分娩による頭蓋変形, 仮死, 呼吸障害.
④脳血流の減少：仮死に伴う脳血流の減少が血管内皮障害を引き起こし, 血流再開時に破綻する.
⑤血小板, 凝固系の異常：早産児ではフィブリノーゲンの減少, 線溶系の亢進などの凝固異常が多い. 母親のアスピリン服用などの影響もあり.

▶ [予防]
①妊娠34週未満の早産が予想される症例では, 母体に積極的にステロイド投与を行う[2]. これによって, 特に出血のリスクが高い生後数日間の血圧が安定する.
②極低出生体重児では出生時の臍帯結紮を遅らせる[3], もしくはミルキングする.
③脳室内出血リスクの高い超低出生体重児では, できる限り帝王切開を選択する
④急性期の"minimal handling". 血圧が上昇するような処置を最小限に抑える.
⑤ハイリスクと考えられる児や体動の多い児に対しては鎮静をかける.
⑥正常血圧を保ち, 変動を抑える呼吸循環管理を心がける. PDAは積極的に治療する.
当院では, IVHの予防のために, 後負荷不整合を意識した循環管理を心掛けている.

> 補足： インドメタシンの予防投与
>
> 　早産児への予防的インドメタシン投与に関するメタアナリシスでは，短期予後としてインドメタシン投与群では重症のIVHの頻度は有意に低く，消化管や腎合併症の頻度は高くなかったが，長期予後として死亡率や重度後遺障害（脳性麻痺，精神発達遅滞，失明，聴力障害）の頻度に有意差は認められなかった[4]．

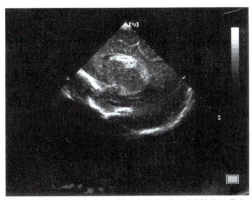 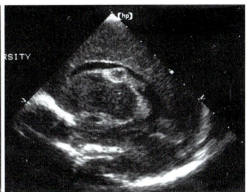

左側脳室上衣下に高輝度領域を認めるが，脳室拡大は見られない（IVH Ⅰ度）．　　左症例の出血1週間後のエコー所見．上衣下の高輝度領域は減少し，一部嚢胞を形成している．

図6-10　IVHの超音波所見

▷ [治療]
(1) 早産児のIVHは予防の一言に尽きる．必要な場合は，鎮静剤の使用を考慮する．痙攣に対しては抗痙攣剤を投与する．
(2) Grade Ⅱ以上のIVHでは，頭囲測定・超音波検査を繰り返し実施し，出血後水頭症を合併した場合には以下の治療を行う．
　水頭症が進行する場合は脳室腹腔短絡手術，リザーバー留置などの外科治療．反復腰椎穿刺は有効性・安全性に関して一定の見解が得られていない．

2　脳実質出血

▷ [病態]
　IVHと同様の機序で生じる．大脳出血は早産児のIVHに合併することが多い（より重症な児に多い）．一方，小脳出血は臨床診断されることは少ないが，剖検では5〜10％に認められ，多くは早産児で，IVHに合併する．

▷ [治療]
　IVHの治療に準じる．痙攣に対しては抗痙攣剤（新生児発作の項p.163参照）投与する

3 くも膜下出血（SAH）

▷ ［原因］

成熟児は分娩外傷，早産児は低酸素症によることが多い.

▷ ［症状］

大部分は，無症状.

▷ ［診断］

出血の部位は，大脳円蓋，大脳縦裂，後頭蓋窩が多く，エコーでの診断は困難. なお，早産児では，IVHを伴っていることが多い.

▷ ［治療］

IVHの治療に準じる. 痙攣に対しては抗痙攣剤（新生児発作の項p.163参照）を投与する.

4 硬膜下血腫（subdural hemorrhage）

▷ ［病態］

分娩外傷によることが多い. しかし，分娩過程になんら問題のない頭位自然分娩例でも血腫がみつかることがある[5].

▷ ［症状］

大部分は無症状. 重症例では無呼吸発作，痙攣，徐脈などの臨床症状を呈する.

▷ ［診断］

超音波での診断は困難なため頭部CT・MRIが必要. 好発部位はテント上であるが，鉗子分娩ではテント下に発生することが多い.

▷ ［治療］

IVHの治療に準じた対症療法. 重症例では血腫除去などの脳外科的処置が必要となることもある.

文献

1）Volpe JJ. Neurology of the Newborn. 4th ed. Philadelphia: W. B. Saunders. 2001. p428.
2）Cochrane Database 2000; CD000065
3）Cochrane Database 2004; CD003248
4）Fowlie PW. Arch Dis Child Fetal Neonatal Ed 2003; 88: F464-F466.
5）Whitby EH, et al. Lancet 2004; 363: 846-851.

第6章 / 中枢神経系の障害と管理

4 脳室周囲白質軟化症
periventricular leukomalacia（PVL）

✎ Key point

　脳室周囲白質軟化症（PVL）は早産・低出生体重児の予後にとって最も重要な病態の一つである．一旦生じると有効な治療方法はなく，その予防がすべてである．本項ではその危険因子と診断について学ぶ．

▶ [概念]

①早産児の脳室周囲白質部に生じる虚血性病変のことで，側脳室三角部から後角の上部および外側部の脳室周囲白質に好発する．

②脳血管とグリア形成の未熟性を素因として，脳低灌流が加わるとPVLが生じると考えられる．

③障害発生後3時間より虚血性凝固壊死が生じる．その組織反応として3時間〜1日でミクログリアが活性化され，2日より壊死巣の周囲に軸索変性が生じ，3〜5日より脂肪顆粒細胞が出現，ついで反応性アストログリアや血管新生が明瞭に出現する．空洞形成は13〜14日頃にみられるとの報告がある．

④在胎27〜28週あたりに発症頻度のピークがあり，脳性麻痺（CP）の約1/3がPVLによるとされている．

▶ [リスク・ファクター]

(1) 早産児

(2) 多胎（単胎児に比較して2〜3倍の頻度）
- 双胎間輸血症候群

(3) 出生前因子
- 子宮内発育遅延（IUGR）
- 胎児仮死
- 前置胎盤およびvaginal bleeding
- 前期破水（TNFが関与？）
- 子宮内感染症

(4) 出生時因子
- 新生児仮死
- 胎児母体間輸血症候群
- 胎児胎盤間輸血症候群

(5) 出生後因子
- 徐脈を伴う重症無呼吸発作
- 動脈管開存（PDA）による脳血流の減少（stealing）

179

- 敗血症性ショック
- 過換気による低CO_2血症（特に生後24時間以内の$PCO_2<25mmHg$）
  → ただし，自発呼吸下でも低CO_2血症になることがあり，原因ではなく結果の可能性もある
- 気胸，過度のPEEPなどによる静脈還流低下
- 晩期循環不全

※発症には多因子が関与している．

▶ [診断]

▶1 頭部超音波検査（最も簡便で，経時的な検査に有用）

(1) 発症後3日以内

　脳室周囲高エコー域（PVE）：脳室周囲白質，特に三角部周囲に脈絡叢と同等あるいはそれ以上の輝度を示す所見．

(2) 1〜3週経過

　cystic PVL：PVEの中心部あたりが櫛状に抜けて囊胞を形成する．その多くは多発性．しかし，エコーで診断できないPVLが約40％程度認められる．

▶2 MRI

最も信頼性があり，通常，退院直前と（必要に応じて）修正1〜1歳半頃に評価する．

(1) 初期変化（修正6ヵ月以内）

　①脳室周囲白質に囊胞．
　②脳室の拡大と脳室壁の不整．
　③髄鞘形成の遅延．

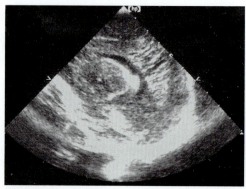

傍矢状断面で，側脳室三角部に多発性囊胞が見られる．

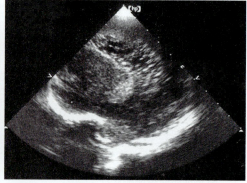

左症例の1〜2週間後，多発性囊胞が側脳室外側部に広範に広がっている．

図6-11 IPVLの超音波所見

表6-7 PVLの診断基準（超音波学的診断）（平成9年度厚生省研究班報告より抜粋）

脳室周囲高エコー域（periventricular echo densities：PVE）	
PVE 1度	脳室周囲の高エコー域が脈絡叢よりも輝度の低いもの
PVE 2度	側脳室三角部白質に限局して脈絡叢と同等のエコー輝度を認めるもの また，PVE 2度が2週間以上，持続して認められるものを持続性（prolonged）PVE 2度と呼ぶ
PVE 3度	同部位に脈絡叢よりも強いエコー輝度を認めるか，脈絡叢と同等のエコー輝度であるが三角部白質を越えて広がりをもつもの
Cystic PVL	脳室周囲の白質を主体に，径3mm以上の嚢胞を示すもの

(2) 後期変化（修正1歳以降）
　①脳室周囲，特に三角部周囲の白質量の明らかな減少．
　②三角部優位の脳室拡大と側脳室外側壁の不整な輪郭．
　③T2強調画像で三角部側方から体部側方にかけて高信号域．

補足：
　我々は，極低出生体重児・脳室内出血（IVH）・脳室周囲白質軟化症（PVL）・低酸素性虚血性脳症（HIE）・新生児痙攣・脳奇形・先天性水頭症の児に対しては入院中に頭部MRIを施行することとしている．

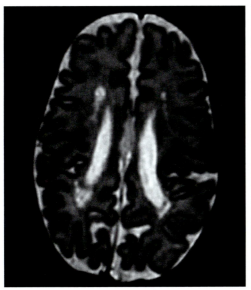 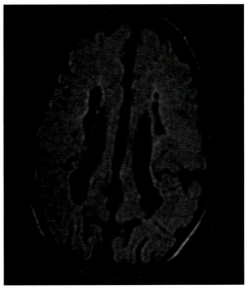

図6-2と同一症例のMRI T2強調画像．側脳室周囲にHigh intensityな嚢胞が散在している．　　図6-2と同一症例のMRI T1強調画像．側脳室周囲にLow intensityな嚢胞が散在している．

図6-12　PVLのMRI所見

▶3 CT

　初期変化を捉えるのは困難だが，後期変化を捉えることで診断を行う．精度としては，MRIの方が優れている．

▶ [予防]

(1) 早産の予防（在胎週数32週以上に妊娠を継続する）．

(2) 血圧を維持する（低血圧による脳血流の低下は重要な危険因子）．

(3) $PaCO_2 > 30mmHg$ を保つ（低CO_2血症は脳血流低下によりPVLを引き起こす！）

※出生前因子の関与している例が増加している．

▶ [治療]

現時点では確立した治療法は存在しない．

早期に発見し，両親への適切な説明，リハビリ，発達のフォローが必要である．

MEMO

低CO_2血症とPVL…タマゴが先か？　ニワトリが先か？

　極低出生体重児で，出生直後に著明な低CO_2血症を認め，呼吸器の設定をいくら下げても（抜管しても）改善しないことがある．このような児は後にPVLを発症するリスクが高いのだが，低CO_2血症がPVLの成因なのか結果なのか，議論のあるところである．

　我々の施設では，やはり低CO_2血症がPVLの原因となる可能性がある以上，積極的に介入することにしている．具体的には，まず呼吸器の設定を下げるところまで下げ，代謝性アシドーシスは積極的に補正している（代償性の呼吸性アルカローシスを抑える目的だが，あまりこれで改善したことはない）．施設によっては，鎮静をかけたり，呼吸器回路に死腔管を入れたりするところもあるようだ．

第6章／中枢神経系の障害と管理

5 頭部エコーの撮り方

✎ Key point

　　NICUでのルーチン検査の中で，頭部超音波検査の占める比重はきわめて高い．本項
では，その手技について学ぶ．

▷ ［概要］
　①ベッドサイドで繰り返し検査できる利点がある．
　②全身状態をよりよく把握し，全身管理を行うためのものである．
　③不必要な児への圧迫を避ける．パネル操作する場合は児からプローブを離す．
　④画面右側にプローブのマーカー側がくるようにする．
　⑤エコーでは輝度の設定を操作できるため，左右差を重視して評価する．

▷ ［目的］
　①先天奇形のスクリーニング
　②PVL・IVHの診断，出血後水頭症のフォロー
　③新生児仮死児の脳血流，脳浮腫評価

▷ ［対象］
　入院時全例，極低出生体重児，人工換気施行中の児は生後1週間までは毎日行う．その後
も1週間に1回は行う．特に超早産児の急性期（主として生後72時間以内）は1日に3回のエ
コーチェックをルーチンとしている．

> 注意　頭部エコーは重要な情報源であるが，一方，超低出生体重児にとっては超音波検査も
> 侵襲的であることを肝に銘じ，チェックするポイントを押さえ，できるだけ短時間で
> 観察することが重要である．

183

1 大泉門からのアプローチ

大泉門を確認し，プローブを当てる．

A 冠状断面（coronal section）

画面右を左半球とし，冠状断にあて左右対称にする．前〜後にスキャンして行くと順次以下の像が得られる．"脳室・脈絡叢の形態"を指標にすると，どこを見ているのかがわかりやすい．次の（1）〜（5）は 図6-13 参照．

(1) 側脳室前角を通る断面

(2) 前冠状断面
　前頭葉実質内に側脳室前角（fLV）がV字型に見え，上方に脳梁（Co），両側脳室間に透明中隔腔（CSP），外下方にレンズ核（L）が観察される．

(3) 側脳室体部〜第三脳室〜大孔を通る断面
　側脳室下方/第三脳室側方に視床が観察される．

(4) 後冠状断面
　側脳室後角（pLV）と，その中に高輝度エコーである脈絡叢（Ch）が「ハの字型」に見える．下方には小脳（Ce）が高輝度エコーとして認められる．

(5) 側脳室後部を通る断面
　側脳室内側の脈絡叢が「ハの字型」に見える．

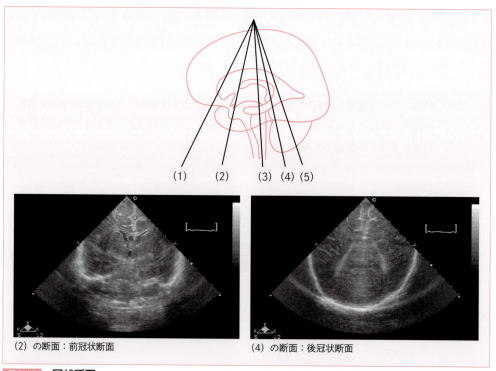

(2)の断面：前冠状断面　　(4)の断面：後冠状断面

図6-13　冠状断面

B 矢状断面（sagittal section）

画面の右を後頭部として矢状断とする．まず，正中矢状断面を描出し，プローブを左右に振る．次の（1）〜（2）は 図6-14 参照．

（1）正中矢状断面 midline sagittal

透明中隔腔（CSP）とVerga腔（v）の上に脳梁（Co）が弓状に見え，下方には第三脳室（Ⅲ）と第四脳室（Ⅳ）が連続しており，その前方に橋（Po），後方に小脳（Ce）が見える．

（2）外側矢状断面 lateral sagittal

側脳室（LV）の全体像と，高輝度エコーである脈絡叢（Ch）が前上方から後下方へ次第に幅広く弧を描いており，前方には尾状核（Ca）と視床（Th）が観察される．

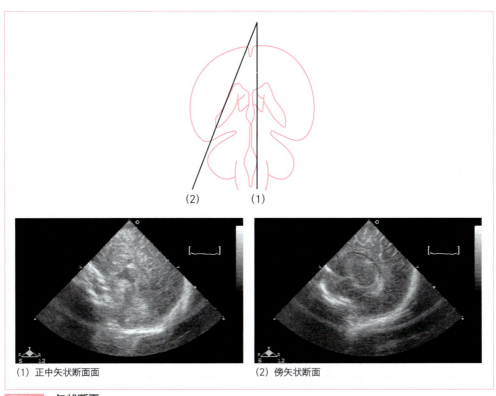

(1) 正中矢状断面　　(2) 傍矢状断面

図6-14　矢状断面

2 主な評価（何をチェックしたいのか？）

Ⓐ 頭蓋内出血の診断

　早産児では上衣下胚層出血，脈絡叢出血が多いため側脳室全体を観察する．また周囲の脳実質内の出血にも注意する．正期産児では，くも膜下出血が多く，これは大きなものでないと超音波で発見することは難しい．

Ⓑ 脳室周囲白質軟化症の診断

　脳室周囲高エコー域（PVE；periventricular echo densities）とcystic PVLが重要である．時間が経過すると，脳室拡大，壁不整，囊胞縮小などの所見が現れる．また2度以上のPVEが2週間以上持続する場合は，PVE 3度と同等に考えてフォローする．

Ⓒ 先天奇形のスクリーニング

- 脳室拡大：Dandy-Walker症候群（小脳虫部形成不全・第四脳室と交通のある後頭蓋窩囊胞）やChiari奇形（小脳虫部・第四脳質・下位脳幹が下方に偏移）を合併していないかをチェック．
- 脳梁欠損：部分欠損では脳梁の後半部分が欠損することが多い．先天性水頭症，Dandy-Walker症候群，Arnold-Chiari奇形，全前脳胞症（軽症例では側脳室前角が交通しているのみのこともある）や他の脳奇形症を合併していないかチェック．
- 滑脳症：脳回や脳溝が見られないため，ほぼ均一な脳実質に見える．
- 石灰化：トキソプラズマ感染症では脳内に散在性に，サイトメガロ感染症では脳室周囲に高輝度エコーとして多く見られ，大きなものではacoustic shadowingを呈する．

Ⓓ 新生児仮死児の脳血流，脳浮腫評価（→次項に詳述）

3 脳血流ドプラ計測（新生児仮死児の脳血流・脳浮腫の評価）

　前大脳動脈（ACA）のresistant index（RI）は，カラードプラをかけながら，正中矢状断面からわずかに外側に振ると描出される．パルス波をとり，収縮期速度（S）と拡張期速度（D）を測定し，(S-D)/Sで計算される．

　正常値は0.6〜0.85で，仮死後に脳血流調節機能が破綻すると低下し，0.55以下は予後不良と言われているが，実際には様々な要素が影響する．脳浮腫は脳室が描出できない場合に疑う．

$$\text{resistance index (RI)：RI} = (Vs - Ved)/Vs$$

Vs：収縮期最高血流速度，Ved：拡張末期血流速度

RIに影響する因子

1) **RIが高値となる因子**
   - 頭蓋内圧亢進：仮死後の脳浮腫，水頭症など
   - PDA：拡張期血流がstealされることによる
   - $PaCO_2$上昇：細動脈拡張→血流上昇
   - 多血症：血管抵抗が高くなる

2) **RIが低値となる因子**
   - 仮死後の自動調節能の破綻
   - $PaCO_2$低下：細動脈収縮→血流低下
   - 気胸：胸腔内圧上昇による静脈還流不全

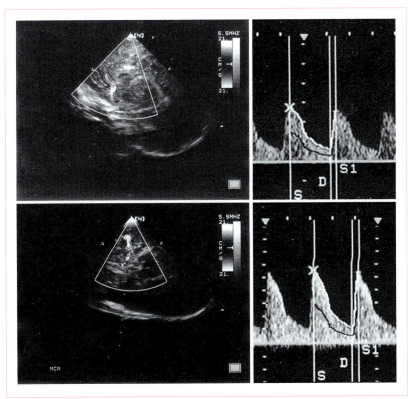

図6-15　**RIの算出方法**
傍矢状断面で，カラーモードとし前大脳動脈（ACA）を描出する．カーソルにACAを合わせて，Mモードとし，Vs, Vedを測定し，RIを計算する．

第6章 / 中枢神経系の障害と管理

6 聴性脳幹反応
auditory brainstem response（ABR）

> **Key point**
>
> 難聴の発見が遅れ，適切な時期に療育が行われなかった場合には，言語発達や学習能力など様々な面での発達に影響を及ぼす．難聴の頻度は正常新生児で1,000人に1～2人，ハイリスク新生児で100人に3～5人存在すると言われ，決して稀なものではない．NICUに入院する重症児は，退院前に自動ABR装置を用いたスクリーニング検査が必須である．

▶ [概念]（1994 Joint Committee of Infant Hearing）
- 極低出生体重児
- 重症新生児仮死
- 重症黄疸
- 新生児敗血症，髄膜炎
- 5日以上の人工呼吸管理
- 先天奇形症候群，TORCH complex
- 聴器毒性のある薬剤の使用（アミノ配糖体や抗MRSA抗菌薬など）
- 先天性聴覚障害の家族歴

※これらのハイリスク因子がない正常新生児でも，難聴は1,000人に1～2人は潜んでいると言われ，全例スクリーニングを実施している施設が増えている．先天性サイトメガロウイルス感染症の症状としても重要であることから，スクリーニングによる早期発見の重要性が強調されるようになってきている．

▶ [検査法]
- トリクロリールシロップ®0.5～0.7mL/kg内服で鎮静（スクリーニングの自動ABR装置の場合は不要）．
- ヘッドホンが耳道に対して，しっかり装着できているかが重要である．

▶ [ABR各波]
- Ⅰ波：聴神経（第Ⅷ神経）
- Ⅱ波：蝸牛神経核（延髄）
- Ⅲ波：上オリーブ核（橋）
- Ⅳ波：外側毛帯核（橋）
- Ⅴ波：下丘（中脳）
- Ⅵ波：内側膝状体（視床）
- Ⅶ波：聴放線（視床－大脳皮質）

▶ [フォローアップ]

1) 退院前のABRが正常であっても,「もう赤ちゃんの聴力は心配ありません」と説明してはならない. 長期人工呼吸管理例やPPHN, 先天性サイトメガロウイルス感染症など, その後, 聴力障害が進行する症例が稀ではないからである.

2) 問診は聴力障害のスクリーニングとして有用である. 外来フォロー中は, 修正月齢に応じた反応があるかどうかを確認する. 修正3ヵ月, 6ヵ月頃に以下の所見がない場合には要注意である.

（3ヵ月頃のチェックリスト）

☐ 大きな声に驚く, 目を覚ます

☐ 音がする方を向く

☐ 泣いている時に, 声をかけると泣きやむ

☐ あやすと笑う

☐ 話しかけると,「アー」「ウー」などと声を出す

（6ヵ月頃のチェックリスト）

☐ 音がする方を向く

☐ 音が出るおもちゃを好む

☐ 両親など, よく知っている人の声を聞きわける

☐ 「キャッキャッ」と声を出して笑う

☐ 人に向かって声を出す

---

3) ABRで異常反応が認められた場合, 特に両側性の場合は早めに耳鼻科にコンサルトする. 一般的な難聴の管理指針は「生後1ヵ月までのスクリーニング, 生後3ヵ月までの確定診断, 生後6ヵ月までの療育開始」を目標とすることが多い.

参考文献

・松沢一夫, 他. 脳と発達 1981; 13: 318-328.

第6章 / 中枢神経系の障害と管理

7 その他の中枢神経奇形

> **Key point**
>
> 中枢神経奇形の詳細は他書に譲るが，本項では，日常診療上しばしば遭遇する"腰仙部の皮膚陥凹の取り扱い"について記す．本病変は非常に頻度が多いが，そのうちの一部に潜在性二分脊椎を合併することがある．本項では，精査を要するか否かの判断のポイントを学ぶ．

A 二分脊椎（spina bifida）

- 嚢胞性二分脊椎（spina bifida cystica）
  髄膜瘤（meningocele）
  脊髄髄膜瘤（myelomeningocele）
- 潜在性二分脊椎（spina bifida occulta）
  時に二分脊椎のある部位の皮膚に陥凹，脂肪腫，体毛の密生，血管腫などを認める．
  また，時に係留脊髄症候群（tethered cord syndrome）を呈す．

B 腰仙部の皮膚陥凹に占める潜在性二分脊椎の割合

simple dimple（皮膚の陥凹）	0/160
（midline正中にある．大きさ・深さ5mm以下，肛門上2.5cm以下）	
atypical dimple	3/13
atypical dimple and other skin lesion	5/7
subcutaneous mass（脂肪腫）	6/6
hairy patch（体毛の密生）	4/10
hemangioma（血管腫）	2/11
skin tag（皮膚の突起）	1/7
cutis aplasia（皮膚の欠損）	1/1

すなわち，腰仙部の皮膚陥凹（dimple）を見た場合，位置・大きさから simple dimple と**診断できれば，それ以上の精査は不要**だが，上記のような随伴病変を伴う場合は，潜在性二分脊椎の可能性があり，精査を要する．

参考文献
・Kriss VM, et al. Am J Roentgenol 1998; 171: 1687-1692.

第7章

感染症の管理

第7章 / 感染症の管理

1 ハイリスク児の感染予防

✎ Key point

新生児感染症のハイリスク児においては，その予防措置を取ることも重要である．本項では，感染のハイリスク因子と，抗菌薬投与の適応と方法について学ぶ．

1 正期産児の感染予防

▶ **[ハイリスク因子]**

①前期破水から12時間以上経過した後の出生

②母体発熱（38℃以上）

③胎児頻脈（180回/分以上）

④母体GBS陽性，経腟分娩の4時間前までに予防的抗菌薬投与が開始されていない場合

⑤胎児ジストレスの徴候に引き続き，羊水混濁を認めた場合

▶ **[出生後管理の実際]**

1) すでに敗血症症状〔新生児仮死，長時間続く体温の不安定，頻回の無呼吸発作，皮膚循環不良（蒼白），嗜眠など〕や重篤で進行性の呼吸障害（陥没呼吸，呻吟，30％以上の酸素投与が必要）を認めている場合には，白血球数やCRPなどの結果に関わらず治療適応となる．

2) 臍帯血or児採血でCBCとCRPを提出する．さらに12〜24時間後にCBCとCRPを再検する．検査値に「大きな異常」がある場合，もしくは「小さな異常」でも，軽い呼吸障害（軽度多呼吸，30％未満の少量酸素投与が必要）がある場合には，培養採取，胸部X線評価の後に治療を開始する．

表7-1 出生後の白血球数とCRPを異常と判定する基準

	小さな異常			大きな異常	
	CRP (mg/dL)	白血球数 (万/μL)	好中球数 (万/μL)	CRP (mg/dL)	CBC異常
出生時	>0.5	<0.9 or >3.0	<0.6 or >2.6	>0.8	白血球数<0.5 好中球数<0.2 Immature Neut>0.2 I/T ratio>0.2
生後12時間		<1.3 or >3.8	<0.6 or >2.8		
生後24時間	>1.4	<0.9 or >3.4	<0.5 or >2.1	>2.4	
生後48時間	>1.0			>2.7	

Immature Neut：Band以下の幼若好中球，I/T（immature/total）ratio＝幼若好中球/総好中球数

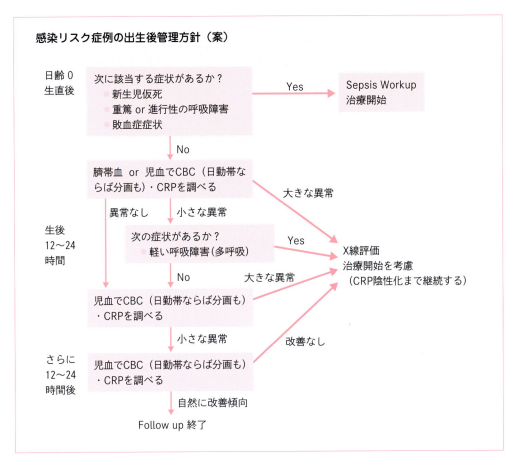

▶ [治療]

必ず血液培養採取後に抗菌薬を開始する．第一選択は ABPC + CTX（ビクシリン® + クラフォラン®）各100mg/kg/日（分2）である．全身状態が良好で，血液培養が48時間以上陰性化であれば中止を考慮する[1]．

2 極低出生体重児の感染予防

A （予防的）抗菌薬投与

早産の原因が感染症（絨毛膜羊膜炎，臍帯炎など）である場合がある．極低出生体重児の場合，母体感染徴候や感染を疑わせる胎盤の肉眼所見，前期破水があれば，出生直後から予防投与を開始する．我々の施設での第一選択は ABPC + CTX 各100mg/kg/日（分2）である．血液培養が48時間陰性で，CRPに変動がなければ抗菌薬は速やかに中止する．

Ⓑ 予防的抗真菌薬投与

予防的投与を考慮する症例，つまりハイリスク症例を知ることが重要である．以下にハイリスク症例を列記する．

▶ ［リスクファクター］

①皮膚が未熟な超早産児　　　　　　⑧経腸栄養の遅れ

②極低出生体重児　　　　　　　　　⑨長期間の広域抗菌薬投与

③経腟分娩による出生　　　　　　　⑩長期間のステロイド全身投与

④中心静脈カテーテル留置　　　　　⑪長期間の胃酸分泌抑制薬投与

⑤人工呼吸器　　　　　　　　　　　⑫長期間の脂肪乳剤の投与

⑥外科的処置を要する児　　　　　　⑬皮膚・気管内吸引物・便より真菌が検出された児

⑦壊死性腸炎や消化管穿孔　　　　　⑭母体腟培養で真菌陽性

▶ ［当院での予防投与の実際］

＜対象症例＞

1）在胎26週未満

　中心静脈カテーテル留置中の児は全例実施

2）在胎26週以上

　a）極低出生体重児（出生体重1,500g未満）

　b）中心静脈カテーテル留置中

　c）児が真菌保菌している，もしくはその可能性が高い場合

　（児の培養で真菌保菌確認，母が腟保菌あり前期破水もしくは経腟分娩）

　d）脂肪製剤または広域抗菌薬を長期に使用している

　上記のうち，a）かつb）かつ，c）or d）のいずれかを満たす場合に実施

＜投与方法＞

● 保菌不明もしくは，FLCZに感受性がある真菌保菌例

　F-FLCZ（プロジフ®）　6mg/kg/日，1日1回静注，週2回

　ただし，上記推奨投与量は，MIC≦4μg/mLのCandida spの場合と報告あり．

● FLCZ耐性菌が検出されている場合

　MCFG（ファンガード®）　1～2mg/kg/日，1日1回常駐，連日

Ⓒ 予防的ガンマグロブリン投与

IgG＜400mg/dLの低ガンマグロブリン血症があれば，ガンマグロブリン製剤を投与する（400mg/kg/10時間）という意見があるがガンマグロブリン予防的投与の有効性は証明されておらず，投与の是非は各施設の判断による[2]．当院ではルーチンでの予防的ガンマグロブリン投与は行っていない．

Ⓓ プロバイオティクス

プロバイオティクス群の方が対照群と比較して，壊死性腸炎や敗血症のリスクが有意に低

かったという報告がある[3, 4]. 菌種・菌量・投与期間についてはまだ検討する余地があるが，我々の施設では以下のプロトコールでプロバイオティクスを実施している.

▷ [対象]

極低出生体重児，長期間腸管栄養が入らない児，その他感染症のハイリスク児.

▷ [方法] 森永ビフィズス M-16V〔1包（1g）中に B. breve を 1×109 CFU 含有〕

● 1包を蒸留水2mLに溶かして，1回0.5〜1mLを1日1回投与する.

● 体重が2,000gを超えるか，自律経口哺乳が確立される頃を目安に中止する.

文献

1）Philip AG, et al. Pediatrics 2000；106：E4.

2）Cochrane Database 2004；CD000361

3）Lin HC, et al. Pediatrics 2005；115：1-4.

4）Bin-Nun A, et al. Pediatr 2005；147：192-196.

3 外科手術中・術後の感染予防

手術中に薬剤の血中濃度がピークになるように，手術の直前に抗菌薬投与を開始し，3日間継続している．第一選択はCEZ（セファメジン®）で，MRSA保菌児はVCM（バンコマイシン®），腹膜炎が想定される際の開腹手術時はCMZ（セフメタゾール®），緑膿菌保菌者は感受性に応じてモダシン®，ペントシリン®などを投与している.

MEMO

出生後の白血球数・CRPの正常値は？

出生時のストレスの影響により，白血球数やCRP値は一過性に上昇する．検査値を解釈する際には，生後何時間で採血されたものかを考慮する必要がある．感染症の否定された正常新生児148例の，生直後・24時間・48時間のCRP値をまとめた報告があり[1]，その95パーセンタイル以上を「小さな異常」，97.5パーセンタイル以上を「大きな異常」と定義した.

また白血球増多症は非特異的なものだが，これもRoberton's textbook[2]からreference valueを引用して「小さな異常」としている．重症感染症の診断に特異度が高いのは，むしろ白血球（好中球）減少や核の左方移動であり，これを「大きな異常」と定義している.

「これでは重症感染の見逃しがあるのでは？」という批判があるかもしれないが，2,000例近くの感染リスクを持った児に対して，同様の時期に検査を実施し，「CRP1mg/dL以上，白血球数30,000以上もしくは5,000未満」を治療開始基準とすれば，重症感染症の見逃しは1例もなかったという報告がある[3].

文献

1）Chiesa C, et al. Clin Chem 2001 47; 1016-1022.

2）Roberton's textbook of neonatology, 4th ed, 2006

3）Philip AGS, et al. Pediatrics 2000; 106: e4-e8.

第7章／感染症の管理

2 細菌感染症

✎ Key point

　　新生児の細菌感染症に対する治療は「早期開始・早期中止」が原則である．すなわち，わずかな治療の遅れが致命的となることがあるため，感染症の疑いがあれば治療を開始する．また抗菌薬の長期使用は，耐性菌を増やすため慎まなければならない．本項では細菌感染症の診断と治療の要点を学ぶ．

▶ [起因菌]

早発型（生後1週間未満）：大腸菌，GBS，リステリア，肺炎球菌，インフルエンザ桿菌
遅発型（生後1週間以降）：コアグラーゼ陰性ブドウ球菌（CONS），黄色ブドウ球菌（MSSA・
　　　　　　　　　　　　　MRSA），緑膿菌，セラチア

▶ [症状]

　　呼吸状態の悪化，体温の不安定，無呼吸発作，皮膚循環不良（蒼白），嗜眠など非特異的なものが多い．バイタルサインでは，変動が多い場合は容易に感染症が想定されるが，一方，変動が少ない場合も時に活気不良を表していることがある．

　　また，看護師や面会家族からの「いつもよりおとなしい」「いつもより少し浮腫んでいる」といった「なんとなくおかしい」は大切な所見であることがある．非常に些細な所見に対しても，常に感染症の疑いを持つことが重要である．

1 診　断

● 細菌感染症の診断：CBC（白血球分画），CRP，凝固系，血糖値，血液ガスなどの結果から総合的に診断する．CRP上昇よりも，血糖不安定や好中球核左方移動が先行することも多い．
● 感染フォーカスの診断：各種培養，胸腹部X線，検尿，髄液検査

敗血症を示唆するCBC所見
● 総白血球数が5,000/mm^{3}未満
● 好中球数が1,750/mm^{3}未満
● 幼若好中球（band以下）の絶対数が2,000/mm^{3}以上
● I/T比が0.2以上（I：immature，T：total neutrophils）

CRPの評価

早発型敗血症の診断の際のCRPの感度は病初期の検査では35％に過ぎないが，初回検査後8～48時間後には感度は約90％に達する．また，（予防的な）抗菌薬開始の24～48時間後にCRPを再検して，CRPの上昇が見られない場合，その陰性的中率は99％に達する[1]．このようなCRPの特性を理解したうえで，CRPを評価することが重要である．

2　治療前の注意

- 抗菌薬開始前には各種培養（血液，尿，便，気管内吸引物など）を忘れないように！
- 血液培養は十分量（0.5mL以上）を採取することが重要．これにより，もし陽性ならばほとんどが48時間以内に判明する[2]．

3　抗菌薬治療

- 新生児は細胞外液の割合が大きいため，薬剤が拡散されて最高血中濃度が上がりにくい．また肝機能や腎機能が未熟なため薬剤の排泄が遅延する．よって新生児に対する抗菌薬投与は「1回量は多く，投与間隔は長めに」が基本である．
- 分2～3の薬剤は，原則として生後1週間以内は分2，それ以降は分3で投与する．
- 我々の施設では早発型の細菌感染症に対しては，ABPC＋CTXを第一選択で使用している．遅発型の細菌感染症に対しては，監視培養結果から個別に選択する．

MEMO

末梢血スメアを見る習慣を！

「夜間・休日だから，白血球の分画は分からない」という言い訳をしていないだろうか？　ギムザ染色は非常に簡単な手技で，たった1滴の血液から，敗血症の診断に関して大変貴重な情報が得られる．普段からスメアを見る習慣をつけていれば，著明な左方移動があるかないかは一見して分かる．

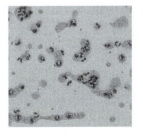

▶ [NICUで用いる抗菌薬の使用法と特徴]

ABPC（ビクシリン®）

50mg/kg/doseを8〜12時間ごとに静注．広域ペニシリン．GBSをはじめとするグラム陽性菌に有効だが，ブドウ球菌やグラム陰性菌は耐性化していることが多く，別薬剤と併用する必要がある．

CTX（クラフォラン®）

50mg/kg/doseを8〜12時間ごとに静注．第3世代セフェム．主に腸内細菌科のグラム陰性菌に有効．髄膜炎に対しては200mg/kg/日分4で使用する．

CEZ（セファメジン®）

25mg/kg/doseを8〜12時間ごとに静注．第1世代セフェム．MRSA以外のブドウ球菌，大腸菌，クレブシエラなどのグラム陰性桿菌に有効．術中術後の感染予防に用いている．

VCM（バンコマイシン®）

MRSAと多剤耐性CONSに有効．接触時間依存性であり，MICを超える時間が長いほど有効．副作用は濃度依存性であり，トラフ値が10μg/mLを超えると腎機能障害が，ピーク値が50μg/mLを超えると聴覚障害のリスクが増す．

よってトラフを5〜10μg/mLに保つのが安全だが，下がりすぎると効果が落ちるため，重症例では10〜15μg/mLに保つこともある．ピーク値は主として，効果が不十分な場合，有効血中濃度に達しているか否かをチェックするために測定するが，25〜40μg/mLは超えないようにする．

表7-2 京大プロトコール（京都大学医学部附属病院感染制御部 作成）

①日齢28以下

出生週数≦28週			出生週数≧29週		
CRE	1回量mg/kg	間隔	CRE	1回量mg/kg	間隔
<0.5	15	q8h	<0.7	15	q8h
0.5〜0.7	15	q12h	0.7〜0.9	15	q12h
0.8〜1	20	q24h	1〜1.2	20	q24h
1.1〜1.4	15	q24h	1.3〜1.6	15	q24h
>1.4	10	q24h	>1.6	10	q24h

②日齢29〜4歳

CRE	1回量mg/kg	間隔
<0.4	20	q8h
0.4〜0.8	20	q12h
>0.8	20	q24h

TEIC（テイコプラニン®）

初回のみ16mg/kg，以降8mg/kgを24時間ごと，30分点滴．トラフ値を10～15μg/mLに保つ．VCMの代替薬として使用している．

CMZ（セフメタゾール®）

25mg/kg/doseを8～12時間ごとに静注．嫌気性菌や腸内細菌の多くに（ESBL産生大腸菌にも）感受性がある．髄液移行性が不良であることに注意．

MEPM（メロペン®）

20～30mg/kg/doseを8～12時間ごと．腹腔内感染を疑う重症例にEmpiricに使用する．起因菌判明後は，速やかにde-escalationを検討する．髄膜炎では，40mg/kg/dose 8時間ごとへ増量する．

CFPM（セフェピム®）

50mg/kg/doseを8～12時間ごとに静注．グラム陽性菌や院内感染の起因菌となるグラム陰性菌（緑膿菌などのSPACEにも！）をカバーする広域抗菌薬．髄液移行性もあり．

GM（ゲンタマイシン®）

5～7.5mg/kg/日（分1～3）静注．ピーク値を5～10μg/mL，トラフ値を<2μg/mLに保つ．ABPCに併用することでGBS感染症に対して相乗効果が期待できる．

ABK（ハベカシン®）

5mg/kg，1時間点滴．投与間隔は修正28週までは48時間，修正33週までは36時間，修正34週以降は24時間．PAE（post antibiotic effect）が期待されるため，ピーク値を十分に上げ，投与間隔を開けることが重要．トラフ値が2μg/mLを，ピーク値が12μg/mLを超えないように調節する．

補足： **薬物血中濃度モニタリング（therapeutic drug monitoring；TDM）**

抗MRSA薬，アミノグリコシド系抗菌薬は，有効かつ安全に使用するために，血中濃度をモニタリングする．

1) トラフ値の測定は，次回投与直前に行う．
2) ピーク値の測定は，VCMでは点滴静注終了後1～2時間，TEIC，ABKは点滴終了直後に行う．
3) 血中濃度は繰り返し投与により上昇を続けるが，除去半減期の約5倍でプラトーに達する．

VCMについては3回・5回目の投与前にトラフ値を調べることが奨められている．

▶ ［当院での抗菌薬選択の実際］

＜早発型＞

　ABPC＋CTXを基本としている（髄液移行など組織移行を考慮）．ただし，母体の腟培養など保菌状況を必ず確認して抗菌薬の変更が必要ないか検討する．

＜遅発型＞

　多くが中心静脈カテーテルや気管チューブなど，デバイスが原因となる感染症である．前者でCRBSI（カテーテル関連血流感染）を疑う場合，CNS（ほとんどがメチリシン耐性）・黄色ブドウ球菌など表在菌が起因菌であることが多いことからVCMを使用する．

　後者でVAP（人工呼吸器関連肺炎）を疑う場合，黄色ブドウ球菌などの表在菌や緑膿菌などの環境菌であることが多い．そのため，鼻腔培養・気管吸引液培養を参考に重症度も考慮し，CTX，VCM，CFPMなどの使用を考慮している．また腸管感染を疑う場合は，腸内細菌を想定し，CTXもしくはMEPMの使用を考慮する．そのほか，尿路感染なども考慮する．

　いずれにせよ，施設ごとにそれぞれ病原微生物の特徴があることから，院内サーベイランスを行い，傾向を知ることが重要である．

表7-3　新生児に対する抗微生物薬の投与量

薬剤名		投与量（mg/kg/日）と投与間隔				
		28生日以下				29生日以降
		体重2,000g以下		体重2,000gを超える		
		0〜7生日	8〜28生日	0〜7生日	8〜28生日	
アンピシリン（ABPC）		100 12時間ごと	150 12時間ごと	150 8時間ごと	150 8時間ごと	200 6時間ごと
セフォタキシム（CTX）		100 12時間ごと	150 8時間ごと	100 12時間ごと	150 8時間ごと	200 6時間ごと
メロペネム（MEPM）	敗血症	40 12時間ごと	60 8時間ごと	60 8時間ごと	90 8時間ごと	90 8時間ごと
	髄膜炎	120 8時間ごと	120 8時間ごと	120 8時間ごと	120 8時間ごと	120 8時間ごと
セファゾリン（CEZ）		50 12時間ごと	50 12時間ごと	50 12時間ごと	75 8時間ごと	75 8時間ごと
セフメタゾール（CMZ）		50 12時間ごと	75 8時間ごと	50 12時間ごと	75 8時間ごと	75 8時間ごと
メロペネム（MEPM）		40 12時間ごと	60 8時間ごと	60 8時間ごと	90 8時間ごと	90 8時間ごと
セフェピム（CEPM）		100 12時間ごと	150 8時間ごと	150 8時間ごと	150 8時間ごと	150 8時間ごと

4 抗菌薬以外の治療

A ガンマグロブリン

重症感染症の場合にはガンマグロブリン500mg/kgを投与．メタアナリシスによると，2010年まではその効果に有意な差を認めていたが，2013年以降は感染症の疑い例もしくは確定例に対するガンマグロブリンの有効性は認められなかった[3,4]．

B G-CSF

細菌感染症が疑われる児において好中球数＜2,000/μLの場合に，G-CSF（グラン®など）5μg/kgの使用を考慮している．骨髄での顆粒球の増殖を進めるだけでなく，末梢への顆粒球の動員およびその機能増強に効果がある．

メタアナリシスでは，全身感染症が疑われる早産児に対してルーチンにG-CSF（or GM-CSF）を使用することの有効性は証明されなかった．しかし，好中球減少を伴った（＜1,700/μL）全身感染症では，G-CSF（GM-CSF）使用群において日齢14までの死亡率が有意に減少することが示されている[5]．

C 交換輸血

上記治療に反応しない場合，あるいはエンドトキシンショック，DICを合併するような重症感染症の場合に適応となる．

5 新生児の特殊な細菌感染症

A NTED（neonatal TSS-like exanthematous disease）

生後1週間以内の新生児の全身に融合傾向のある丘疹状紅斑と，発熱・血小板減少・CRP軽度上昇などの徴候を認める場合にNTEDを鑑別する．NTEDの病態は，黄色ブドウ球菌の産生するスーパー抗原性外毒素であるTSST-1（toxic shock syndrome toxin-1）が，T細胞を過剰に活性化し，産生されるサイトカインによって上記症状が出現すると考えられている．

成熟児ではほとんど自然軽快するため治療は不要であるが，早産児では呼吸障害やDICを合併することもあり，MRSAが起炎菌と考えられる場合は，早期に抗MRSA薬を投与する．ガンマグロブリン投与の有効性は不明である．

NTEDの診断基準：以下の３項目すべてを満たすこと
1. 原因不明の発疹 　　全身性紅斑（突発性発疹様） 2. 以下のうち１つ以上を合併 　　①発熱（直腸温38度以上） 　　②血小板減少（15万/mm³以下） 　　③CRP弱陽性（1〜5mg/dL） 3. 既知の疾患は除く 　　※血小板減少は感度特異度とも高い.

Ⓑ SSSS（ブドウ球菌性熱傷様皮膚症候群，staphylococcal scalded skin syndrome）

　黄色ブドウ球菌の産生する表皮剥脱毒素による疾患である．新生児特有というわけではないが，毒素の腎臓クリアランス能が低い乳幼児に好発し，新生児は重篤化しやすいという点においては注意が必要である．広範囲の皮膚が剥脱し，Nikolsky現象（皮膚を摩擦すると容易に剥離する）が陽性である．屈曲部位および開口部（眼・鼻・口・尿道・肛門など）の周囲で悪化する．水疱は通常無菌的である．

　治療は抗菌薬全身投与（MRSAの可能性を常に考える）と，水分・電解質を中心とした全身管理であり，通常治療開始2〜3日後には乾燥傾向となり，約1週間で軽快する．

文献
1) Hofer N, et al. Neonatology 2011; 10:25-36.
2) Kumar Y, et al. Arch Dis Child Fetal Neonatal Ed 2001; 85: F182-F186.
3) Cochrane Database 2013; CD001239
4) Cochrane Database 2020; CD001239
5) Cochrane Database 2003; CD003066

MEMO
抗菌薬の選択

　抗菌薬を選択する際に重要な情報として，その施設の保菌状況（監視培養の結果）および予防的抗菌薬の感受性が挙げられる．

　すなわち，MRSAが蔓延しているNICUでは，重症感染症が疑われる場合には，起炎菌が確定するまで抗MRSA薬を投与することも容認されよう．

　また，予防的に抗菌薬を使用している場合は，その抗菌薬の感受性でカバーできない菌による感染を疑うことが重要となる．

第7章／感染症の管理

3 真菌感染症

✎ Key point

　　真菌感染症は特異的な所見に乏しく，しばしば診断が困難である．リスク因子を理解し，細菌感染症と同様にまず疑うことが重要で，早期診断・治療を的確に行わなければならない．

1　全身性カンジダ症

▷ [起因菌]

Candida albicans, *C.glabrata*, *C.tropicalis*, *C.parapsilosis*, *C.pseudotropicalis*

▷ [症状]

● 臨床症状は細菌感染症と同様に非特異的である．胎盤・臍帯に白斑の散在している場合は，宮内でのカンジダ感染症を強く疑う所見である．とりわけ高血糖，血小板減少を示す感染では，真菌感染症の可能性を考える．

● カンジダはその他血行性に転移して腎盂腎炎，腎・膀胱のfungus ballを形成し得る．腎カンジダとなる率はカンジダ血症となった場合50%以上であり，持続性に尿中にカンジダを排泄し，側腹部腫瘤，高血圧，腎膿瘍，乳頭壊死を生じたり，fungus ballを腎集合管に形成し尿路閉塞をきたし水腎症になったりする．

● その他，脳膿瘍などの中枢神経系合併症（全身性カンジダ症の3分の1に生じ，髄膜，脳室，大脳皮質に膿瘍を形成する．しかし症状発現は不明確），肺炎，心内膜炎，眼内炎，肝膿瘍，腹膜炎，関節炎，骨髄炎の報告もあり，眼科受診，腹部エコーなども考慮する．

▷ [診断]

● 一般血液検査に加え，血液培養，β-D-グルカン，尿沈査，血清カンジダ抗原，腎エコーなど．血液培養は偽陰性が多く，細菌よりもコロニーが形成されるまでに時間がかかる．気管内吸引物の塗抹標本で芽胞・菌糸が見られる場合は要注意．

● ただし，β-D-グルカンの解釈には以下の2点に注意が必要である．1つは，グロブリンなどの血液製剤投与によって上昇し偽陽性となることがある点である．もう1つは，一旦上昇した場合に高値遷延する例が多くβ-D-グルカンを治療判定に用いにくい点である．後者はあくまで血液培養の陰性化と全身状態の確認が判断することが重要である．

▶ [治療]

● 治療薬および治療効果判定に，髄液検査および眼底検査は必須となる．

　ただし，児の状態によっては実施を見送らざるを得ない状況があるが，髄膜炎および眼内炎を想定した治療薬および治療期間を考慮する．

● 真菌感染の場合，可能な限りカテーテル抜去を行う

F-FLCZ（ホスフルコナゾール；プロジフ®）

　12mg/kg，1日1回静注．アゾール系抗真菌薬．FLCZをリン酸エステル化したプロドラッグで，生体内で速やかにFLCZに加水分解される．プロドラッグ化により溶解性が向上したため水分負荷が減り，ボーラス投与可となった．副作用が少なく，抗真菌薬としてNICUではよく用いられる．

　FLCZでの「小児用法・用量」の適応がF-FLCZにはなく，用量はFLCZに準じる．Loadingについてはその有効性安全性を示した報告があるが，推奨にまでは至っておらず，当院では実施していない．髄液移行が良好．FLCZ耐性のカンジダ属（*C.glabrata*，*C.krusei*）やアルペルギルス属には効果が期待できない．

MCFG（ミカファンギン；ファンガード®）

　カンジダあるいはアスペルギルス感染に対して，小児では，1〜3mg（重症時最大6mg）/kgを1日1回点滴静注（2時間かけて）することで，保険認可が取得されている．

　早産児，正期産児における治療投与量は，guidelineや成書により異なるが，当院では4〜10mg/kg/日（重症例では10〜15mg/kg/日）としている．肝障害に注意．

L-AMB（アムホテリシンB；アムビゾーム®）

　3〜5mg/kg/日を1日1回点滴静注（2時間かけて）．必ず5%ブドウ糖に溶解し，単剤投与とする（生食などの電解質溶液で溶解すると沈殿を生じ，他薬剤との配合禁忌も多い）．髄膜炎や眼内炎などが想定される場合に使用する．腎障害に注意．

5-FC（フルシトシン；アンコチル®）

　50〜200mg/kg/日，分4内服．髄液移行が良好であり，中枢神経カンジダ・クリプトコッカス感染症の場合にアムホテリシンBと併用して使用する．腎毒性あり．

CPFG（カスポファンギン；カンサイダス®）

　カンジダあるいはアスペルギルス感染に対して，小児では，初日70mg/m^2，2日目以降50mg/m^2を1日1回点滴静注することで，保険認可が取得されている．

注意1 MCFGとCPFGはキャンディン系薬剤である．キャンディン系薬剤は，ヒトには存在しない真菌細胞壁の主要構成成分の1つである1, 3-β-D-グルカンの生合成を特異的に阻害する．副作用が少なく，今後，使用頻度が増えるものと考えられる．

注意2 母体の培養にて真菌を検出している場合は，真菌感染のハイリスク群と考え，早期よりβ-D-グルカンを提出し，感染を疑わせる所見が得られれば，時期を逸さず，ジフルカン®もしくはプロジフ®の投与を開始する．真菌感染の確定後，治療に抵抗する場合はファンギゾン®，アンビゾーム®，ファンガード®，カンサイダス®などに変更する．

注意3 超低出生体重児で保育器内湿度を高く保っている場合は，真菌感染のリスクが非常に高いため，感染徴候が持続する場合は絶えずその可能性を考慮に入れる．

2 鵞口瘡

▷ [概念]

　口腔内カンジダ症．2～5％の正常新生児に発症し，カンジダを有する母体の腔より分娩時に感染することが多い．生後約7～10日で発症する．

▷ [治療]

　フロリードゲル®，ファンギゾンシロップ®，ピオクタニン水などを塗布する．

3 おむつカンジダ

▷ [概念]

　特に夏季，おむつを着用している乳児の間擦部の陰部，臀部に好発するカンジダ症．赤色の丘疹をその周囲に伴った癒合性の紅斑を生じ，オブラート状の薄い鱗屑が付着する．

▷ [治療]

　ラミシールクリーム®など，抗真菌薬を塗布する．

第7章 / 感染症の管理

4 ハイリスク児に対する パリビズマブの投与

✎ Key point

　重症RSV感染症の予防策として，2002年より国内ではパリビズマブ（シナジス®）の投与が可能となったが，その後，徐々に適応が拡大されている．ここではその適応についてまとめた．

1 RSV感染症

　RSV（repiratory syncytial virus）は，年長児では感冒症状を起こすウイルスの一つに過ぎないが，乳児，特に新生児や早産児ではしばしば細気管支炎や肺炎を起こし，重篤な下気道感染症状を呈する．特に慢性肺疾患や先天性心疾患を合併した児において，重症化するリスクが高い．

　RSウイルス感染症の予防薬として，抗RSVモノクローナル抗体であるパリビズマブ（シナジス®）が開発され，2002年4月より早産児に対する適応が認められた．その後，シナジス®の適応は以下のように拡大されている．

2 パリビズマブ投与の実際

　流行期に，パリビズマブ（シナジス®）として15mg/kgを月1回，筋肉内に投与する．

3 パリビズマブの適応[1]

Ⓐ 早産児：（RSV流行期の開始時の年齢および・リスク要因・在胎期間による）

(1) 12ヵ月齢以下，在胎28週以下．
(2) 6ヵ月齢以下，在胎29～32週．
(3) 6ヵ月齢以下でリスク因子を持つ乳児，在胎33～35週（個々に適応の是非を判断）．

Ⓑ 慢性肺疾患（CLD）：（RSV流行期の開始時の年齢・治療の有無・内容による）

(1) 24ヵ月齢以下・RSV流行期開始前の6ヵ月間に内科的治療を必要とした乳幼児.

(2) 2〜4歳・RSV流行期の開始時期に酸素投与を受けている乳児.

Ⓒ 先天性心疾患児

RSV流行期開始時に24ヵ月齢以下で明らかな循環動態の異常を有する先天性心疾患児[2].

Ⓓ ダウン症（21トリソミー）

RSV流行期開始時に24ヵ月齢以下.

Ⓔ 免疫不全症

RSV流行期開始時に24ヵ月齢以下.

文献

1) 中野玲二, 他. 周産期医学2002；32：984-986.
2) 日本小児循環器学会ガイドライン作成検討委員会. 日本未熟児新生児学会雑誌2005；17：152-155.

第8章

黄疸の管理

第8章／黄疸の管理

1 黄　疸

✎ Key point

　　黄疸はその発症時期によって対応が異なる．生後早期に顕在化する黄疸の多くは溶血性疾患によるものであり，特に迅速な対応が必要である．生後数日で認められる高ビリルビン血症に対しては，生理的範囲からの逸脱を見逃さず，原因検索と光線療法による治療を行うことが必要である．遷延性黄疸は，原因の鑑別が重要である．

1　新生児に黄疸が多い理由

- 生理的に多血であり，赤血球寿命も短いために，ビリルビン産生量が多い．
- 生後しばらくは肝酵素活性が低く，腸肝循環が亢進している．これらはビリルビンを自らの尿や便に排泄せず，その代謝を母に依存している胎児にとっては都合の良い状態である．

2　病的黄疸の原因

　　病態を「A．ビリルビン産生の亢進（溶血）」と「B．ビリルビン代謝・排泄の遅延」に分けると理解しやすい．

Ⓐ ビリルビン産生の亢進

　　溶血赤血球のヘモグロビン中のヘムが，種々の酵素反応を受けた後にビリルビンが生成される．ビリルビン産生の亢進とはすなわち溶血が亢進していることを意味する．原因としては新生児溶血性疾患の他にも，多血症・血管外血液の破壊（大量の母体血嚥下や頭血腫など）・敗血症などが挙げられる．敗血症の25～30％で病初期に黄疸が出現するといわれ，酸化ストレスによる溶血の亢進が主な原因と考えられている．

Ⓑ ビリルビン代謝・排泄の遅延

　　腸肝循環亢進状態の持続（胎便排泄遅延や腸閉塞，メコニウム病など），肝胆道系疾患，甲状腺機能低下症，遺伝性のビリルビン代謝異常などが挙げられる．母乳性黄疸は，母乳中に肝臓のグルクロン酸抱合活性を抑制する因子や，腸管からの非抱合ビリルビン吸収を促進する因子が含まれるために起こると考えられている．

3 黄疸の鑑別のために必要な検査

　治療の必要な病的黄疸を認めた場合には，原因の鑑別が必要である（表8-1）．生後24時間以内に顕在化する黄疸（早発黄疸）のほとんどは溶血性疾患によるものであり，ハイリスク症例は出生直後からの厳密な管理が必要である（表8-2）．

　ABO不適合による溶血性黄疸は，Rh不適合より軽症で発症も遅いことがある．特にリスクを指摘されなかった児が生後数日以内に重症黄疸を呈し，母親の血液型がO型で母児間にABO不適合の組み合わせがある場合には，鑑別が必要である（表8-3）．

　遷延性黄疸では，黄疸そのものの管理よりも黄疸を一症状とする疾患を見逃さないことが重要である．甲状腺機能低下症や胆道閉鎖症などは，早期に発見することにより予後が改善されるため，安易に母乳性黄疸と決めつけてはならない．

表8-1　黄疸の鑑別のために必要な検査

全例に施行	：CBC（Hb，Ht，網状赤血球数），AST/ALT，LDH，TP/ALB，総ビリルビン/直接ビリルビン
溶血が疑われる場合	：血液型，直接/間接Coombs試験，不規則抗体，COHbc[※1]（一酸化炭素ヘモグロビン濃度），末梢血スメアで赤血球形態異常を確認
黄疸が遷延する場合	：TSH/fT4

直接ビリルビンが有意に上昇している場合[※2]は新生児肝炎，胆道閉鎖症を中心に精査を進める．

[※1]　貧血や網赤血球増加，逸脱酵素の上昇は溶血を示唆する所見だが非特異的である．血液ガス分析器などで測定可能なCOHbcはヘム分解・ビリルビン産生の指標となり，溶血の判断と重症度評価に有用である[1]．
[※2]　直接ビリルビン濃度が2mg/dL以上，もしくは総ビリルビン濃度に占める割合が15％以上の場合をいう．

1）Kaplan M, et al. Arch Dis Child Fetal Neonatal Ed 2005; 90(2): F123-7.

表8-2　黄疸ハイリスク症例の管理方針

【黄疸ハイリスク症例】	生後24〜48時間は頻回にt-Bil値を評価する．	【管理方針】
● 母の血液型がRh（−） ● 妊娠中，間接Coombs試験陽性 ● 遺伝性赤血球疾患の家族歴 ● 同胞に重症黄疸の既往	【出生直後の評価】 ● Hb＜14g/dL ● t-Bil≧3.0mg/dL ● COHbc＞2.0％ すべて陰性 　→8〜12時間ごと いずれか陽性 　→4〜6時間ごと	● 2点以上で測定したビリルビン濃度の増加率から，後に光線療法基準を超えると判断された時点より光線療法開始． ● 後に交換輸血基準を超えると判断された時点よりγグロブリン治療を考慮． ● 治療が無効もしくは基準を超えた場合は，交換輸血を躊躇なく行う．

表8-3	ABO不適合による新生児溶血性疾患の診断基準
1)	早発黄疸を伴う間接型高ビリルビン血症
2)	母児間にABO不適合の組み合わせ
3)	母親血清中のIgG型抗Aまたは抗B抗体価が512倍以上
4)	児の抗体解離試験陽性
5)	児血清中の抗Aまたは抗B抗体価が8倍以上

4 黄疸の治療

Ⓐ 光線療法

　波長420～520nmの青色～緑色の可視光線を照射すると，主に皮下に存在するビリルビンは光異性体化し水溶性が増す．光線療法により血清ビリルビンが低下するのは，異性化したビリルビンが尿や便から排泄されるためである．日本で一般的に用いられている光線療法開始基準の例を示す（表8-4）．

　経験的に全身状態の悪い児は，より低い血清総ビリルビン濃度でも核黄疸を起こし得ることから，治療閾値を下げる「ランクダウン」の基準が設けられているが，十分な科学的根拠はない．またアルブミンと結合していないアンバウンドビリルビンは，脳血液関門を容易に通過できることから，核黄疸（ビリルビン脳症）の危険因子として重要視されている（表8-5）．

表8-4　血清総ビリルビン濃度による光線療法・交換輸血の適応基準（単位　mg/dL）

出生体重	＜24時間	＜48時間	＜72時間	＜96時間	＜120時間	＞5日
	光線/交輸	光線/交輸	光線/交輸	光線/交輸	光線/交輸	光線/交輸
＜1,000g	5/8	6/10	6/12	8/12	8/15	10/15
＜1,500g	6/10	8/12	8/15	10/15	10/18	12/18
＜2,500g	8/10	10/15	12/18	15/20	15/20	15/20
＞2,500g	10/12	12/18	15/20	18/22	18/25	18/25

（神戸大学マニュアルより）

表8-5　血清アンバウンドビリルビン濃度による基準

出生体重	光線療法	交換輸血
＜1,500g	0.3 μg/dL	0.8 μg/dL
≧1,500g	0.6 μg/dL	1.0 μg/dL

　一般的には光線療法施行後，開始基準から2～3mg/dL下回っていれば中止されることが多い．もしも改善が認められなければ多面光線療法を試みる[1]．なお，近年開発されたLED光線治療器は，従来のものよりかなり効率が良い（アトム社製ネオブルー™など）．光線療法施行

中は不感蒸泄量が増加するため，水分投与量を20mL/kg/日程度に増やしておく．光線療法中止後はリバウンドに注意する．

経皮的ビリルビン測定（イクテロメーター，ミノルタ黄疸計）は児に与える侵襲が少なく有効である．しかし，主に皮下のビリルビンを処理する光線療法の施行後には，実際の血清総ビリルビン濃度よりも低く評価してしまう可能性がある．光線療法後のリバウンドチェックには採血による評価が必須である．

B 補液

過剰な輸液が血清総ビリルビン濃度を下げるというエビデンスはないが，哺乳不足で脱水状態にある場合には，これを補正する必要がある．

C アルブミン補充療法

血清アルブミン濃度が低値（2.5g/dL未満），アンバウンドビリルビンが高値の症例で試みる価値がある．

D ガンマグロブリン大量療法

免疫性溶血性疾患（ABO不適合やRh不適合）と診断した場合，ガンマグロブリンを大量に投与することにより，Fc受容体を介した抗体依存性の溶血反応を抑制する効果が期待される．500mg～1g/kgのガンマグロブリンの単回投与により交換輸血の頻度が有意に減少することが報告されている[2]．ただし，保険適応はない．

E 交換輸血

交換輸血はビリルビンの除去効果よりも，感作赤血球や抗体を除去し，代わりに感作されない赤血球を入れることに意味がある（ABO不適合の場合はO型赤血球とAB型血漿を混ぜて交換輸血を行う．不規則抗体が陽性ならば陰性の血液を入手可能かどうか，赤十字センターに確認する）．

実際，循環血液の2倍量を交換しても，体内から除去されるビリルビンは全体の1割程度にしか過ぎず，交換輸血後は組織中のビリルビンが血液中に戻ってくるために再び上昇する．抗体のすべてを除去できるわけではないため，交換輸血終了後にγグロブリンを点滴しておくと，再度交換輸血を行うリスクが減り，貧血の進行も抑えることができる．

5 退院前検査

著明な高ビリルビン血症が遷延した症例，交換輸血を必要とした症例では，退院前にビリルビン脳症の評価のための検査を行う．

- ABR（聴性脳幹反応）：聴覚路は特にビリルビンによる影響を受けやすく，高ビリルビン血症が初期に中枢神経系に与える影響を調べるのに適している．
- 頭部MRI：T1強調画像において，基底核・視床・内包・淡蒼球の中央〜後方のhigh intensityはビリルビン脳症の診断に有用であるとされる．

6 早産児の黄疸管理

　これまでに記した黄疸管理方法の確立によって，本邦では正期産児のビリルビン脳症はほぼ撲滅された．しかし，在胎30週未満で出生した早産児の約0.2%がビリルビン脳症を発症しているとの報告がある[3]．これまでの検討から，早産児ビリルビン脳症の発症予防には，急性期だけではなく，慢性期までの黄疸管理の重要性が指摘されている．

　ここでは，2016年に発表された神戸大学の新黄疸管理基準について紹介する．新基準の特色として以下の3点が挙げられる．
1) 出生体重ではなく，在胎週数・修正週数に基づく基準となった．
2) 日齢7未満は在胎週数，日齢7以降は修正週数に従って，治療基準値が変わる．
3) 週数ごとに，総ビリルビンだけでなく，アンバウンドビリルビンの基準値も設定された．
　この新基準で管理することで早産児のビリルビン脳症が確実に予防できるのか，検証して行く必要がある．

表8-6　早産児の黄疸管理の新基準

在胎週数または修正週数	TB値の基準（mg/dL）						UB値の基準（μg/dL）
	<24時間	<48時間	<72時間	<96時間	<120時間	≧120時間	
22〜25週	5/6/8	5/8/10	5/8/12	6/9/13	7/10/13	8/10/13	0.4/0.6/0.8
26〜27週	5/6/8	5/9/10	6/10/12	8/11/14	9/12/15	10/12/15	0.4/0.6/0.8
27〜29週	6/7/9	7/10/15	8/12/14	10/13/16	11/14/18	12/14/18	0.5/0.7/0.9
30〜31週	7/8/10	8/12/14	10/14/16	12/15/18	13/16/20	14/16/20	0.6/0.8/1.0
32〜34週	8/9/10	10/14/16	12/16/18	14/18/20	15/19/22	16/19/22	0.7/0.9/1.2
35週〜	10/11/12	12/16/18	14/18/20	16/20/22	17/22/25	18/22/25	0.8/1.0/1.5

脚注：表の数値はLowモード光線療法／Highモード光線療法／交換輸血の適応基準値である．
　　　（森岡一朗，他．早産児の黄疸管理-新しい管理方法と治療基準の考案．日周産期・新生児会誌 2017.53:1-9）

文献
1) Holtrop PC, et al. Pediatrics 1992; 90: 674-677.
2) Cochrane Database 2009; CD003313
3) Morioka I, et al. Pediatr Int 2015; 57: 494-7.

第9章

血液疾患の管理

第9章 / 血液疾患の管理

1 未熟児貧血

✎ Key point

かつては，未熟児貧血に対する治療は輸血と鉄剤投与しかなかったが，現在は，エリスロポエチン療法が標準治療となっている．貧血治療の要点について学ぶ．

1 エリスロポエチン

(1) 低出生体重児で，Hb<13g/dLとなった症例はエリスロポエチン（エスポー®）200IU/kg×2回/週，皮下注を開始する（400IU/kg/週）．

(2) 生後4〜5週を過ぎると内因性のエリスロポエチンの分泌が高まるため，この時期に貧血の程度が安定していれば投与中止を考慮する．

(3) エリスロポエチン投与中は高率に血小板増多・（血清CPKの上昇）・鉄不足がみられるため，CBC，網状赤血球数，CPK，血清鉄値は1回/週でモニターする．フェリチンは1回/2週でモニターする．

(4) 2020年にアップデートされたコクランレビューによると，「生後1週間以内とそれ以降のエリスロポエチン投与を比較すると1週間以内の投与の方が未熟児網膜症の発症を増加させる（RR 1.40〔95%CI 1.05-1.86〕）」という報告[1]と「生後1週間以内の投与とプラセボを比較すると，stage3以上の未熟児網膜症発症率に差はない」とする報告[2]がある（RR 1.24，95%CI 0.81-1.90）．これらを元に当院では，積極的な生後早期のエリスロポエチン投与は行っていないが，必要な場合には投与することも可能と考えている．

2 鉄 剤

「新生児に対する鉄剤投与のガイドライン2017〜早産児・低出生体重児の重症貧血予防と神経発達と成長の向上を目的として〜」が作成された．そのエッセンスを抜粋する[3]．

(1) 早産児に対しては，新生児期に経口鉄剤投与を行うことが望ましい．一方，正期産児に対しては，新生児期に経口鉄剤を行う必要性は低い．

(2) 新生児に対しては経腸栄養が100mL/kg/日を超えた時点で，経口鉄剤を2〜3mg/kg/日（最大6mg/kg/日）での投与が提案される．早産児に対しては，離乳食が確立するまで経口鉄剤投与を行うことが提案される．

(3) 輸血歴のある新生児に対しては，輸血総量および鉄貯蔵量を評価しながら，経口鉄剤を行うことが奨められる．

(4) エリスロポエチン製剤投与中の未熟児貧血のリスクのある低出生体重児に対して，経口鉄剤投与を行うことが奨められる．

(5) 科学的根拠をもとに推奨できるモニタリング法はないが，経口鉄剤投与中は，消化器症状に注意する．

3 輸 血

(1) 生後間もなくで呼吸状態が安定しない間はHb 10～11g/dLを維持するように輸血する．

(2) 全身状態の安定した児はHb 7～8g/dLを維持するように輸血を考慮する．

(3) 赤血球輸血は原則として日赤の赤血球濃厚液を，1500radの照射をした後，白血球除去フィルターを介して輸血する．1回の輸血量は10mL/kgまでとし，輸血は末梢静脈ルートから投与するが，高張糖液，Caを含む輸液とは同時に投与しないこと．

(4) 当院では2～3週間以内に2回以上の輸血が必要と予想される低出生体重児では，依頼時に3～4分割してもらい，使用直前に照射することとしている．

文献

1) Cochrane Database 2020；CD004865.
2) Cochrane Database Syst Rev. 2020: CD004863.
3) 日本新生児成育医学会　医療の標準化委員会鉄剤投与のガイドライン改訂ワーキング・グループ．新生児に対する鉄剤投与のガイドライン2017～早産児・低出生体重児の重症貧血予防と神経発達と成長の向上を目的として～．日新生児成育医会誌2019；31(1)：159-185.

輸血の安全性について

「ウィンドウ期」は、肝炎・エイズなどのウイルスに感染しても、直後には日赤の血液検査では異常が検出できず、10日〜1ヵ月後に初めて、異常値が検出できるようになるために生ずるものである。すなわち、感染初期のヒトの血液が輸血用製剤として使用される危険性がある。

以前はこのように考えられてきたが、2020年7月、日本輸血・細胞治療学会から「輸血後感染症検査実施症例の選択について」という指針が出された。以下、概略を記す。

「輸血用血液製剤は様々な感染症対策が講じられ、さらに2014年に輸血用血液に対する個別NAT検査が導入されたことから、これらの輸血後感染症は大幅に減少した。日本国内において2015年からの過去5年間に遡及調査によって輸血後のHBV感染が3例報告されたのみで、HCV、HIV感染は1例も報告されていない。このような状況のもと令和2年（2020年）3月に改正された実施指針では、これらの輸血後感染症検査の記載の見直しが行われた。

HBV、HCV、HIV輸血後感染症検査は、従来から感染が疑われる場合に実施する検査とされており、患者の負担、医療者の負担、費用対効果の面から考えても、輸血された患者全例に実施すべき検査ではない」

すなわち、新生児に対する輸血の場合も基礎疾患や治療（免疫抑制剤など）で免疫抑制状態の患者でない限り、輸血後のルーチンの感染症のチェックは不要ということである。

赤血球製剤の上清K値について

赤血球が壊れるとKが放出されることはよく知られているが、新生児の輸血を考える場合、このことは非常に重要である。赤血球製剤（MAP血）の上清のK量は以下の表に示すように、採血後日数が経つとともに増大するが、とりわけ照射血での上昇が著しいことが知られている。腎機能の未熟な児への大量輸血、とりわけ交換輸血においては、この点も十分考慮に入れた血液の選択が望まれる。

	採血後2日目	7日目	14日目	28日目
未照射血の上清K（mEq/L）	4.1±0.4	16.7±1.1	27.9±1.7	45.9±2.4
照射血の上清K（mEq/L）	3.8±0.3	32.1±2.1	48.8±2.5	60.1±2.7

第9章／血液疾患の管理

2 多血症

✎ Key point

多血傾向のある児はしばしば見受けるが，実際治療を要するような多血症の児はさほど多くはない．しかし日頃から，治療の適応・方法を学んでおく必要がある．

▷ ［概念］

末梢静脈血でヘマトクリット値（Ht）≧70％，あるいは中心静脈血や動脈血でHt≧65％の児．

▷ ［原因］

胎児間輸血，母体−胎児間輸血，子宮内発育遅延，過熟児，高インスリン血症，脱水．

▷ ［症状］

多呼吸，無呼吸発作，頻脈，チアノーゼ，心不全，活気不良，振戦，痙攣．

▷ ［合併症］

黄疸，血栓，うっ血性心不全．

▷ ［治療］

▶1 十分な水分投与

70％＞Ht≧65％で症状のない場合は100～120mL/kg/日の輸液で経過観察する．

▶2 部分交換輸血

(1) 適応：静脈血または動脈血のHt≧70％，あるいはHt≧65％で諸症状を伴う場合．

(2) 方法：末梢動脈あるいは静脈から瀉血しながら，末梢静脈から同量の生理的食塩水を20～30分かけてゆっくりと輸注する．

$$
交換量（mL）＝\frac{児のHt（\%）－目標のHt（\%）}{児のHt（\%）}×80（mL）×体重（kg）
$$

目標のHt（％）は50～55％とする．

第9章 / 血液疾患の管理

3 血小板減少症

Key point

NICU入院を要する児では，血小板減少を呈する頻度は比較的高い．本項では，その鑑別・治療の要点を学ぶ．

▶ [概念]

成熟児でも早産児でも，血小板数15万/μL未満は血小板減少症である．ただし，採血手技により，凝血のため減少を示すことがあり，注意が必要．

▶ [頻度]

NICUに入院した807人の児のうち，22％に15万/μL未満の血小板減少症がみられ，そのうち38％は5〜10万/μL，20％は5万/μL未満であった．そして，86％の児は10日目までに回復したとの報告がある[1]．

1 病因

A Sick Infantの場合

1) 敗血症 先天性：ウイルス性が多い．
　　　　　後天性：細菌性が多い．
2) DIC 全身性：心血管系の障害に伴う場合など．
　　　　局所性：壊死性腸炎など．
3) 肝脾腫：先天性ウイルス感染，悪性新生物（白血病など）．
4) 重症の新生児溶血性疾患：胎児赤芽球症など．
5) 多量の輸血：交換輸血，ECMO（膜型人工肺）．

B Well Infantの場合

身体所見正常

1) 同種免疫性血小板減少症（neonatol alloimmune thrombocytopenia；NAIT）：母児間の血小板型不適合による．
2) 自己免疫性血小板減少症：母体ITPや母体SLEに伴う．
3) 薬剤により生じる血小板減少症

身体所見異常
1) 先天性橈骨欠損症
2) 巨大血管腫症候群：Kasabach-Merritt症候群など.

2 発症時期と病因

A Fetal

①免疫性，先天感染，染色体異常など.

B Early-onset neonatal（72時間以内）

①胎盤機能不全：FGR（胎児発育遅延），妊娠高血圧症候群（PIH），母体糖尿病など.
②周産期仮死
③周産期感染：大腸菌，B群溶連菌，インフルエンザ菌など.
④DIC
⑤同種免疫性血小板減少症（NAIT）：母児間の血小板型不適合による（後述）.
⑥自己免疫性血小板減少症：母体特発性血小板減少性紫斑病（ITP）や母体SLEに伴う.
　ITP母体児，SLE母体児の出生後の管理については12章（p.289）で詳しく述べる.

C Late-onset neonatal（72時間以降）

①Late-onset敗血症
②NEC（壊死性腸炎）
＊SGA児では高頻度に血小板減少症がみられる.
　● 通常生後2～3日目に最低値となり，10日目前後で回復してくる.

3 診　断

　CBC，凝固系，骨髄検査，肝機能，アルブミン，感染症スクリーニング，母体血小板数，母体血小板抗原型，トロンボポエチン，染色体検査，頭部エコーやCTなどを行い，上記疾患を鑑別する．また，胎盤の検索も必要.

> **注意**　末梢血のスメアで血小板の形態，総数を，また骨髄で巨核球の形態，総数を評価することが重要（新生児では，骨髄中巨核球数は減少してみえることがあり，注意が必要）.

NAIT （Neonatal alloimmune thrombocytopenia）

【病態】

　血小板膜には，赤血球抗原，HLA抗原，血小板抗原（Human platelet antigen; HPA）が発現している．NAITを発症する場合，児の血小板膜に発現している父親由来の抗原を母親が非自己と認識してしまい，これに対するIgG抗体を産生する．母体由来のIgG抗体が胎盤を通過して，児の血小板膜抗原に結合する児の血小板に結合する．母体由来のIgGで感作された児の血小板は脾臓などの貪食系に捕捉・破壊されることとなる．

　なお，抗体の力価が強い場合は，血小板だけでなく，巨核球まで破壊されてしまう．このような場合には回復に時間を要し，4～8週間ほどかかる．

【検査・診断】

　父親（または新生児）の血小板と母親の血清をインキュベートして，血小板に結合した抗体をフローサイトメトリーやELISAで測定する．また，抗HPA抗体の検出やHPA抗原タイピング用のキットが市販されている．

【治療】

　軽症例は経過観察でよいが，血小板数が3万以下で，出血症状のある症例では脳出血のリスクがあり，HPA適合血小板輸血が適応となる．母親の血小板はHPA適合なので照射後，輸血可能である．この場合，洗浄血小板の輸血が望ましいが，洗浄しなくても臨床的には問題ないとの報告がある．さらに，免疫グロブリン大量療法を併用する[2]．

4　治　療

Ⓐ 血小板輸血

1) 血小板数3万/μL未満の場合：血小板輸血を行う．

2) 血小板数3～5万/μLの場合：
   - 出血している場合は，血小板輸血を行う．
   - 出血のない場合は，1,000g未満・生後1週間未満・III，IV度の脳室内出血（IVH）や肺出血などの大出血の既往・凝固障害の存在・外科手術や交換輸血が必要な場合に輸血を考慮する．

3) 血小板数5～10万/μLの場合：出血，NAITで大出血がある場合は血小板輸血を考慮する．ただし，NAITが疑われる場合は，HLAあるいはHPA適合血小板輸血または母の洗浄血小板輸血を行う．

Ⓑ 免疫グロブリン静注療法（IVIG）

1）NAITでHPA適合血小板がない場合，1g/kg×2日で使用する．
2）母体ITP，SLEの場合，同様に使用する（血小板数3万/μL未満の重症例でよく反応する）．

文献

1）Castle V. J Pediatr 1986; 108: 749-755.
2）Peterson JA, et al. Br J Haematol 2013; 161: 3-14.

第9章 / 血液疾患の管理

4 DIC（播種性血管内凝固）
disseminated intravascular coagulation

✎ Key point

　新生児期，とりわけ早期新生児期はDICの好発時期であり，一旦発症すると重篤な出血を生じ死に至る，あるいは大きな後遺症を残すことも稀ではない．このため早期の診断治療が重要だが，凝固・線溶系に関する検査値は早期新生児期と成人では大きく異なるため，その解釈が難しい．我々は「高感度DD測定が一般化した現在，Dダイマーで評価するとFalse positiveが著しい」と考えているため，我々独自の凝固系の評価方法を提示する．

　詳細は，以下の我々の3つの論文を参照されたい．
- 早期新生児期の播種性血管内凝固（DIC）の診断におけるDダイマー測定値の臨床的意義．日本未熟児新生児学会雑誌2005；17：83-89.
- 早期新生児期の凝固・線溶検査に関する検討－プロトロンビン時間の重要性について－．日本周産期・新生児医学会雑誌2006；42：582-587.
- 早期新生児期のDIC診断基準の考案－プロトロンビン時間を重視した診断基準作成の試み－．日本周産期・新生児医学会雑誌2007；43：10-14.

　また2016年，白幡聡先生を中心に新しい「新生児DIC診断・治療指針」が発表されたので，これも紹介する．

▶ ［原因］
①分娩合併症：双胎時の1児死亡，仮死
②感染症
③壊死性腸炎
④巨大血管腫
⑤低体温
⑥循環不全　など

1 早期新生児期のDICパラメーターの正常値

　早期新生児期のDICパラメーターの正常値を 表9-1 に示したが，その特徴を記載する．

Ⓐ プロトロンビン時間（PT）

　成人の正常値より若干延長しているが，体重にかかわらず比較的安定した計測値をとる．とりわけ，極低出生体重児で17秒（活性値40％，INR 1.9），それ以上の体重の児では16秒（活性値45％，INR 1.8）を超えることは稀であり，これ以上延長している場合は延長していると考えられる．

Ⓑ フィブリノゲン

体重の小さい児ほど低値である．超早産児の場合，日齢0には50mg/dL未満などの異常低値をみることがあるが，PTの延長がない限りFFPの投与は行わず，経過をみれば，日齢1以降急速に上昇する．出生後の上昇がみられなければ，DICなどの異常を考える必要が出てくる．

Ⓒ Dダイマー

高感度法（通常の検査室で行われている方法）でDダイマーを測定すると多くの症例で異常高値となる．

Ⓓ 血小板数

体重の小さい児ほど低値である．とりわけ，極低出生体重児では15万/mm^{3}以下の血小板減少は決して稀ではない．また，典型的なDIC症例でも，初期には血小板減少はみられず，病態の進行とともに減少が顕著になるため，その経過を追うことが重要である．

Ⓔ アンチトロンビンⅢ（AT）

体重の小さい児ほど低値であるが，生後早期は成熟児でも低値例が多い．一般に生後速やかに増加していく．

表9-1 早期新生児期のDICパラメーターの正常値

	出生体重（g）	在胎週数（週）	PT（秒）	フィブリノゲン（mg/dL）	Dダイマー*（ng/mL）	血小板数（/mm³）	AT（%）
A群	2,500g以上	38.9±1.6	13.23±1.25	210.2±78.3	3163±2551	25.8±5.9	51.3±12.7
B群	1,500g以上2,500g未満	35.8±2.2 (a)	13.03±1.22	153.3±49.2 (a)	2913±3657	23.9±7.0 (a)	39.5±12.1 (a)
C群	1,500g未満	29.8±2.8 (a)(b)	14.00±1.44 (a)(b)	146.9±91.4 (a)	5758±14237	19.5±6.0 (a)(b)	31.1±8.6 (a)(b)

＊成人での正常値は900ng/mL未満．
(a) A群と比較して5％以下の危険率で有意差を持つ．
(b) B群と比較して5％以下の危険率で有意差を持つ．

2 早期新生児期のDICの診断

前述のように，Dダイマー・ATなど成人領域で重視されているパラメーターでも早期新生児期には評価に適さないものがあるため，現段階で早期新生児期のDICを診断するために有用な検査項目は「プロトロンビン時間・フィブリノゲン・血小板数」の3項目であろう．

以下の診断基準は，2006年の第51回日本未熟児新生児学会学術集会で著者らが発表したものである．我々はFFP投与などの積極的なDIC治療の開始基準として有用だと考えている．

早期新生児期のDIC診断基準（河井案）

1) 出生体重1,500g未満の児では（1）PT17秒以上（活性値40％以下，INR1.9以上）を2点（2）フィブリノゲン70mg/dL以下を1点（3）血小板数10万/mm³以下を1点とし，3点以上を確診とする．
2) 出生体重1,500g以上2,500g未満の児では（1）PT16秒以上（45％以下，1.8以上）を2点（2）フィブリノゲン90mg/dL以下を1点（3）血小板数15万/mm³以下を1点，10万/mm³以下を2点とし，3点を疑診，4点以上を確診とする．
3) 出生体重2,500g以上の児では（1）PT16秒以上（45％以下，1.8以上）を2点（2）フィブリノゲン120mg/dL以下を1点（3）血小板数15万/mm³以下を1点，10万/mm³以下を2点とし，3点を疑診，4点以上を確診とする．

（河井昌彦，他．日周産期・新生児会誌 2007；43：10-14より許可を得て掲載）

2015年には，プロトロンビン時間も加味した新生児DIC診断・治療指針作成ワーキンググループ（白幡　聡，他）による新生児DIC診断基準が提唱されている．

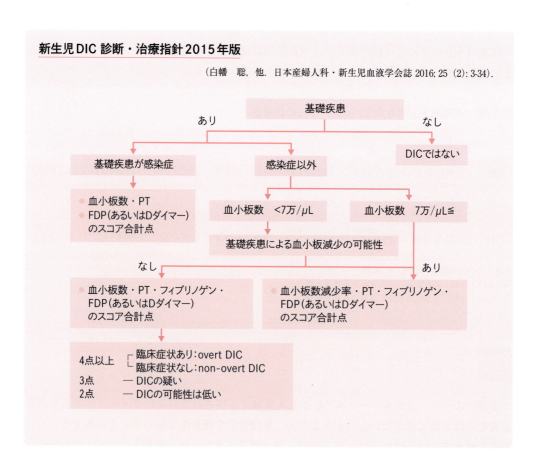

新生児DIC診断・治療指針2015年版
（白幡　聡，他．日本産婦人科・新生児血液学会誌 2016; 25（2）: 3-34）．

項目		出生体重	
		1,500g以上	1,500g未満
◆血小板数[1]	$70\times10^3/\mu L\leqq$　かつ　24時間以内に50％以上減少	【1点】	【1点】
	$50\times10^3/\mu L\leqq$　　$<70\times10^3/\mu L$	【1点】	【1点】
	$<50\times10^3/\mu L\leqq$	【2点】	【2点】
◆フィブリノゲン量[2]	$50mg/dL\leqq$　　$<100mg/dL$	【1点】	—
	$<50mg/dL$	【2点】	【1点】
◆凝固能（PT-INR）	$1.6\leqq$　　<1.8	【1点】	—
	$1.8\leqq$	【2点】	【1点】
◆線溶能[3] (FDPあるいはDダイマー)	＜基準値の2.5倍	【−1点】	【−1点】
	基準値の2.5倍≦　　＜10倍	【1点】	【2点】
	基準値の10倍≦	【2点】	【3点】

付記事項

1) 血小板数：基礎疾患が骨髄抑制疾患など血小板減少を伴う疾患の場合には加点しない.

2) フィブリノゲン量：基礎疾患が感染症の場合には加点しない. 感染症の診断は新生児SIRS診断基準（別掲）による.

3) TAT/FM/SFMCは，トロンビン形成の分子マーカーとして，凝固亢進の早期診断には有用な指標である.
　　しかし，採血手技の影響をきわめて受けやすいことから，血小板数やDダイマーなど他の凝固学的検査結果とあわせて評価する.
　　血管内留置カテーテルからの採血など採血時の組織因子の混入を否定できる検体では，TAT/FM/SFMCの1つ以上が異常高値の場合は，1点のみを加算する.
　　なお，採血方法によらず，これらの測定値が基準値以内の時はDICである可能性は低い.

3　治　療

(1) 基礎疾患に対する治療（アシドーシス，感染など）

(2) 抗凝固療法

- リコモジュリン®（トロンボモデュリン製剤）　380U/kg/日　　30分点滴静注
- FOY®　　1〜2mg/kg/時　　点滴静注
- フサン®　　0.06〜0.2mg/kg/時　持続静注
- ヘパリン　10〜15U/kg/時　　持続静注

(3) 凝固因子の補充療法

- FFP　　　10〜15mL/kg
- AT（アンスロビンP®）60U/kg/日　　1時間点滴静注　3日間

(4) 血小板輸血（血小板数＜$5\times10^4/mm^3$の場合）

(5) 交換輸血（エンドトキシン陽性時など）

＊UpToDate®のDICの治療の項では，出血のリスクが非常に高い，あるいは出血症状がある場合に，凝固系の延長/血小板減少を認めれば，各々FFP/血小板の補充を行うべきであるとしている. 一方，抗凝固療法，ATに関しては，その適応はないとしている.

4 交換輸血

▶ [適応]

高ビリルビン血症, 敗血症, DIC, 腎不全, 多血症（過粘度症候群）など.

▶ [方法]

(1) 使用血液は, 合成血液-LR「日赤」と濃厚血小板を用いる. 合成血液-LR「日赤」は, 血液200mLに由来する赤血球と血漿約60mLを混和した製剤で, 日本赤十字社が24時間体制で受け付け, 受注後6時間以内に医療機関に届けると確約している製剤である.

(2) 交換量は180〜200mL/kg（循環血液量の約2倍）で, 1〜2時間かけて施行する.

(3) 処置中は呼吸, 心電図, パルスオキシメーターを持続モニターし, 時々血圧もチェックする.

(4) 処置中は交換ごとの時間, 交換量, 血圧, 脈拍, SpO_2などを記録する.

(5) 処置の前, 途中, 後に血液ガス, 電解質, 血糖, 血算を測定し, 要すれば補正する.

Ⓐ 臍静脈を用いる方法（Diamond法）

(1) 循環血液量の変動が激しいため, なるべく少量で行う方が良い.

(2) 壊死性腸炎, 門脈圧亢進, 血栓, 敗血症などの合併症の危険がある.

①5〜6Frの臍静脈カテーテルを臍静脈に留置し, 三方活栓を2個連結し, 三方カテーテルを作製する.

②輸血セット, 排液バッグを三方活栓にそれぞれ接続する（輸血ルートは36.5℃に加温する）.

③輸血, 瀉血を繰り返す（1回5〜10mL, 3〜5分かけて）.

④クエン酸血を用いる場合は, 100mLの交換輸血ごとに1mLのカルチコールをその前後に生食1mLを使いながらゆっくり静注する.

> 注意 我々は, 臍静脈を用いた交換輸血は危険と考えているので, 本方法は使用していない.

Ⓑ 末梢血管を用いる方法（two-site法）

(1) ルートは, 通常, 手背などの末梢静脈と橈骨などの末梢動脈を使用する.

(2) 末梢動脈から瀉血, 末梢静脈から輸血を同時に行うため循環動態への影響が少ない.

①末梢静脈を確保し, 三方活栓と注射器を付け, 輸血セットを接続する（輸血ルートは36.5℃に加温する）.

②末梢動脈を確保し, 三方活栓と注射器を付け, 排液バッグを接続する.

③2人で声を掛け合いながら, 2分くらいかけて同時に瀉血と輸血を行う（低出生体重児は1回1〜5mLずつ, 成熟児では1回10〜20mLずつ）.

④クエン酸血を用いる場合は, 約100mLの交換輸血ごとに1mLのカルチコール®をその前後に生食1mLを使い, ルートをフラッシュしながらゆっくり静注する.

第9章 / 血液疾患の管理

5 ビタミンK

✎ Key point

　これまで，わが国では「出生後：哺乳確立後にビタミンK_2シロップを1mL内服．生後1週間もしくは産科退院時：同シロップを1mL内服．生後1ヵ月（1ヵ月検診時）：同シロップを1mL内服」という3回のビタミンK_2シロップの経口投与で，ビタミンK欠乏を予防してきたが，2010年8月「生後3ヵ月まで毎週1回ビタミンK_2シロップの経口投与を繰り返す」といった内容を柱とする新たなガイドラインが発表された．

　現在，臨床現場では両ガイドラインが並立する形だが，2021年11月，日本小児科学会などから13回法を推奨する提言がなされた．

1 新生児・乳児ビタミンK欠乏性出血症に対するビタミンK製剤投与の改訂ガイドライン

　2021年11月，日本小児科学会新生児委員会ビタミンK投与法の見直し小委員会から出された「新生児・乳児ビタミンK欠乏性出血症の改訂ガイドライン」は次のとおりである（ 表9-2 ）．

表9-2　新生児・乳児ビタミンK欠乏性出血症の改訂ガイドライン

Ⅰ．合併症をもたない正期産新生児への予防投与

わが国で推奨されている3回投与は以下のとおりである.

①第1回目：出生後，数回の哺乳によりその確立したことを確かめてから，ビタミンK_2シロップ1ml（2mg）を経口的に1回投与する．なお，ビタミンK_2シロップは高浸透圧のため，滅菌水で10倍に薄めて投与するのもひとつの方法である.

②第2回目：生後1週または産科退院時のいずれかの早い時期に，ビタミンK_2シロップを前回と同様に投与する.

③第3回目：1ヵ月健診時にビタミンK_2シロップを前回と同様に投与する.

④留意点等

　（1）1ヵ月健診の時点で人工栄養が主体（おおむね半分以上）の場合には，それ以降のビタミンK_2シロップの投与を中止してよい.

　（2）前文で述べたように，出生時，生後1週間（産科退院時）および1ヵ月健診時の3回投与では，我が国およびEU諸国の調査で乳児ビタミンK欠乏性出血症の報告がある．この様な症例の発生を予防するため，出生後3ヵ月までビタミンK_2シロップを週1回投与する方法もある.

　（3）ビタミンKを豊富に含有する食品（納豆，緑葉野菜など）を摂取すると乳汁中のビタミンK含量が増加するので，母乳を与えている母親にはこれらの食品を積極的に摂取するように勧める．母親へビタミンK製剤を投与する方法も選択肢のひとつであるが，現時点では推奨するに足る十分な証左はない.

　（4）助産師の介助のもと，助産院もしくは自宅で娩出された新生児についてもビタミンK_2シロップの予防投与が遵守されなければならない.

Ⅱ．早産児および合併症をもつ正期産新生児への予防投与

①全身状態が比較的良好で経口投与が可能な場合は，合併症をもたない正期産新生児への投与方式に準じて行う．ただし，投与量は体重に応じて減量する.

②呼吸障害などにより内服が難しい新生児には，ビタミンK_2注射用製剤（レシチン含有製剤）0.5〜1.0mg（超低出生体重児は0.3mg）を緩徐に静注する．

その後の追加投与のやり方はそれぞれの新生児の状態に応じて個別に判断する.

③全身状態が良好でも，母親が妊娠中にビタミンK阻害作用のある薬剤を服用していた場合，あるいはceliac sprueなどの吸収障害を有する場合は，出生後すぐにビタミンK_2注射用製剤0.5〜1.0mgを静注することが望ましい.

④上記③の状況（母親がワルファリンを服用中の場合を除く）においては，妊娠36〜38週以降の母親に1日15〜20mg（分2または分3）のビタミンK製剤を陣痛発来日まで経口投与し，出生後に新生児のビタミンK動態を評価する方法でも構わない．なお，母体へのビタミンK投与は少なくとも1週間以上の投与が可能な状況であることを考慮する.

（注記）長期にわたる経静脈栄養管理下にある場合には，妊娠経過中に随時ビタミンKの補充を行うことが望ましい.

Ⅲ．治療的投与

①ビタミンK欠乏性出血症の疑いがあれば凝固検査用の血液を採取後，検査結果を待つことなく，ビタミンK_2製剤（レシチン含有製剤）0.5〜1mgを緩徐に静注する．もし血管確保ができない場合には筋注が可能なビタミンK製剤を皮下注する（筋注はできるだけ避ける）.

②最重症例ならびに超低出生体重児では，新鮮凍結血漿10〜15ml/kgあるいは第IX因子複合体製剤50〜100単位/kg（第IX因子量として）の静注の併用を考慮する.

厚生省心身障害研究，新生児管理における諸問題の総合的研究，研究班による「乳児ビタミンK欠乏性出血症の予防対策」の発表（1989年）以降に得られた国内外の資料をもとにガイドラインを改訂した.

　　（日本小児科学会新生児委員会ビタミンK投与法の見直し小委員会．新生児・乳児ビタミンK欠乏性出血症に対するビタミンK製剤投与の改訂ガイドライン（修正版）．日児誌2011; 115 (3): 705-712より許可を得て掲載）

2　2021年の提言を受けて

　2021年11月，日本小児科学会をはじめとする関連各学会から13回法を推奨する「新生児と乳児のビタミンK欠乏性出血症発症予防に関する提言」が出された．以下にその要旨と提言の元になったことについて概説する．

▶ [提言]

1. 肝胆道系疾患の早期発見のため，母子手帳の便カラーカードの意義を医療者は理解し，この活用方法を保護者に指導すること
2. 哺乳確立時，生後1週または産科退院時のいずれか早い時期，その後は生後3ヵ月まで週1回，ビタミンK_2を投与すること

▶ [提言の根拠となった調査結果]

　日本小児科学会・新生児委員会では，2015～2017年の3年間に出生した在胎36週以上の児でビタミンK欠乏症が原因と考えられる出血性疾患症例について調査を行った．調査の結果，この期間に見られたビタミンK欠乏が原因と思われる出血性疾患のうち，頭蓋内出血が13例（栄養方法：母乳栄養が10例，人工栄養1例，不明が2例）であった．このうちの11例で胆道閉鎖症などの肝胆道系の基礎疾患が認められ，この9例では3回法が行われていた（投与法不明およびその他が各1例）．

　このため，少なくとも，肝胆道系の基礎疾患を有する児においては，3回法では防げなかった頭蓋内出血が13回法に変更することによって，防げる可能性が高くなると判断された．

▶ [これを受けて，筆者の理解は…]

　肝胆道系の基礎疾患のない児にとって，13回法が3回法を上回るメリットがあるとは言えないが，未だに肝胆道系疾患が早期発見されずに，ビタミンK欠乏性出血症を発症したのちに診断される事例が少なくないことから，引き続き，肝胆道系疾患の早期発見を心がけるとともに，肝胆道系疾患のリスクがないと言い切れないすべての新生児に対して13回法を行うことが有用である．

　産科のガイドラインにも本内容が掲載されるため，今後，13回法へと移行して行くことになろう．

第10章

消化器疾患の管理

第10章／消化器疾患の管理

1 新生児メレナ（新生児出血性疾患）

✎ Key point

　軽度の吐血，下血はしばしばみられ，その多くは医原性または母体血由来である．しかし，早急な対応が必要な病態もあり，新生児の出血性疾患は決して見逃してはならない．

▶ [概念]

　新生児血由来の真性メレナと母体血由来の仮性メレナに分けられる．真性メレナに対しては原因検索と厳重な管理が必要となる．

▶ [病態]

　ビタミンK欠乏により，ビタミンK依存性凝固因子である第II，VII，IX，X因子の活性が低下し，出血傾向を生じる．凝固因子活性の低下をもたらす他の要因，例えば母体に対する抗痙攣薬，抗凝固薬，抗結核薬などの投与，児の肝胆道疾患（胆道閉鎖症，新生児肝炎など），母乳栄養なども誘因として重要である．

▶ [症状]

　消化管出血による吐血，下血の他，臍出血，鼻腔口腔内などの粘膜出血，頭蓋内出血などがみられる．

▶ [診断]

1）口腔内吸引や胃内チューブ挿入，気管挿管などの処置に伴う医原性の出血を除外する．

2）母体血との鑑別のため，Apt試験を行う．

3）1），2）から児の出血傾向が疑われた場合，血小板数と凝固系検査を施行する．血小板数正常，トロンボテスト・ヘパプラスチンテスト低値，PT・APTTの延長がみられればビタミンK欠乏を疑い，PIVKA-IIが高値であれば診断が確定する．

　凝固系検査に異常がある場合，感染症，DIC，先天性凝固因子欠乏症などとの鑑別が必要である．また，病態の項で述べたように，母体の投薬歴や児の基礎疾患についても精査する．

1 Apt試験

A 基礎的知識

　胎児型ヘモグロビン（HbF）は，成人型ヘモグロビン（HbA）よりアルカリに対して安定である．また，HbFが占める割合は在胎40週で約80％，在胎32週で約90％であるのに対し，成人では1％以下である．

B 検査方法

①検体（吐物，便など）1容に蒸留水5容を加え，2,000～3,000rpmで5分間，遠心分離する．
②上清の溶血液4mLに対し1％NaOH溶液1mLを加えてよく混和する．
③患児または成人血液を対照として判定する．

　　　　ピンク色のまま　　　　　　→HbF（胎児血）
　　　　ピンク色から黄褐色に変化→HbA（成人血）

▶ ［治療］

　現在では本疾患の予防のため，出生時のビタミンK投与が広く行われている．発症時には，
(1) 絶食とし，輸液管理を開始する．
(2) ただちにケイツーN®を0.5～1.0mg/kg静注する．
(3) 胃内チューブを留置し，必要ならば温生食で胃洗浄を施行し，出血の活動性を評価する．
(4) ケイツーN®静注後1～数時間で効果がなければ，FFP 10～20mL/kg投与する．
(5) 出血が多量であれば，MAP 10mL/kg投与する．
(6) 以上の治療で改善しない場合は，他疾患の合併（消化性潰瘍など）を考慮する．

補足：　消化性潰瘍の治療

(1) 絶食，輸液管理の上，必要に応じてビタミンK，FFP，MAPを投与する．
(2) 胃内チューブを留置し，必要なら温生食で胃洗浄を施行し，出血の活動性を評価する．
(3) ラニチジン（ザンタック®）4mg/kg/日（分2）または，ファモチジン（ガスター®）0.5～1mg/kg/日（分2，静注）．
(4) 出血量が多い場合は，アドレナリン加生食（ボスミン®0.1mL＋生食20mL）で胃洗浄を行い，アルロイドG®2～5mLを1日3回，胃内に注入する．または，トロンビン末®500単位を生食50mLで溶解し，そのうち3～5mLを胃内に注入する．

第10章／消化器疾患の管理

2 胎便栓症候群，胎便病
meconium plug syndrome, meconium disease

✎ Key point

主として低出生体重児に発症し，経腸栄養が遅れる原因の1つとして重要である．注腸造影など内科的治療により症状が改善することも多く，適切な対処が必要である．

▷ [概念]

新生児の腸管運動障害の一種で，胎便排泄が遅延し，イレウスを呈する状態．低出生体重児，特に胎児発育遅延（FGR）児にみられる一過性のもので，囊胞線維症（cystic fibrosis）における胎便性イレウス（meconium ileus）とは別の病態である．低出生体重児の場合を胎便病（meconium disease），成熟児の場合を胎便栓症候群（meconium plug syndrome）と区別することもある．

▷ [病態]

腸管自体の未熟性に加え，飢餓状態により消化管運動が順調に開始されなかったり，低酸素や低血糖その他のストレスにより腸管血流が低下したりする結果，腸管運動が低下するために胎便排泄が遅延する．

▷ [症状]

腹部膨満，胎便排泄遅延，嘔吐などがみられる．

▷ [診断]

上記症状に加え，単純X線写真で腸管拡張像を認めた場合や，注腸造影で"microcolon"，胎便による陰影欠損，それより口側の腸管拡張像などを認めた場合は本症の可能性がある．Hirschsprung病との鑑別を慎重にする．

▷ [治療]

(1) 腸管運動促進のため25～50％グリセリン浣腸（GE）（1～2mL/kg）を1日数回施行する．
(2) GE浣腸が無効の場合，診断的治療として注腸造影を試みる．造影剤はガストログラフィン®を蒸留水で3～4倍に希釈して用いる．造影剤が高張なため，腸管粘膜の水分が引き出され，胎便栓が浸軟化され，排泄が促される．これにより劇的に改善する例も多い．

以上により症状緩和が得られた後，経管栄養を開始する．胃残が引けるようなら無理せず一旦中止し，時間をおいて再度チャレンジする．イレウス症状が強く，全身状態にも影響のある場合は，開腹により粘稠な胎便栓を取り除くことも考慮する．

一般的には，低出生体重児の場合は，注腸造影などによる内科的治療が有効なことが多いが，成熟児の場合は外科的治療を要することが多い．ただし，低出生体重児でも，ガストロ

グラフィン注腸を反復しても胎便の排泄が得られず，通過障害部位より口側の拡張腸管に穿孔を生じてしまうこともある．このような場合は，緊急開腹術が必要となる．

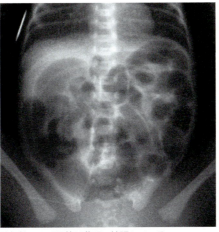
胎便栓により腸管は著明に拡張している．

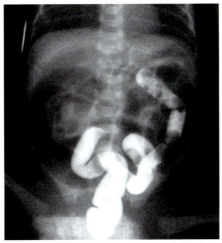
注腸造影にて胎便によるfilling defectを多数認める．

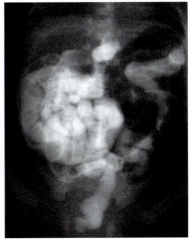
造影剤が上行結腸より吻側に達した画像．この後，症状は速やかに改善した．

図10-1 胎便栓症候群の腹部X線像

> **MEMO**
> ### 注腸造影の実際
>
> 　胎便栓症候群は，SGAの超低出生体重児に多い．また注腸造影が必要となるのは，生後2〜5日に多く，イレウス症状と造影処置によるストレスとを考慮の上，注腸造影施行の要否を判断する必要がある．我々は，最初の数回は保育器内で10〜15mL程度の造影を試み，全く造影剤が上がって行かない症例に関しては，透視室へ移動することとしている．

第10章／消化器疾患の管理

3 壊死性腸炎
necrotizing enterocolitis（NEC）

✎ Key point

壊死性腸炎（NEC）は依然として未熟児の生命予後を左右する重要な疾患であり，発症促進因子の回避と早期診断・早期治療が重要である．

▷ ［概念］

　未熟腸管の凝固壊死を伴う炎症を特徴とする後天性の消化器疾患．超低出生体重児が全体の2/3以上を占め，超低出生体重児に限ると壊死性腸炎発生頻度は2～3％，死亡率は55～70％と高い．好発部位は空腸，次いで上行結腸，盲腸，横行結腸，S状結腸だが，穿孔は回盲部周辺に多い．

1 病　因

▶1 未熟腸管

（1）腸管機能の未熟性
- 在胎35～36週以降で発生頻度が急激に低下する．
- ステロイドの出生前投与により発生頻度が低下する．

（2）腸管局所の感染防御機構の未熟性
- ムチン，ラクトフェリン，リゾチーム，IgAの量・活性の不足．
- 母乳栄養により発生頻度が低下する．

（3）炎症修復能の未熟性

▶2 腸管虚血・低酸素状態

　出生直後の低血圧，低体温，低酸素，アシドーシスなどのストレス，仮死，diving reflex，動脈管開存症（PDA），呼吸窮迫症候群（RDS），臍動脈カテーテル留置，経腸栄養など．

▶3 薬物

　インダシン（腸管血流を維持するプロスタグランディンを阻害する），デキサメサゾンなど．

▶4 感染

E. coli, *Klebsiella*, *Clostridium* などの検出率が高い．母乳栄養児の発生が少ない．エンテロウイルス感染も注目されている．

▶5 経腸栄養

一般には授乳開始後の発症が多いが，超低出生体重児やIUGR児では栄養開始前に発症することも多い．人工栄養では免疫成分の欠如，高浸透圧，アレルギーが関与し，未消化カゼインが炎症をきたす，脂肪酸が上皮障害や腸管の透過性を亢進させるとも言われる．母乳は毒性の低い脂質を含み，IGF-1，EGFなどの成長因子や甲状腺ホルモンをも含んでいるため，母乳栄養児は壊死性腸炎の頻度が少ないとされている．

一方，長期の飢餓は腸管粘膜の萎縮，炎症の増強を助長するため，特に早産児では早期授乳が推奨され，その結果壊死性腸炎発症が減少したという報告もある（経腸栄養の項p.142参照）.

2 症 状

(1) 発症は生後3日以内のことが多く，平均2週間前後とされている．未熟性が発症の因子として重要であり，極低出生体重児の7〜10%に発症するとの報告もある．

(2) 初期には胃残乳の増加，腹部膨満のみであり，進行すれば胆汁性嘔吐，便潜血陽性，粘血便，腹壁発赤，腹部腫瘤触知などが出現する．

(3) 全身状態が悪化するとショック，DICなど敗血症と区別がつかない．多くは急激な経過をたどり発症後12〜24時間で腸管壊死をきたすが，なかには軽症例もあり様々である．

(4) 超低出生体重児の一部では段階的な経過をたどらず，経管栄養開始前でもX線上腸管ガスの欠如した状態（gasless abdomen）から突然，腹部膨満，腹壁色の青変を呈し消化管穿孔に至るため，注意が必要である．

3 診 断

(1) まず疑うこと！ 臨床症状とX線所見から診断する．

(2) 厚生省研究班の診断基準（ 表10-1 ），修正Bellの分類（ 表10-2 ）

(3) 以下の検査所見も参考にする．

①X線所見

- 初期には腸管拡張像，腸管ループ固定像（fixed gas pattern），腸管壁肥厚像を認める．
- 古典的には進行例で腸管壁内ガス像，門脈内ガス像，腹水，穿孔すればフリーエアを認める．
- 超低出生体重児ではgasless abdomenも多く，この場合穿孔してもフリーエアはない．

②腹部超音波所見

- 中心部高エコー，周囲が低エコーで肥厚した腸管像（pseudo-kidney あるいは bull's eye）を認める．
- 超音波による門脈内ガスはX線よりも早い時期に見られ，診断的価値が高いと言われている．

③血液検査所見

- 血小板減少，代謝性アシドーシス，低Na血症，白血球増多，核左方移動，CRP陽性など．
- 敗血症に類似しており，特有の所見はない．

表10-1　壊死性腸炎の診断基準（厚生省研究班より）

I　疑診
　1）臨床所見
　　腹部膨満；しだいに増強，高度を増し，腸管ループの透視，さらに光沢を呈するようになる．
　　胃内容停滞；授乳前の吸引量増加，さらに短銃の混入をみるようになる．
　　血便：潜血反応陽性から肉眼的出血までさまざま．下痢を伴うことが多い．
　2）X線所見
　　腸管拡張像；小腸ガスを主体とした大小さまざまな拡張像が混在，しかも分布が不規則となる．
　　　◎上記のような消化器症状およびX線所見を，とくに，未熟児にみた場合，本症を疑う．
　　　◎種々の原因による低酸素症，授乳，感染因子を有する極小未熟児に，無呼吸，徐脈，体温不安定，活動性の減弱をみせる場合は，さらに疑わしい．
　　　◎あくまでも疑いの段階であるが，急激に増悪する重篤な疾患であり，この段階から治療を開始する．
　　　◎綿密な臨床症状の観察と，治療効果をみながらの方針決定により over-treatment を避ける．
II　確診
　疑診の症状，所見に加え，次のX線所見のいずれかを認めたとき，臨床的に NEC と確診する．
　1）腸壁内ガス像　intramural gas（IMG）
　2）門脈内ガス像　portal venous gas（PVG）
　　　◎X線診断のコツ
　　　　前後像だけでなく，側面像（cross-table view）を併用する．
　　　　少なくとも疑診後は8～12時間ごとに追視する．
　　　　回盲部に病変を生じやすいため注意する

注意　「腸壁内ガス像・門脈内ガス像」は NEC の最も診断的価値が高いX線像ではあるが，同画像が得られたからといって，NEC と診断できる訳ではない．以下に示す単純X線・CT像は典型的な「腸壁内ガス像・門脈内ガス像」であるが，これは中腸軸捻転症の症例でみられたものである．NEC と診断するには，同症を除外することも忘れてはならない．

表10-2　Bellの壊死性腸炎病期別診断基準（修正）（Walsh, 1986）

病期	全身徴候	腸管徴候	X線所見	治療
ⅠA-NECの疑い	体温不安定 無呼吸，徐脈 嗜眠	授乳前残乳増加 軽度腹部膨満 嘔吐 便潜血陽性	正常あるいは 腸管拡張， 軽度イレウス	経口禁止 抗菌薬3日間 培養結果待ち
ⅠB-NECの疑い	同上	鮮紅血便	同上	同上
ⅡA-NECの疑い 明らかな NEC軽症	同上	同上，加えて 腸管雑音消失 腹部圧痛（±）	腸管拡張 イレウス 腸管壁内ガス	経口禁止 抗菌薬7〜10日間 （もし検査が24〜 48時間で正常化す れば）
ⅡB-中等症NEC 確定	同上，加えて軽度 代謝性アシドーシス 軽度血小板減少	同上，加えて 腸管雑音消失 明らかな腹部圧痛 腹壁蜂窩織炎（±） または右下腹部腫 瘤（±）	ⅡAと同じ， 加えて門脈内ガス 腹水（±）	経口禁止 抗菌薬14日間 アシドーシスに対 してNaHCO₃
ⅢA-進行したNEC NEC極めて重症 小腸穿孔なし	ⅡBと同じ，加えて 低血圧，徐脈 重症無呼吸 混合性アシドーシス DIC，好中球減少	ⅡBと同じ，加えて 汎腹膜炎症状 著明な腹部圧痛 腹部膨満	ⅡBと同じ，加え て明らかな腹水	同上，加えて 200mL/kg以上の 輸液 強心剤 人工換気 腹腔内穿刺
ⅢB-進行したNEC 小腸穿孔あり	ⅢAと同じ	ⅢAと同じ	ⅡBと同じ， 加えて気腹	同上，加えて外科 的治療

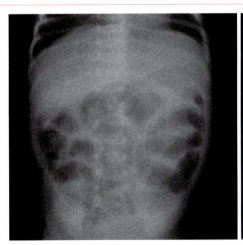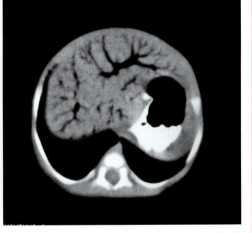

図10-2　腸壁内ガス・門脈内ガスを呈する腹部X線像と同じCT像

4 治　療

　早期からの積極的内科的治療により重症化が防げることも多いため，疑わしきは治療するべきである．本症の予後を考えると多少のover treatmentはやむを得ない．

▷ ［予防］

　全身状態を安定させ，先行因子を排除するのが第一である．壊死性腸炎が疑わしい場合は禁乳として経過観察する．しかしそうでなければ，早期授乳の観点からは，注入前の胃内容物を確認しながら母乳を少量からゆっくり増量していくことも必要である．

▷ ［内科的管理・治療］

● 先行因子・増悪因子を排除する．
● 禁乳とし，胃内チューブを留置し開放，または2〜3時間ごとに吸引し減圧を図る．
● 全身管理としての呼吸・循環・体温・栄養・感染管理を行う．
● 血液培養を施行した上で抗生物質投与，場合により免疫グロブリンや抗真菌薬の投与を考慮する．
● 必要に応じて，輸液・輸血，アシドーシス・電解質の補正，強心剤，利尿剤，抗DIC療法などを行う．

▷ ［外科的治療］

● 方法：腹腔ドレナージ，腹腔洗浄，腸切除，腸吻合，腸瘻増設など．
● 適応：穿孔例が絶対適応．内科的治療抵抗例は，ケースによっては外科的治療の適応となる．
● ただし，腹膜炎，穿孔があっても全身状態不良なら内科的治療を選択せざる得ない場合もある．また，積極的なドレナージにより手術を回避したという症例も報告されている．

第10章 / 消化器疾患の管理

4 消化管閉鎖症

Key point

胎児超音波診断学の進歩により，消化管閉鎖症の出生前診断例が増えてきている．さらに周術期管理や外科的治療の技術向上により，児の予後やQOLは改善してきた．しかしすべての合併奇形が出生前診断できるわけではなく，時機を逸さず診断・治療することが重要である．

1 先天性食道閉鎖症

▷ ［概念］

頻度は3,500〜4,500出生に1例であり，Gross C型（上部食道が盲端に終わり，下部食道と気管の間に気管食道瘻がある）が85〜90％，気管食道瘻のないGross A型が7％で，残りがB型，D型，E型である．約半数の症例に他の合併奇形が存在する．

▷ ［症状］

出生後早期から泡沫状の唾液流出，むせ込み，呼吸障害などが出現する．胃内チューブが挿入できないことを契機に，発見されることも多い．下部食道との気管食道瘻があれば腹部膨満を生じる．

▷ ［診断］

胎児超音波検査では羊水過多と胃泡の消失から診断される．出生後に太めのカテーテルを食道内に挿入し，胸腹部X線で上部食道内にcoil-up signが見られれば診断は確実である．腸管ガスの分布を同時に見ることで，気管食道瘻の有無も鑑別可能である．したがって造影検査は必須ではない．

▷ ［治療］

合併奇形の有無が予後を左右するため，その精査を行う．

(1) 術前管理：気道確保のため口腔内と上部食道の吸引を頻回に行う．腹臥位または側臥位として，頭部は挙上する．誤嚥性肺炎の予防に努める．

(2) 手術：全身状態が安定した段階で一期的に食道再建と気管食道瘻の閉鎖を行う．食道盲端間の距離が長い症例では，食道瘻・胃瘻増設後の二期的根治術が選択される．

2 先天性十二指腸閉鎖症

▶ [概念]

頻度は6,000～10,000出生に1例である．閉塞部がVater乳頭より口側のもの（prepapillary type）と肛側のもの（postpapillary type）があり，後者の頻度が高い．また，閉塞の病型は膜様閉鎖の頻度が最も高い．本症の約30%にDown症候群を合併する．

▶ [症状]

出生後早期から嘔吐，上腹部に限局した腹部膨満，胎便排泄異常，黄疸が出現する．嘔吐はprepapillary typeでは非胆汁性だが，postpapillary typeでは胆汁性である．胎便排泄は認めないか少量であることが多く，postpapillary typeでは灰白色便となる．

▶ [診断]

胎児超音波検査では羊水過多とdouble bubble signにより診断する．出生後の腹部単純X線でも同様にdouble bubble signにより診断される．注腸造影は腸回転異常の有無を確認するために必須である．

▶ [治療]

(1) 術前管理：①胃内チューブを挿入し胃内の減圧，②輸液により脱水と電解質異常の補正，③黄疸に対する治療を行う．中腸軸捻転の合併がなければ緊急手術の適応とはならず，以上の治療により全身状態が安定してから待機的手術を行う．

(2) 手術：一期的に施行し，閉塞の形式により膜様物の切離やダイアモンド吻合を行う．術後吻合部を越えてチューブを挿入すれば，早期からの経腸栄養が可能である．

3 先天性小腸閉鎖症

▶ [概念]

頻度は5,000～10,000出生に1例である．回腸閉鎖の方が空腸閉鎖より多い．食道閉鎖や十二指腸閉鎖に比較して心奇形や染色体異常の合併頻度は低いが，腸回転異常や胎便性腹膜炎などの消化管奇形・疾患の合併頻度が高い．

▶ [症状]

空腸閉鎖では，比較的早期に胆汁性嘔吐が出現する．腹部膨満は上腹部に限局する．一方，回腸閉鎖では，胆汁性嘔吐の出現時期は遅れ，腹部全体が膨満する．胎便排泄は遅延し，灰白色や淡緑色便となる．黄疸もみられることがある．

▶ [診断]

胎児超音波検査では羊水過多と拡張腸管により診断する．出生後は臨床症状と腹部単純X線写真で診断可能である．閉塞部位が高位の場合はtriple bubble signがみられ，閉塞部位が下位になるにしたがい，鏡面像が左上腹部から右下腹部に向かって増える．注腸造影は他疾患との鑑別，腸回転異常の有無を確認するのに必要である．

▶ [治療]

(1) 術前管理：十二指腸閉鎖症と同様に，①胃内チューブを挿入し胃内の減圧，②輸液によ

り脱水と電解質異常の補正，③黄疸に対する治療を行う．内科的治療により，全身状態が安定してから待機的手術を行う．

(2) 手術：一期的に施行し，閉塞の形式により膜様物の切離やend-to-back吻合を行う．術後1〜2週間は経静脈栄養となる．また，黄疸が遷延することも多く，光線療法などが必要となる．

4 鎖肛（直腸肛門奇形）

▷ [概念]

　会陰部の肛門窩に正常肛門がない奇形のことである．頻度は5,000出生に1例で男児に多い．瘻孔を形成しているものが約80%である．直腸盲端部の位置と排便機能上重要な恥骨直腸筋との位置関係から，高位型，中間位型，低位型に分類される．低位型が過半数で最も多い．他の合併奇形が存在することも多い．

▷ [症状]

　出生後の直腸検温時に肛門が見つからないことで気づく．便秘，便が細いといった排便障害から瘻孔の存在に気づくこともある．瘻孔から少量の胎便排泄があることで発見が遅れると，腹部膨満や嘔吐といったイレウス症状が出現する．

▷ [診断]

　視診により診断は容易である．病型診断は治療方針を左右するため，腸管ガスが直腸に達する生後12時間以降に，肛門窩にマーカーを置いて倒立位腹部単純X線撮影を行う．瘻孔があれば，瘻孔造影も行う．

　鎖肛には，泌尿・生殖器系の異常を合併することも多く，合併症の検索も重要である．

▷ [治療]

　高位型，中間位型では新生児期に人工肛門を造設する．その後，膀胱尿道造影や直腸造影を行い正確な病型を診断する．体重が8〜9kg程度になれば根治術を行い，その2〜3ヵ月後に人工肛門を閉鎖する．

　低位型では原則として，新生児期に根治術を行う．

5 腸回転異常症
malrotation

第10章／消化器疾患の管理

✎ Key point

消化管閉鎖症と比較し，少し遅れて発症することが多いのが特徴．中腸軸捻転から広範囲小腸切除となり短腸症候群を合併した児のQOLは芳しくないため，早期診断，早期治療が重要である．

▶ [概念]

腸管の発生過程における腸管回転が障害されたものである．頻度は5,000〜10,000出生に1例で男児に多い．回転・固定の時期や程度によって，様々な病型に分類される．臍帯ヘルニアや横隔膜ヘルニアに高率に合併し，他の消化管奇形を合併することもある．

▶ [病態]

正常の腸管は，胎生11〜12週ごろまでに上腸間膜動脈を中心に反時計方向に270度回転して後腹膜に固定されるが，本症ではこの正常の腸回転が途中で止まってしまう．上行結腸と右側腹壁の間に形成されるLadd靭帯により十二指腸が圧迫される．また，腸間膜が後腹膜に固定されていないため，上腸間膜動脈を軸として中腸軸捻転を起こし，絞扼性イレウスを発症する．

▶ [症状]

本症の80%は新生児期に発症する．それまで哺乳や胎便排泄に問題なかった児に，突然の胆汁性嘔吐と腹部膨満が出現する．嘔吐は十二指腸の閉塞症状のことが多く，先天性十二指腸閉鎖症と比較して出現時期が遅いことが多い．また新生児期発症例の約80%に中腸軸捻転を伴うため，下血や全身状態不良の児ではこれを疑う．

▶ [診断]

(1) 哺乳を開始して日齢3〜5に突然の胆汁性嘔吐と腹部膨満が出現したら，本症を疑う．

(2) 経腸栄養開始初期の未熟児などで下血を伴う場合は，中腸軸捻転と壊死性腸炎との鑑別が重要であり，時にその鑑別は困難である（壊死性腸炎の項p.238参照）．

(3) 診断は以下の画像所見などから確定される．

　①腹部単純X線："double bubble sign"を認めることもある．一般に下部消化管ガスは少ないが，軸捻転を起こした場合は鏡面像などを認める．

　②超音波検査：80%の児で上腸間膜動静脈の位置関係が逆転し，上腸間膜静脈が上腸間膜動脈の左側に描出される．中腸軸捻転では，上腸間膜動脈の周囲で上腸間膜静脈が反時計方向に渦巻く所見（whirlpool sign）がみられる．

　③上部消化管造影：トライツ（Treitz）靭帯の位置異常を認める（図10-3）．中腸軸捻転では造影剤の通過障害や，空腸の"corkscrew sign"がみられる．

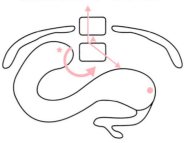

A．正常新生児の十二指腸造影像　　B．腸回転異常症の十二指腸造影像

図10-3　矢状断面
▲第1腰椎上部中央線上（＝SMA起始部），★十二指腸下行脚部上部，●十二指腸・空腸移行部（＝トライツ靱帯）
A．正常のCループでは，トライツ靱帯（●）が十二指腸下行脚上部（★）より上方に位置する．上腸間膜動脈（SMA）起始部（▲）から頭側に垂直に引いた線が左回りに270度回転した時点でトライツ靱帯（●）が形成される．
B．一見，Cループが完成しているように見えても，トライツ靱帯（●）が十二指腸下行脚上部（★）より下方に位置する場合，SMA起始部（▲）から頭側に垂直に引いた線とSMA起始部（▲）とトライツ靱帯（●）を結ぶ線のなす角度が270度未満の場合は腸回転異常症と診断される．

▶ ［治療］
(1) 術前管理：①胃内チューブを挿入し胃内の減圧，②輸液により脱水と電解質異常の補正を行う．中腸軸捻転の合併がなければ緊急手術の適応とはならず，以上の治療により全身状態が安定してから待機的手術を行う．
(2) 手術：十二指腸を圧迫しているLadd靱帯を切離し，軸捻転予防のために十二指腸と結腸を上腸間膜動脈から剥離して腸間膜を広げておく．中腸軸捻転の場合は，まず軸捻転を解除し，壊死した腸管があれば切除する．

MEMO
短腸症候群の治療

　中腸軸捻転の最も重大な合併症は「短腸症候群」である．軸捻転の解除が遅れると広範な小腸が壊死してしまい，長期（あるいは生涯にわたる）中心静脈栄養が必要となる．長期の中心静脈栄養は，肝障害・感染症のリスクが極めて高く，患児およびその家族の負担は深刻である．
　近年，小腸からの吸収を増大させる新たな薬物療法が開発された．レベスティブ®がその薬剤で，インクレチンの一種GLP-2作動薬である．これは天然型GLP-2よりも長く腸管へ作用するGLP-2アナログで，腸管吸収機能の改善を促す効果がある．
　短腸に至る児を減らすため，中腸軸捻転の早期診断・治療が最も重要なことは言うまでもないが，これまで中心静脈栄養以外の治療手段がなかった短腸症候群に対する新たな治療への期待は大きい．

第10章／消化器疾患の管理

ヒルシュスプルング病
Hirschsprung disease

> **Key point**
>
> 　保存的管理方法の向上により，待機的に一期手術を行うことが増え，手術成績も良好となってきた．しかし中には排便処置により症状が軽減し，学童期や成人になってから診断される例もある．したがって，器質的疾患のないイレウス症状や排便障害を見た場合，本症を疑うことが重要である．

▶［概念］

　新生児期の機能的腸閉塞疾患の代表選手で，肛門側腸管の腸管壁内神経節細胞の先天的欠如に由来する．頻度は5,000出生に1例で男児に多い．合併奇形は少ない．Down症候群児に比較的多い．直腸末端まで神経細胞が認められるにもかかわらず，先天的な下部消化管の運動機能障害を示す「ヒルシュスプルング病類縁疾患」という概念もある．

▶［病態］

　腸管壁の筋層にあるアウエルバッハ（Auerbach）神経叢と粘膜下層にあるマイスネル（Meisner）神経叢が欠如している．このため，無神経節腸管では正常の蠕動運動がみられなくなり，イレウス症状を呈する．

▶［症状］

　出生後早期から胆汁性嘔吐，腹部膨満，頑固な便秘，排便障害，胎便排泄遅延などを呈する．ただし，症状は無神経節腸管の長さや排便処置の有無によりかなり個人差があり，浣腸や肛門ブジーなどにより排便することも少なくない．また，腸炎を反復し下痢を繰り返すこともある．

▶［診断］

(1) 生後48時間以上胎便排泄がなければ，まず腹部単純X線を撮影する．拡張した腸管ガス像や鏡面像がみられる．

(2) 注腸造影（消化管造影検査の項p.255参照）：
無神経節腸管は"narrow segment"（狭小部）として造影され，口側の正常結腸は拡張し"caliber change"（径の変化）が特徴的である．narrow segmentの範囲により病型分類される．全結腸または回腸まで無神経節腸管が広がる場合はcaliber changeがみられない．また，新生児早期には腸管の拡張が明瞭でないためcaliber changeが不明瞭なこともある．

(3) 直腸粘膜生検：
アセチルコリンエステラーゼ（Ach-E）染色を行い，Ach-E活性が著しく増強していれば診断確定である．

▷ [治療]

(1) 浣腸，ブジーなどの排便処置を繰り返しながら保存的治療を試みる．

(2) 保存的治療が可能で無神経節腸管が短ければ，体重増加を待って生後2〜3ヵ月頃に一期的根治術を行う．

(3) 無神経節腸管が長くても保存的治療可能な場合は，できるだけ早期に一期的根治術を行う．

(4) 保存的治療が不可能な場合は人工肛門を造設し，体重増加を待って二期的に根治術を施行する．

(5) 重篤な腸炎を合併し敗血症に陥れば，抗生物質投与や洗腸を行ったり，一時的に人工肛門を造設したりすることもある．

第10章／消化器疾患の管理

7 先天性横隔膜ヘルニア
congenital diaphragmatic hernia（CDH）

> **Key point**
>
> 先天性横隔膜ヘルニアは外科的治療のみならず，呼吸器管理が重要な病態であり，新生児科医にとっても難しい病態の一つである．先天性横隔膜ヘルニア診療ガイドラインの初版は2016年に発表されたが，2021年に改訂された．その内容も含めて解説する．

▶ [概念]

　胎生8週に形成されるはずの横隔膜に欠損があり，腹腔内臓器が胸腔内へ脱出する疾患である．頻度は2,000～5,000出生に1例で，最も多いのは左後部のボホダレク（Bochdalek）孔で90％の症例で患側は左側である．胃，小腸，大腸，肝，脾などが胸腔に脱出する．腸回転異常症や先天性心疾患の合併が多い．

▶ [病態]

　胎生期からの胸腔内への臓器脱出は，肺の低形成をもたらす．縦隔が健側に圧排されるため，健側肺も低形成となる．妊娠中期に胎児診断されるような児では，著明な肺低形成であることが多い．また，肺血管の形成異常も伴っており，新生児遷延性肺高血圧症（PPHN）に陥りやすい．肺低形成による呼吸不全から高炭酸ガス血症，低酸素血症，アシドーシスとなる上に，これらを誘因としてPPHNを発症するため，ますます低酸素血症が増悪し，循環不全が進行する．

▶ [症状]

　重症例では，出生直後から重度の呼吸窮迫症状を認める．胸郭は膨隆し，腹部は陥凹する．患側肺の呼吸音は減弱または消失し，心音は健側で聴こえる．気胸を合併すればさらに呼吸音は減弱する．

1 診　断

Ⓐ 出生前診断

胎児期の評価で最も重要なものは，健常肺がどれだけ存在するか？ であり，以下の指標が用いられる．

▶1 o/eLHR（observed/expected LHR）

LHRとはLung:Head比のことで，胎児心の4-chamberと同じレベルの黄疸面で計測し，下記の計算式で算出する．

LHR＝健側肺の最長径（mm）×それに垂直な短径（mm）／頭周囲長（mm）

LHR＜1.0における死亡率27～70%（平均61%）vs. LHR≧1.0における死亡率6～46%（平均25%）

LHR実測値を週数での予測値で補正したものがobserved/expected LHR（o/e LHR）で，これが現在世界中で最も普及している指標である．

o/eLHR＜25%における死亡率20～87%（平均50%）vs. o/eLHR≧50%における死亡率4～26%（平均16%）

▶2 肝脱出の有無

肝臓の脱出は，超音波検査でもMRIでも診断可能な指標である．肝脱出がある場合の死亡率19～81%（平均47%）vs. 肝脱出がない場合の死亡率6～38%（平均17%）

▶3 LT比（肺胸郭断面積比）

胎児胸郭断面積は超音波検査を用いて，胎児の四腔断面において胸郭の内側に沿ってトレースした胸郭断面積を，肺周囲に沿ってトレースした肺断面積で割って算出する．

L/T比（健側肺）＝健側肺断面積（m²）／胸郭断面積（m²）比

LT比＜0.08の死亡率33～66%（平均51%）　vs. LT比≧0.08の死亡率4～18%（平均8%）

Ⓑ 出生後診断

症状から横隔膜ヘルニアを疑えば胸部単純X線写真を撮影する．本来腹腔内にあるはずの消化管ガス像が胸腔内に見られ，縦隔が健側に偏位していれば診断は容易である．胎児超音波検査でも同様に，胸腔内に腸管を認め，心臓や縦隔が健側に偏位していることから診断する．

先天性心疾患合併例では特に予後不良であることから，心臓超音波検査は必須である．

2 治　療

治療に関する新しいガイドラインの要点をまとめる[1].

【娩出の時期・方法】

　# 現時点において一律な分娩介入時期の推奨は困難である．母体や胎児の状態，CDHの重症度，各施設の診療体制や患者家族の意向を総合的に検討して分娩方針を決定することが奨められる．

　# 胎児診断例において，帝王切開と経腟分娩のいずれも一律な分娩方法は奨められない．

【蘇生時の注意点】

　# 呼吸・循環に関する十分なモニタリングを行いながら，呼吸・循環状態の重症度に応じて，気管挿管，人工呼吸管理，静脈路確保，薬剤投与，胃管挿入などの治療を速やかに行う．

【術前の管理】

　# 新生児CDHの予後改善を考慮した場合，Gentle ventilation（人工呼吸器の設定を高くしすぎない呼吸管理）は有効だと考えられる．

　# 新生児CDHに対して一律にHFVを使用することは奨められない．重症度や各施設の経験，使用機器を考慮して，その使用を検討する．

　# 肺高血圧のある新生児CDHに対してiNOは考慮すべき治療法である．

　# 新生児CDH全例に対して一律にステロイドの全身投与を行うことは奨められない．ただし，低血圧・肺線維化・浮腫・相対的副腎不全など個別の病態においては適応を検討することが奨められる．

　# 重症肺高血圧のある新生児CDHに対し最適な肺血管拡張剤として推奨できる薬剤はない．

　# 新生児CDHにおいて一律にECMOを施行することは奨められないが，可逆的な呼吸障害に対してECMOの適応を検討することは奨められる．

【手術の時期】

　# 新生児CDHでは，呼吸・循環状態が不安定な状態で手術を行うことは奨められない．ただし，個々の重症度を考慮した場合，最適な手術時期の設定は困難である．

3 長期的な合併症

　新生児CDHの長期的な合併症にはヘルニア再発，肺高血圧症，呼吸器合併症，神経学的合併症，身体発育不全，難聴，胃食道逆流症，骨格筋異常（漏斗胸，側弯，胸郭変形），腸閉塞，停留精巣などがあり，長期的なフォローアップが奨められる．

文献

1) 令和3年度厚生労働科学研究費補助金事業「呼吸器系先天異常疾患の診療体制構築とデータベースおよび診療ガイドラインに基づいた医療水準向上に関する研究」．新生児先天性横隔膜ヘルニア（CDH）診療ガイドライン第2版（2021）．第1.0版．2022年1月

第10章 / 消化器疾患の管理

臍帯ヘルニア

Key point

腹壁破裂などとともに腹壁形成異常の一つである．先天合併異常の合併が多く，死亡率の高い病態である．ただし，病型によって合併異常の罹患率・その種類は大きく異なっており，それを覚えておく必要がある．

▶ ［概念］
臍帯から腹腔内臓器が脱出した状態で出生する病態．欠損孔の部位により，(1)臍上部型，(2)臍部型，(3)臍下部型の3つに分類され，(1)と(3)には種類の重篤な合併異常を伴うことが知られている．
(1) 臍上部型には横隔膜胸骨部欠損・心疾患（ファロー四徴症など）胸骨下部欠損・心膜欠損などの合併が多い．
(2) 臍部型が最も多く，欠損孔が5cm以上と大きい場合は腸だけでなく肝臓も脱出ていることがある．欠損孔が小さく，小腸の一部だけがわずかに出ているものは臍帯内ヘルニアと呼ばれ，重大な合併奇形は少ないが，腸の奇形を伴うことが多く，確認を要する．
(3) 臍下部型には総排泄腔外反・恥骨離開・尿道上裂・高位鎖肛・髄膜瘤・膀胱外反・膀胱腸裂などの合併が多い．

▶ ［病態］
臍帯からの腹腔内臓器が脱出する病態だが，欠損孔が5cm以上で，羊膜および腹膜により被覆されているのが特徴．胎生5週以前の腹壁を形成する過程の異常により発症すると考えられており，1人/5,000〜10,000出生で発生する．ほぼ全例に腸回転異常症を伴い，時に小腸閉鎖症の合併が認められる．

▶ ［診断］
通常，超音波検査で，胎児期に診断される．

▶ ［治療］
脱出臓器が少ない場合には，出生後ただちに，緊急手術を行って脱出臓器を腹腔内に戻す（一期的腹壁閉鎖手術）．しかし，実際には脱出臓器が多く，一期的に腹腔内に戻せない場合が多い．このような場合は，手術中にwound retractorというナイロン袋を，創部を拡げて中に腸をはめ込むように設置し，その後，数日間かけて次第に絞っていき，袋内の腸管を腹腔内に還納させた後に，腹壁を閉じる方法がよく行われている（多期的腹壁閉鎖手術）．

253

第10章／消化器疾患の管理

9 腹壁破裂

> ### Key point
> 腹壁破裂などとともに腹壁形成異常の1つだが，臍帯ヘルニアとは異なり，他の先天異常の合併が少なく，比較的予後の良い疾患である．臍帯ヘルニアとあわせて記憶しておかねばならない．

▷ [概念]

胎生5～8週以降の腹壁形成過程において，臍帯の右側に腹壁欠損が生じ，腹腔内臓器（小腸・大腸など）が脱出した状態で出生する病態．1人/20,000出生の稀な疾患で，低出生体重児に発生することが多い．

▷ [病態]

腹壁の欠損はあるが，臍帯などの形成異常は伴っていないため，合併奇形は少ない．欠損孔は3cm以下と小さいことが多く，羊膜（ヘルニア嚢）がないことが特徴である．

▷ [診断]

通常，超音波検査で，胎児期に診断される．

▷ [治療]

外科的治療は臍帯ヘルニアと同様である．臍帯ヘルニアとは異なり，合併奇形を伴うことは少ないため，予後は一般に良好なことが多いが，消化管の長期間の羊水暴露や栄養欠陥の圧迫による血行障害が生じ得る．腸回転異常・軸捻転・腸閉鎖／狭窄・穿孔・壊死性腸炎などを起こすこともある．このような場合，長期にわたる中心静脈栄養が必要となる場合もある．

第10章／消化器疾患の管理

消化管造影検査

🔖 Key point

消化管疾患の診断のために造影検査を行うことは稀でない．成人や小児とは違った配慮が新生児の場合には必要であり，ここに実際の検査方法を示す．

▶ [準備]
(1) 検者以外に，児の観察を行うため新生児の蘇生能力を持った担当医が必ず付き添う．検者は画面に熱中してしまうものであり，患児を検査の合併症から守ってあげられるのは担当医しかいない．
(2) 重症児では，呼吸心拍モニターやパルスオキシメーターを装着し，急変に備えてあらかじめ静脈ラインを確保しておく．蘇生に必要な物品も持参する．
(3) 検査室は保育器内やNICUより確実に寒いため，ラジアントウォーマーや温枕などで保温を図り，必要に応じて体温をモニターする．通常，上肢や下肢を適切に抑制，固定すれば鎮静は必要ない．

▶ [造影剤の選択]
(1) 消化管造影で成人に広く用いられるバリウムは，腸管の動きが悪い新生児・未熟児ではイレウスのリスクがある．また，消化管閉鎖・穿孔が疑われる児や誤嚥の可能性がある児では非水溶性が問題となり，上部消化管造影では使用できない．注腸造影にはバリウムを使用できる．
(2) 一方，イオン性高浸透圧性水溶性造影剤のガストログラフィン®は，高張液のため脱水を助長したり，粘膜毒性のため誤嚥時に肺水腫や化学性肺炎を起こすリスクがあるため，唯一の適応は「胎便性イレウスの児に対する治療的注腸投与」のみであり，この場合は3倍程度に希釈して使用する．
(3) したがって，新生児の上部消化管造影には，非イオン性低浸透圧性水溶性造影剤のイオパミロン®などが使用される．

1 方　法

Ⓐ 上部消化管造影

①検査前3〜4時間は絶飲食とする．
②あらかじめ，イオパミロン®を温生食で5倍に希釈しておく．

③まず5〜8Frの胃内チューブを上部食道まで挿入し，右下側臥位で食道を造影する．

④そのままの姿勢で胃の流出路，十二指腸の走行を確認する．可能なら，身体を揺すると造影剤が十二指腸へ流れやすくなることがある．

⑤胃食道逆流の検索をする場合には，胃内チューブを挿入し，1回哺乳量に等しくなるように造影剤を投与する．その後チューブを抜去し，仰臥位正面像で胃食道接合部を観察する．

⑥その後は，造影剤が小腸を進むように体位変換を繰り返し，なるべく肛側まで造影剤が流れるよう試みる．

⑦6〜12〜24時間で撮影し，造影剤の進展状況を確認する．

Ⓑ 注腸造影

①温生食で，バリウムなら3倍に，ガストログラフィンなら6倍に，それぞれ希釈した造影剤を用意しておく．

②造影剤入り50mLシリンジ（栄養チューブと接続する先の太いもの）を用意する．

③患児を側臥位とし，シリンジの先端を直接肛門にしっかりと挿入（肛門より1cmの挿入を標とする）し，漏れを防ぐようにする．

④透視しながら，口側結腸・回盲部に達するまで，ゆっくりと造影剤を入れていく．

⑤"barium impaction"による閉塞の助長を避けるため，検査の目的が達せられたら洗腸・浣腸を行い，造影剤を充分排出させる．

⑥検査終了24時間後に撮影し，造影剤の残存の有無を確認する．

> **注意** **ヒルシュスプルング病を疑う場合は以下の注意が必要**
>
> ①narrow segment（狭小部）が拡張しcaliber change（径の変化）がわかりにくくなるため，少なくとも検査前24時間は浣腸・洗腸・ブジーなどの処置は行わない．
>
> ②注入速度が速すぎると，caliber changeがわかりにくくなるため，なるべくゆっくり造影剤を入れていく．
>
> ③直腸とS状結腸が描出された時点で撮影する．
>
> ④transition zone（移行帯）が明らかになり診断が確定したら，それ以上の造影剤の注入をやめるが，caliber changeが描出されず拡張腸管も証明されない場合は，さらに口側結腸・回盲部まで描出する．

参考文献

・仁志田博司，他編．新生児・乳児の臨床画像診断．医学書院．1999．

・窪田昭男，他編．最新 新生児外科学．ぱーそん書房．2019．

第11章

腎・泌尿器疾患
の管理

第11章／腎・泌尿器疾患の管理

1 急性腎不全

✎ Key point

急性腎不全の治療はその病態に応じて適切に行わなくてはならない．新生児の急性腎不全で最も多い原因は腎前性腎不全であり，「尿量が少ないから利尿剤」と短絡的に判断すると，状態の悪化を招きかねないことに注意すべきである．

▷ [概念]

急性腎不全は，突然に腎機能が障害されて老廃物を十分に排泄できなくなった状態である．新生児の場合，一般的には血清クレアチニン値が1.5mg/dL以上，尿量が1mL/kg/時間未満の場合に腎不全が疑われる．糸球体濾過量が減っても，尿細管の再吸収能も障害されている場合，腎不全でも見かけ上，尿量は維持されるため注意が必要である．

1 分　類

(1) **腎前性腎不全**（85%）：腎血流の低下による．新生児の腎不全の原因として最も多い．
  ● 原因：周産期仮死，低酸素血症，低容量性ショック，心原性ショック，敗血症性ショック，インドメタシンなど．
(2) **腎性腎不全**（11%）：腎臓の器質的障害による．
  ● 原因：急性尿細管壊死（acute tubular necrosis；ATN），虚血性腎実質障害，腎血栓症，先天性腎奇形，腎盂腎炎，大量溶血，薬剤性腎障害など．
(3) **腎後性腎不全**（3%）：尿路の閉塞による．
  ● 原因：後部尿道弁，その他の両側性の尿路狭窄，尿路結石，神経因性膀胱
    ＊新生児の急性腎不全の原因として，周産期仮死は最も多い原因の一つであるが，これは仮死後の低血圧・diving reflexによる腎血流低下や，低灌流・低酸素血症に続発するATNによるものである．

2 検査・診断

Ⓐ 病歴の確認

- 出生前情報：羊水過少，羊水過多，胎児腎奇形，胎児腎機能に影響を及ぼすような薬剤の投与，先天性腎疾患の家族歴．
- 出生後の児の情報：在胎週数，低容量性ショックの原因となり得る異常（前置胎盤・常位胎盤早期剥離・臍帯出血），周産期仮死，呼吸窮迫症候群，敗血症，臍帯動脈カテーテル，腎機能に影響を及ぼす薬剤の使用（インドメタシン，抗MRSA薬）．

Ⓑ 身体所見

血圧測定，浮腫の程度や肝腫大の評価．水腎症・腎静脈血栓症では腹部腫瘤が明らかな場合がある．脊髄髄膜瘤，鎖肛などの合併奇形がないかどうかを確認する．

Ⓒ 腎機能評価と鑑別のために必要な検査

（1）血清クレアチニン

糸球体濾過率を反映．1.5mg/dL以上，0.2～0.3mg/dL/日以上の上昇率は急性腎不全と考えられる．

> 補足：
> クレアチニンは胎盤を通過するため，出生時の児血清クレアチニン値は母体とほぼ同じであり，児の腎機能を反映しない．一方，シスタチンCは胎盤を通過せず，出生直後から児の腎機能を反映するため，腎無形成などの場合，クレアチニンより有用な指標となる可能性がある[*1]．
>
> *1 Tomotaki S, et al. Pediatr Nephrol 2017; 32: 2089-2095.

（2）血清BUN

50mg/dL以上は急性腎不全と考えられるが，クレアチニンと乖離がみられる場合には，組織破壊や蛋白分解亢進に伴う尿素産生増加を考える．

（3）血清電解質（Na・K・Ca・P），血液ガス

腎不全による体液・電解質バランスの異常を評価する．

（4）検尿（沈渣）

腎前性・腎後性腎不全では一般検尿は正常所見のことが多い．赤血球円柱や蛋白尿の存在は腎臓の器質的障害を示唆する．茶色泥状の顆粒状円柱（muddy brown granular casts）はATNを強く疑う所見である．

(5) 尿中Na, FENa (fractional excretion of sodium, 尿中Na排泄率)

尿細管機能が正常ならば，腎前性腎不全ではNa排泄を抑えて水分の喪失を防ごうとするため，尿中Naは低下する．これに対し腎性腎不全では尿細管機能が障害されているため，尿中Naは高値傾向となる．鑑別にはFENaを用いる方がより正確である．

$$FENa（\%）＝｛（尿Na/血清Na）/（尿クレアチニン/血清クレアチニン）｝×100$$

一般的にFENa<2%は腎前性腎不全を示唆する．早産児はもともとNa再吸収能が未熟であることを考慮し，修正31週以上ではFENa>3%，修正29～30週ではFENa>6%の場合には腎性腎不全が示唆される．修正29週未満ではFENaは腎不全の鑑別には有用ではない[1]．volume expanderや利尿剤を投与した後の尿では，病態を反映した結果が得られない場合がある．また，血清Na値，Na投与量によってもFENa（%）の値は大きく変動するため，これらの情報を加味して評価する必要がある．

(6) 尿浸透圧

尿中への窒素やクレアチニン，尿酸，Na，Clなどの排泄量による．成熟児の正常な尿濃縮能があれば，腎前性腎不全では400mOsm/kg以上となる．尿浸透圧の低下は尿濃縮能の破綻，すなわち腎性腎不全を示唆する．

(7) 超音波検査

腎盂や尿管の拡大がなく，正常な大きさの膀胱が排尿後に空虚になれば，尿路閉塞による腎後性腎不全は否定できる．腎血流評価により血栓症や腎血管病変を評価する．

3 治療

腎前性か腎性かはっきりしない場合には，診断的治療として，生理食塩水による容量負荷をかけて反応を見る方法がある（fluid challenge）．尿量が増加すれば腎前性と判断できるが，心不全徴候や動脈管開存，脳浮腫がある場合には実施しにくい．また腎不全の場合には腎排泄型の薬剤の投与方法を修正しなければならない（通常，投与間隔を長くする）．

Ⓐ 腎前性腎不全

治療の基本は，腎血流の増加を目的とした容量負荷とカテコラミンの使用である．
(1) 容量負荷．生理食塩水で十分効果はあり，アルブミンを使用する必要はない[2]．
(2) 容量負荷に反応しない心不全・低血圧があれば，カテコラミンの使用を考慮する．高用量のドパミン（イノバン®）投与は逆に腎血流が減少することがあり注意する．
(3) 利尿剤に糸球体濾過量を増やす効果はなく，使用に際しては常に病態を悪化させる可能性を考える．

Ⓑ 腎性腎不全

治療の主体は，腎機能が改善されるまでの間，体液・電解質バランスを正常に保つための対症療法である．

（1）水分制限

　　● 急性期の水分投与量は前日の尿量＋不感蒸泄＋腎以外からの水分排泄（胃吸引，ドレーン排液）．不感蒸泄量の目安は成熟児で20〜30mL/kg/日，極低出生体重児で30〜60mL/kg/日と言われるが，生後日数や，ラジアントウォーマー下での管理，光線療法など影響する因子は多く，頻回の体重測定によって水分出納を評価する．

（2）電解質異常および酸塩基平衡障害の補正

　　● 低Na血症：細胞外液中Na濃度の希釈によることが多く，治療は水分制限を主とする．体外へのNa排泄に見合うだけの補正は行う．

　　● 高K血症：p.153を参照．

　　● 低Ca血症：グルコン酸カルシウム（カルチコール®）を投与する．高P血症があればPの投与を制限する．

　　● 代謝性アシドーシス：pH＞7.20〜7.25を目標に補正する．換気が不十分で，著明な呼吸性アシドーシスがある状態では意味がない．

（3）高血圧に対する治療

　　● 通常は容量過多によるものである．

（4）利尿剤

　　● フロセミド（ラシックス®）は強力な利尿作用を持ち，腎血流量や糸球体濾過量を減少させないため，第一選択として用いられる．

（5）腹膜透析（peritoneal dialysis；PD）

　　● 上記治療に反応しない腎不全，特に心不全や重篤な電解質異常がある場合に適応となる．

（6）持続血液透析濾過（continuous hemodiafiltration；CHDF）

　　● 開腹手術後や，腹膜透析で十分な効果が得られない場合に適応となる．

MEMO

利尿剤投与の是非

　「尿量が少ないから利尿剤を投与する」と短絡的に判断することは危険である．なぜなら，新生児の急性腎不全の原因として最も多い腎前性腎不全であった場合，利尿剤投与後に血管内容量がさらに減り，腎血流低下からATNなどの二次的障害をもたらす恐れによる．循環血液量の評価は，臨床経過（分娩様式や出血の有無）・臨床症状（浮腫や肝腫大）・胸部X線（心胸郭比）・心臓超音波所見（左室拡張末期径，下大静脈径，上大静脈血流）などから総合的に行うが，腎前性か腎性かはっきりしない場合には，呼吸障害に注意しながら容量負荷をかけ，反応をみる方法がある．

4　NICU で使用する利尿薬

フロセミド（ラシックス®）

- ヘンレ係蹄上行脚で $NaK^{-2}Cl$ 共輸送体による Na の能動的再吸収を抑制し，その結果高浸透圧勾配が低下し，尿濃縮能が阻害されて，等張に近い尿が排泄される.
- 生後3週間を過ぎた慢性肺疾患に対するフロセミドの長期投与は，呼吸機能の改善をもたらすとされている[3]．使用後に尿量が増加しなくても呼吸状態の改善を認めることがあり，近位尿細管への作用以外に肺への直接作用があると考えられている[4].
- 低 Na 血症や低 K 血症，低 Cl 性代謝性アルカローシスを高率にきたす．また長期投与に伴い，腎石灰症や難聴のリスクが増すため，注意が必要である.

スピロノラクトン（アルダクトン®）

- アルドステロン受容体と結合してその作用を阻害し，Na 再吸収と K 排泄を抑制する.
- 利尿効果はごく弱く，単独で用いられることはない．フロセミドやサイアザイドによる低 K 血症の副作用を軽減するために併用される.

アセタゾラミド（ダイアモックス®）

- Na^+ の再吸収と H^+ の排泄を抑え，Na 利尿と体液の酸性化をもたらす.
- 脳浮腫軽減効果があり，出血後水頭症で用いられる.
- フロセミドと同様に，尿中 Ca 排泄を増加させる.
- 尿 pH を高く保つ必要がある場合（高尿酸尿症），低 Cl 性代謝性アルカローシスに有効な場合がある.

サイアザイド（フルイトラン®）

- 遠位尿細管の尿細管腔側に存在する Na^+-Cl^- 共輸送体を阻害し，Na と Cl の再吸収を抑制する.
- 糸球体濾過量が減少すると言われている.
- Ca 再吸収を促進するため，尿中 Ca 排泄を抑制し，骨粗鬆症などの骨疾患に有益な可能性がある．フロセミド連用中に腎石灰症や未熟児くる病の悪化（二次性副甲状腺機能亢進症）を認める症例では，本剤に変更すると改善する場合がある.
- 呼吸機能改善効果や，聴器毒性について，フロセミドと比較された臨床試験はない.

文献

1）Ishizaki Y, et al. Acta Paediatr Jpn 1993; 35: 311-315.
2）Greenough A. Eur J Pediatr 1998; 157: 699-702.
3）Cochrane Database 2002: CD001453
4）Rush MG, et al. J Pediatr 1990; 117: 112-118.

MEMO

交換輸血

　一般に，交換輸血は，効率が十分ではないため，急性腎不全の際の治療としては適していない．しかし我々は，頻回の交換輸血で，約1週間に及ぶ無～乏尿を乗り切った症例を経験したのでここに示す．

　「症例は，在胎33週5日，TTTSの供血児のため，BW1,394g，Apgar 1点（1分)/2点（5分）にて出生した．Hypovolemic shockのため，収縮期血圧は10台，PT 23.2秒・APTT 152.5秒・Dダイマー 158.7 μg/mL，AST 3,674IU/L・LDH 16,300IU/L・CPK 3046IU/Lと著明なDIC・組織障害を認めた．Day 0～8の尿量は連日1mL/kg/日未満であったが，この間13回の交換輸血を繰り返すことによって，腎機能改善までの期間をしのぐことができた．Day 9には，尿量の増加と共に，腸管虚血による小腸穿孔が顕在化し，人工肛門造設術を施行した．以後，幾多の合併症を乗り越え，現在8ヵ月になるが，精神運動発達も良好である」（日周産期・新生児会誌 2005；41：843-848）

　以上の経験から，透析などの体制が整うまでの期間，あるいは全身状態が著しく不良な児の場合，時には躊躇せず交換輸血を開始することも必要だと考えられる．

第11章／腎・泌尿器疾患の管理

2 腎・尿路系のエコーの撮り方

✎ Key point

　妊娠中に腎盂拡張を指摘された児の精査，腎後性腎不全の鑑別，極低出生体重児の腎石灰症など，NICUに入院する児の腎・尿路系の超音波検査を行う機会は多い．本項では検査のポイントについて解説した．

1 超音波検査の実際

　仰臥位で側腹部からプローブを当て，腎臓の長軸断面と短軸断面を観察する．腹部ガスが多く観察が困難な場合は，腹臥位で背中からプローブを当てる．次に恥骨上部にプローブを当てて膀胱を観察する．以下のポイントに注目する．

1）腎長軸径
- 体重別の腎長軸径の基準値を 表11-1 に示す[1]．

2）腎盂拡張
- 短軸断面の前後径で評価（ 図11-1 ）．正期産児ならば7mm以上で腎盂拡張と判断する．

3）腎杯の拡張，腎実質の菲薄化の有無
- 腎盂拡張がある場合には，注意して観察する．日本小児泌尿器科学会の分類を 表11-2 に示す．

4）尿管の拡張
- 腎盂尿管移行部を超えて，近位尿管が拡張しているかどうか．
- 膀胱背部より流入する2本の遠位尿管が拡張しているかどうか．

5）腎実質の評価
- 腎盂腎杯壁の肥厚，腎皮質髄質の境界消失．これらは重度の膀胱尿管逆流症で認められることがある[2]．
- 腎皮質もしくは髄質に点状高輝度域を認める場合，腎石灰症が疑われる．

表11-1　標準腎臓長径[1]

体重（g）	下限（cm）	上限（cm）
600	26.4	35.7
1,000	29.4	38.7
1,500	33.1	42.5
2,000	36.9	46.2
2,500	40.6	49.9
3,000	44.3	53.7

表11-2　水腎症の分類（日本小児泌尿器科学会の分類をもとに著者作成）

Grade 0：腎盂拡張なし
Grade 1：腎盂拡張のみで腎杯の拡張なし
Grade 2：腎盂拡張に加え数個の腎杯拡張あり
Grade 3：すべての腎杯拡張あり

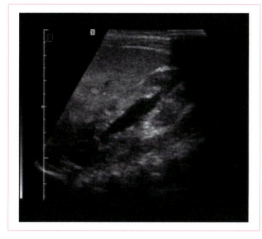

図11-1　腎短軸軸像
腎盂前後径は15mmに拡張している．

2　検査結果の解釈と対応

A　妊娠中に腎盂拡張を指摘された児

- 妊娠中期に腎盂前後径4mm以上，妊娠後期に7mm以上の場合に有意な腎盂拡張ありと判断する[3]．出生後1回の検査で異常は否定できない．特に尿量が少なく膀胱が空虚になっている時には，異常所見が出ないこともある．妊娠経過中に腎盂前後径15mm以上を指摘された例では，生後数日間の超音波所見が正常でも，1ヵ月検診時に再検するようにする．

- 有意な異常所見を認めた場合には，泌尿器科コンサルトの上，VCG（voiding cystourethrography，排泄時膀胱尿道造影）やレノグラム，MRウログラフィの検査計画を立てる．VUR（vesicoureteral reflux，膀胱尿管逆流症）が否定されるまでは，抗菌薬の予防投与（セフゾン®3mg/kg，分1など）を考慮する．
- 腎実質の著明な菲薄化，両側水腎症で血清クレアチニンが低下傾向にない場合には，緊急手術の可能性があるため，早めに泌尿器科にコンサルテーションする．

Ⓑ 腎後性腎不全の鑑別

筋弛緩薬投与や腎尿路結石などにより，後天的に尿路閉塞をきたすことがある．前者の場合はカテーテル導尿で改善する．後者の場合は泌尿器科にコンサルテーションする．

Ⓒ 極低出生体重児の腎石灰症（nephrocalcinosis）（図11-2）

極低出生体重児において腎石灰症は17～64％と高率に認められることが知られている[4]．石灰化成分はシュウ酸カルシウムやリン酸カルシウムが主であり，その原因として尿細管機能の未熟性や，ステロイド・長期利尿剤によるカルシウム尿症などが考えられている[5]．肉眼的血尿や尿閉を発症することもあるが，多くは無症候性である．

しかし腎石灰症を呈した児は，1～2年後に高血圧や腎機能異常を認める率が高いという報告があり，その臨床的意義についてはさらに検討していかなければならない．

文献
1) Schlesinger AE, et al. Radiology 1987; 164: 127-129.
2) Avni EF, et al. Br J Radiol 1997; 70: 977-982.
3) Ismaili K, et al. J Pediatr 2004; 144: 759-765.
4) Saarela T, et al. Acta Paediatr 1999; 88: 655-660.
5) Cranefield DJ, et al. Pediatr Radiol 2004; 34: 138-142.

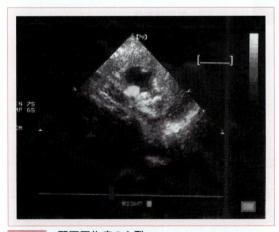

図11-2　腎石灰化症の1例
かなり進行した症例で明らかな結石として描出されている．この結石は利尿剤（ラシックス®）を中止することによって，4週間後には自然消失．

第12章

合併症を持つ母から
出生した児の管理

第12章 / 合併症を持つ母から出生した児の管理

1 代表的なウイルスの母子感染

> **Key point**
>
> 母体のウイルス感染が児に及ぼす影響はウイルスの種類によって異なる．ここでは，産道感染・経母乳感染が問題となるウイルスに関する対処法を中心に解説する．

1 B型肝炎ウイルス（HBV；hepatitis B virus）

1) 妊婦健診にてHBsAg/Ab検査を行う．HBsAg陽性の場合，HBeAg/Abもチェックする．
2) 2013年に，B型肝炎母子予防が大きく変更された（表12-1）．

表12-1　B型肝炎ウイルス母子感染予防のための指針（2013）

出生時	HBsAg陽性母体児は全例，生後12時間以内に抗HBヒト免疫グロブリン1mLを2ヵ所に分けて筋注し，B型肝炎ワクチン0.25mLを皮下注する．
生後1ヵ月	B型肝炎ワクチン0.25mLを皮下注する．
生後6ヵ月	B型肝炎ワクチン0.25mLを皮下注する．
生後9〜12ヵ月	HBs抗原・HBs抗体検査を実施する． 　HBs抗原陰性かつHBs抗体≧10mIU/mL 　……予防処置終了（予防成功と判断） 　HBs抗原陰性かつHBs抗体<10mIU/mL 　……HBワクチン追加接種 　HBs抗原陽性 　……専門医療機関への紹介（B型肝炎ウイルス感染を精査）

新　日本小児科学会が推奨するB型肝炎ウイルス母子感染予防の管理方法

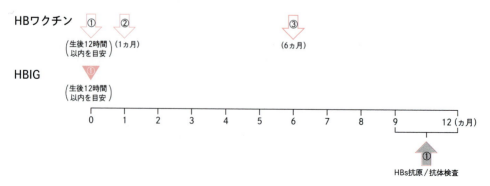

注意

● HBVが母子感染した場合，男児の50％，女児の20％が将来肝がんを発生し，約25％が HBV関連疾患にて死亡する．よって，母子感染防止は極めて重要である．

● 母乳はHBV母子感染の頻度には影響せず，推進すべきである．

MEMO

早産児の母子感染予防のポイント（2014年，日本小児科学会の指針より）

　出生体重2,000g未満の児は，免疫応答の未熟性のため，定期の3回接種では十分な抗体が得られない．このため，医学的には，生後2ヵ月を加えた4回接種（出生時，生後2ヵ月，4ヵ月，6ヵ月）とすべきである（ただし，2ヵ月の接種に関しては保険適応なし）．なお，出生体重2000g以上の児は，通常通りとする．

注意1　重篤な急性疾患等に罹患しており，やむをえず生後12時間以内にHBワクチン接種が行えない場合は，出生後早期にHBグロブリン投与を行った上，重篤な状態から離脱後速やかにHBワクチンの投与を行う．

注意2　低出生体重児で体格上，HBグロブリンの投与量の減量が必要な場合は，0.5mLまで減量できる．

注意3　母子感染のハイリスクであるHBe抗原陽性の母親から出生した児やHB抗体の獲得が不良である出生体重1500g未満の低出生体重児においては，生後2ヵ月時に0.5〜1mL（添付文書では体重1kgあたり0.16〜0.24mL）のHBグロブリンの追加接種を行うことも考慮される．

　2016年，B型肝炎ワクチンの定期接種が開始された．母親がキャリアでない場合の一般的な感染予防スケジュールは以下の通りである．

● 1歳になる前に3回接種する．

● 標準的なスケジュールでは，生後2ヵ月から4週間隔で2回，さらに1回目の接種から20週以上経ってから1回の計3回接種する．

2 C型肝炎ウイルス（HCV：hepatitis C virus）

　C型肝炎の母子感染予防は，これまでは2005年の「C型肝炎ウイルスキャリア妊婦とその出生児の管理ならびに指導指針」に沿って行われてきたが，その後の治療の進歩は著しく，新たなエビデンスも多く集積されてきた．ここでは，新たな「C型肝炎母子感染小児の診療ガイドライン」[1]の記載のうち，新生児〜乳幼児期の診療に関するステートメントを抜粋する．

1）母体のウイルス量が多いと母子感染率が高くなる.

2）C型肝炎キャリア妊婦に対して，選択的帝王切開により母子感染率は低下せず，母子感染予防目的として選択的帝王切開を行わないことを推奨する．ただし，HCV RNA量高値群のキャリア妊婦に対しては，わが国の分娩様式別母子感染率などを説明し，分娩様式について妊婦・家族の意思を尊重する.

3）C型肝炎キャリア妊婦から出生した児に対して，母乳栄養でも母子感染率は上昇しないため，母子感染予防の目的で人工栄養を行わないことを推奨する.

4）C型肝炎母子感染の診断のためには，HCV RNA検査を生後3ヵ月から12ヵ月までの間に3ヵ月以上あけて少なくとも2回行う．妊婦がHCV RNA陰性の場合は，HCV抗体検査を生後18ヵ月以降に行う.

5）C型肝炎ウイルス母子感染が成立した小児においては，その後20〜30％の割合でウイルスが自然消失する.

6）C型肝炎母子感染の小児に年1回以上の肝機能検査（AST/ALT）を行うことを推奨する.

3　HIV／AIDS （human immunodeficiency virus／acquired immunodeficiency syndrome）

　HIV母子感染の自然感染率は約20〜40％と言われているが，近年とられている対策を確実に行えば，母子感染率は1/10以下の2％程度まで低下させることが可能となっている．このためには，妊婦のHIV感染を正しく診断し，かつ適切に対応する必要がある.

　最初に，妊婦のHIV診断について説明した後，HIV感染妊婦に対する対応方法について，「HIV母子感染予防対策マニュアル第8版（平成30年度厚生労働科学研究費助成金エイズ対策研究事業）」の内容を基に解説する.

（1）感染妊婦の診断

　妊娠初期にHIVスクリーニング検査を受けることが推奨されているが，スクリーニング検査には偽陽性が多いことも知っておかねばならない．産科ガイドラインには「偽陽性が多く，HIVスクリーニング検査が陽性であっても95％の妊婦は感染していない」と記されており，精密検査の結果を待つことが重要である.

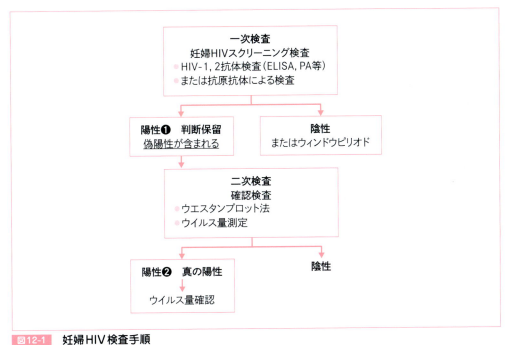

図12-1 妊婦HIV検査手順

(厚生労働省. 妊婦HIV一次検査マニュアル)

(2) HIV感染妊婦への対応

母子感染予防は以下の5つからなる.

1) 妊婦への抗HIV剤投与

ジドブジン（アジドチミジン；AZT）を含む多剤併用療法（HAART；highly active antiretroviral therapy）を行う.

2) 選択的帝王切開術

陣痛発来前に選択的予定帝王切開で娩出する.

かつては，子宮収縮に伴う母児間輸血により胎内感染をきたすことを回避するため，妊娠36週以前の帝王切開が推奨された時期もあったが，早産児は出生後の清式による低体温・呼吸障害・抗HIV薬の内服不能などの問題が多いため，子宮収縮がない場合には現在は37週での帝王切開が推奨されている.

3) 出生児における児の清式

児への蘇生処置を行う際には，児の皮膚・粘膜を損傷しないように気をつける.万一，皮膚に傷があるときにはイソジンで消毒を行う.

4) 母乳遮断

母乳には大量のウイルスが排泄されるため，断乳は必須である.

5) 児への抗HIV剤投与

出生児に6週間のAZT予防投与：出生後6〜12時間までにAZTの経口投与（AZTシロップ4mg/kgを12時間ごと）を開始し，生後4〜6週間まで継続する．なお，内服が不能な児の場合，AZT注射液3mg/kgを12時間ごとに経静脈投与する．副作用として貧血があり，エリスロポエチン投与や輸血を要することもある.

4 サイトメガロウイルス（CMV；cytomegalovirus）

1) 妊娠中に母体がサイトメガロウイルス（CMV）に初感染した場合，高頻度かつ重篤な胎内感染が成立すると考えられている．ただし，頻度は低いが再活性化によっても胎内感染が生じる可能性はある．

2) 従来妊婦のCMV抗体保有率は90〜95％とされてきたが，近年30代妊婦で70〜80％，20代では60〜70％，10代では40〜50％と，著明な低下傾向にあり，CMV胎内感染の増加が危惧されている．

3) 母体が妊娠中にCMVに初感染した場合，胎児に約40％の確率でCMVが伝播し，感染児の20％に症候性（症状がある）の先天性CMV感染症が起こると推定されている．症候性（症状・所見は 表12-1 を参照）であった児の90％に，難聴・精神発達遅滞などの後遺症を認めるが，無症候性であったとしても10％に同様の後遺症を認める．一方，母体が妊娠前に既感染であった場合は，胎児へCMVが感染する確率は極めて低く，先天性CMV感染症を認める頻度は多くないと考えられていたが，近年，**再活性化による先天感染が従来考えられていたほど稀ではないと変わってきている**．

4) 母乳や輸血を介する水平感染の可能性がある．CMV-IgG陽性の母体において（注：CMVIgMではない），生後2週を過ぎた頃にCMVが再活性化し，生後4〜5週にピークに達すると言われている．これが乳汁を介して児に移行し感染が成立すると考えられている．−20℃で72時間以上凍結保存すると感染性を抑えることができる．このため，超低出生体重児に対しては，生後2〜6週間は生母乳を与えることは避けるべきだという意見がある（MEMO参照）[2]．

　一方，正期産児の場合，免疫不全がなければ経母乳感染で後天性感染は発症しないとされている．すなわち，直接授乳は可である．

MEMO

超早産児に対するCMV既感染母体の母乳投与におけるCMV感染のリスク

　CMV既感染母体の場合，正期産児であれば，母体から抗CMV抗体が児に移行しているため，母乳に多少CMVが混入していても，問題となることはない．しかし，超早産児の場合は，抗CMV抗体の十分な移行が期待できない上に，母乳から移行するCMVが感染症状を引き起こすリスクがありうる．

　一方，超早産児にとって母乳は極めて重要なものであることは疑いがない．実際どうするのが良いのだろうか？　現時点で，コンセンサスの得られた指針はない．超早産児に対しては，直母できるようになるまでは，初乳を除いて（補足参照），凍結母乳を用いるという方法を推奨する意見もある．

　しかし，米国CDCの報告[1]によると，VLBW児の母乳による感染率は6.5％（うち1.4％がsepsis-like syndrome）で，冷凍母乳を使用した場合はそれぞれ4.4％（1.7％）であり，効果はわずかにすぎないとのことである．冷凍母乳を信用しすぎるのも問題なようだ．

文献

1) Lanzieri TM, et al. Pediatrics 2013; 131(6): e1937-e1945.

母乳のCMVの不活化は凍結では不十分で，低温殺菌（62.5℃，30分）が最も効果的である[3]との報告もある．

A 先天性（症候性）CMV感染症

▶ ［症状］

低出生体重，肝脾腫，黄疸，出血斑，小頭症，網脈絡膜炎，頭蓋内石灰化，精神運動発達遅滞，感音性難聴など．

▶ ［予後］

- 先天性CMV感染の約80％は不顕感染に終わるが，新生児期に症状の見られなかった児の10～15％が将来，難聴and/or精神運動発達障害をきたす．
- 症候性先天性CMV感染の児の死亡率は10～30％であり，早産児における死亡率はより高率である．
- 新生児期に中枢神経系の合併症を認めない児でも10～15％に難聴and/or発達障害をきたし，新生児期に中枢神経系異常を呈する児では90％に神経学的後遺症を認める．

▶ ［検査および診断］

- 2018年1月より，生後3週以内に採取された新生児尿を用いた「サイトメガロウイルス核酸検出（尿)」が保険適応となっており，その感度特異度は非常に高い．

補足：**どのような症例に検査をするか**
- 前述の 表12-1 に示すような症状を認めた場合，cCMVの検査を考慮する．特に新生児期聴覚スクリーニング異常や小児期診断の難聴では，検査を行うべきとする報告もある．
- 正期産児の脳室内出血を契機にcCMV感染を診断した症例報告もある．

▶ ［治療薬］

Valganciclovir（内服）およびGanciclovir（静注）がある．消化管障害がなければ，ルートキープが不要で外来治療が可能な前者が選択されることが多い．ともにcCMV感染症に対して保険適応がない薬剤であり，以下の治療効果および副作用を十分説明することが望ましい．

▶ ［効果および治療を考慮する対象］

聴力および精神運動発達予後改善への効果のエビデンスは蓄積されつつある．治療が考慮される対象について 表12-2 に示す[4]．

▶ ［副作用］

（短期的）好中球減少，肝障害

（長期的）ヒトでの評価はまだ不十分だが，動物実験では性腺毒性や発がん性が報告されている．

表12-2　先天性CMVの取扱い

推奨	症状，所見	治療
中枢神経系病変あり	小頭症・脳内石灰化・脈絡膜炎・白質病変などcCMVに合致する画像異常	抗ウイルス薬，6ヵ月
重症	単一臓器不全，中枢神経系以外の複数臓器障害など生命にかかわる状態	抗ウイルス薬，6ヵ月
中等症	CMVに合致する症状が複数あり出血斑，黄疸，SGAなど1〜2個	専門家とともに治療を考慮
	難聴単独	抗ウイルス薬，6ヵ月
軽症	出血斑，黄疸，SGAなど1〜2個	無治療
無症状	CMVウイルス検出問わず無症状	無治療

(文献4を参考に著者作成)

B 後天性（症候性）CMV感染症

徐脈を伴う無呼吸，腹部膨満などで発症し，CRP陽性・好中球減少・血小板減少を呈するために，敗血症との鑑別が困難な場合がある．

> 補足：
> かつては，症候性の先天性CMV感染は，胎児期に症状が固定されており，出生後の治療は効果がないと考えられていた．しかし，Kimberlinらが2003年にGCV治療による難聴の改善効果を報告して以降[5]，症候性先天性CMV感染症に対して積極的な治療が行われるようになりつつある．
>
> ただし，GCVやVGCVは投与により好中球減少などの副作用が懸念される．そのため，現時点では症候性感染症で，投与のメリットが副作用などのデメリットを上回ると判断された症例に対してのみ，治療が行われている．

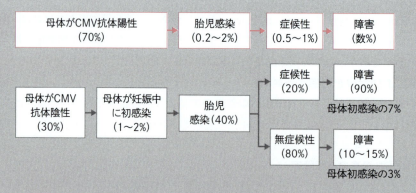

図12-2　サイトメガロウイルスの母子感染と出生時障害のリスク
母体がCMVに対する抗体を持っておらず，妊娠中に初感染してしまうと，数％の児が難聴・精神運動発達障害を持つことを示している．

(文献6を参考に著者作成)

5 HTLV-Ⅰ (human T-lymphotropic virus type Ⅰ)

1) 日本には100万人以上のHTLV-Ⅰキャリアが存在するが，生涯で発症する確率は2.5％と言われ，発症年齢は主に40〜50代である．

2) HTLV-Ⅰの関与する疾患は，成人T細胞白血病（ATL）とHTLV-Ⅰ関連ミエロパチー（HAM）が代表的である．ATLの多くは治療抵抗性で数年以内に死亡する．HAMは進行性の四肢痙性麻痺が主症状であるが，治療によってほとんどが改善する．

3) 母子感染のほとんどが経母乳感染により，一部が経胎盤感染であると言われており，長期間の母乳栄養での母子感染率は15〜20％だが，人工乳栄養の導入により母子感染率は1/5〜1/6にまで低下する．このため，現行のガイドラインではHTLV-1母体児には完全人工乳栄養が推奨されている．

4) 児の隔離は不要である．ただし血液汚染には特に注意する．

5) 児の感染の診断は，抗体検査による．母親からの移行抗体が消失する1歳以降，半年ごとにHTLV-Ⅰ抗体を検査し，3歳時点で抗体陰性であれば感染していないと判断する．

6 単純ヘルペスウイルス (HSV：Herpes Simplex virus)

　単純ヘルペスにはHSV-1とHSV-2の2種類あり，前者は主として口唇ヘルペス，後者が性器ヘルペスの原因となる．性器ヘルペスの場合，ウイルスは下半身の神経節にとどまり，潜伏する．そして何かのきっかけで再活性化され，症状の再発を引き起こしたり，他人に感染したりする．

▶ ［新生児HSV感染症の特徴］

1) 新生児HSV感染症は特に全身型，中枢神経型では極めて予後不良である．

2) 産道感染を防ぐため帝王切開が原則である．

3) 本症を疑った時点からの早期治療が特に重要である．

4) 妊娠初期や中期の初感染発症は流早産や先天性HSV感染症の原因となる．

5) 垂直感染の経路としては産道感染が90％と大部分を占め，経胎盤子宮内感染が5％，出生後の濃厚な接触による母子感染が5％である．選択的帝王切開が原則であるが，破水から4〜6時間以上が経過していた場合には，上行性感染のリスクが高くなると言われている．

6) 近年，性器ヘルペスに感染しても約60％が不顕感染となるが，このような場合も，ウイルスの排泄を生じていることがあり，無症状の母親（＝性器ヘルペス非感染者）と思われていた母体から出生した児に，単純ヘルペス感染が生じる恐れがあることが報告されている．

補足：

当院で経験した新生児HSV感染症では，敗血症様状態（重度の無呼吸や活気不良）を呈したにもかかわらず，白血球数・CRP上昇に乏しかった．母親が無症状であることが多く，さらに検査データで判断することも難しいため，常に「疑うこと」が肝要である．

▶ [HSV感染妊婦からの出生児の取り扱い]

1) NICUで管理する児は，以下の2つのケースが考えられる．
   ①性器ヘルペスに気付かず（不顕感染例を含む），経腟分娩に至ってしまった場合．
   ②帝王切開が施されたが，すでに破水から4時間以上が経過していた場合．

2) 垂直感染成立率は，母親がHSV初感染の場合は50%，再発の場合は3%になるが，臍帯血HSV-IgGを測定してそのリスクを評価する．

3) 入院後の処置
   ①臍帯血HSV-IgG，IgM提出．
   ②入院時に児の血液，咽頭粘液，結膜液を検体としたHSV-DNA（PCR）を提出．
   ③隔離および全身観察のために保育器収容する．可能であれば隔離室に入れる．
   ④処置に際しては手袋を着用し，他の児への伝播を防ぐ．
   ⑤一旦発症した場合の予後は不良であり，アシクロビル（ACV）予防投薬を開始する（その有効性についてはエビデンスがない）．

   【治療】
   ● 表在型　ACV（アシクロビル），20mg/kg，8時間ごと，14日間
   ● 全身型　ACV（アシクロビル），20mg/kg，8時間ごと，21日間
   ● 中枢型　ACV（アシクロビル），20mg/kg，8時間ごと，最低21日間
   　治療開始7日後に髄液PCR検査を実施，計2回のPCR陰性を確認し治療終了とする．PCR検査が陽性であれば，ACV増量（20mg/kg，6時間ごと）もしくはビダラビンやホスカルネット併用を考慮する．

   【再発予防】
   　再発例は神経学的予後が悪く，再発するほど予後が悪化することが知られている．神経予後改善および再発予防目的に，経口ACV，$900mg/m^2$，分3，6ヵ月間投与を行うことが推奨されている．

4) HSV垂直感染では日齢7までに90%が発症する．入院観察期間は最低10日間が目安である．経過中は以下の症状に注意する．

● 皮疹，口内疹は，典型的には紅斑局面上に直径1〜2mmの水疱が認められる．
● 検査所見では1,000IU/L以上のLDH上昇，凝固能異常などに注意する．
● 髄液NSE値の高値は中枢神経後遺症との相関が高く，予後判定に有用であるとされる．

表12-3	HSV感染の症状	
	初発症状	死亡率
全身型	発熱. 哺乳力, 活気の低下, 未熟児では無呼吸などの非特異的症状であることが多い. 特徴的とされる水疱は初診時には認められないこともしばしばある. 肝腫大, 黄疸, 出血傾向もよく認められる症状の一つである.	57%
中枢神経型	活気の低下, 易刺激性, 痙攣などが主要症状	15%
皮膚型	皮膚, 眼, 口腔内などの表在に病変が局在するもの 水疱となって現れる (予後良好)	0%

7 梅毒妊婦から出生した児への対応

梅毒は, 近年増加が憂慮されている性感染症である. よく知られた疾患ではあるが, その診断は難しい. 治療もペニシリンが有効というのは常識ではあるが, その詳細・問題点はあまり知られていない. わが国では, CDCやWHOが推奨するペニシリン系薬剤で使用可能なものが少ないことなどを紹介する.

▷ [梅毒の自然経過]

第1期梅毒

梅毒トレポネーマに感染した後, 約3週間の潜伏期を経て, 感染部位 (外陰部) に皮疹が出現する. 痛みを伴わないことも多く, 治療しなくとも2〜3週間で症状は消失する.

第2期梅毒

第1期梅毒の症状改善後4〜10週経過した頃に, 全身に皮疹・脱毛などの症状が出現する. これも, 治療しなくとも, 数週間〜数ヵ月で症状は消失する.

神経梅毒

第1, 2期梅毒を無治療で放置した場合, 病原体の中枢神経系への浸潤をきたし, 神経梅毒を発症する.

潜伏梅毒

第2期の症状が治まると, 数〜数十年無症状の期間が存在する. この間, 約30%が再発し, 皮膚症状が再燃する.

第3期梅毒

潜伏梅毒に対して治療を行わないと, 無症状のまま進行し, やがて, 第3期梅毒に移行, 心血管などの異常が出現する.

▷ [先天梅毒の症状]

先天梅毒の児の症状は成人とは異なる点が多数存在する. 先天梅毒の早期症状・晩期症状を 表12-4 , 表12-5 に示す. ただし, 先天梅毒に罹患していても, 2/3は新生児期に無症状であるため, 症状がないからと言って, 感染を否定することはできない.

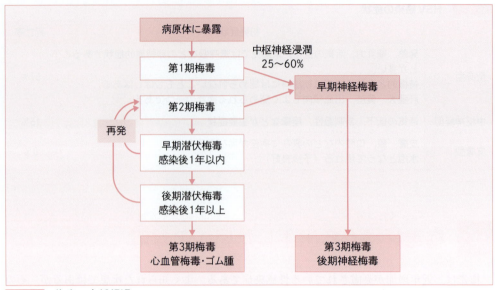

▶ 図12-3　**梅毒の自然経過**
梅毒の進行を図示した．ピンクに色付けした時期に妊娠すると母子感染を生じうる．
無症状期であっても，母子感染が生じ得る点に注意が必要である．

▶ 表12-4　**早期先天梅毒の症状**

妊娠・周産期	死産，早産，低出生体重児，非免疫性胎児水腫，大きく厚く蒼白な胎盤，壊死性臍帯炎
全身性	発熱，肝脾腫，全身性リンパ節腫脹，体重増加不良，浮腫
皮膚粘膜	膿性鼻汁，出血性鼻炎，斑点状丘疹，水疱性発疹（手掌/足底），扁平コンジローマ，黄疸
血液	貧血，血小板減少，白血球減少，白血球増加，DIC
筋・骨格	Parrotの仮性麻痺（骨病変の疼痛による四肢の動きの欠如）　X線異常（骨膜炎・骨破壊像）
神経系	脳脊髄液の異常，急性梅毒軟脳膜炎，慢性髄膜血管性梅毒
その他	肺炎，ネフローゼ症候群　など

▶ 表12-5　**晩期先天梅毒の症状**

顔貌	前額部突出，鞍鼻，短い上顎，下顎突出
眼	実質性角膜炎，脈絡網膜炎，続発性緑内障，角膜瘢痕，視神経委縮
耳	感音性難聴
中咽頭	Hutchinson歯（半月状切歯）
皮膚	口唇，肛門などの亀裂，ゴム腫
中枢神経系	知的障害，非進行性水頭症，痙攣，視神経委縮，若年性全身まひ
骨格	脛骨前弓（サーベル状変化）など

▷ ［母子感染予防］

産婦人科診療ガイドライン産科編2020，性感染症 診断・治療ガイドライン2020：

バイシリンG　120万単位/日（分3）またはアモキシリン1,500mg/日（分3）4週間

ただし，本方法では梅毒の母子感染予防は不十分であるとする意見が強い．

CDC・WHO母子感染予防

\# 第1期梅毒・第2期梅毒・早期潜伏梅毒【感染後2年以内】

ベンザチンペニシリンG　240万単位　筋注単回投与

⇒　本薬剤は日本では使用できない

\# 後期潜伏梅毒【感染後2年以上】

ベンザチンペニシリンG　240万単位　筋注1回/週×3週間 投与

⇒　本薬剤は日本では使用できない

\# 神経梅毒

水溶性ベンジルペニシリン　1,200 ～ 2,400万単位/日（分6）　静注14日間

日本で使用できるのは　注射用ペニシリンGカリウム（注射用ベンジルペニシリン）のみである．より重症な神経梅毒を予防できることから，水溶性ベンジルペニシリン1,200～2,400万単位/日（分6）静注14日間であれば，母子感染を予防しうると考えられるが，このような治療を行っている施設はごく稀であろう．そういう意味で，日本で**梅毒妊婦から出生する児はほぼすべて，先天感染のリスクがある**と考えざるを得ない．

▷ ［梅毒妊婦から出生した児の対応（CDCガイドライン）］

先天梅毒は無症状のことが多く，経胎盤的に移行したIgG抗体の存在のため，血清学的な診断も開始解釈が複雑である．治療の決定は①母体の梅毒確定，②適切な母体治療の有無，③児の臨床症状，④母児間での血清抗体価の比較による．

▷ ［出生児の検査］

1）確定または可能性が非常に高い場合：先天梅毒の臨床症状がある，または，非トレポネーマ抗体価（RPR）が母体の4倍以上

● 血液検査（血算・肝機能など一般生化学）

● 髄液検査

● 長管骨，胸部X線検査

● 頭部画像検査

● 眼科診察

2）可能性がある場合：先天梅毒の臨床症状なし，かつ，RPRが母体の4倍未満だが，母が未治療あるいは治療不十分な場合（日本のガイドラインによる治療はCDCでは不適切な治療とみなされるため，日本の梅毒妊婦から出生する児はほぼこれに相当する）

● 血液検査（血算・肝機能など一般生化学）

● 髄液検査

● 長管骨，胸部X線検査

梅毒の抗体検査

- 非トレポネーマテスト（STS法：serologic test for syphilis）
  カルジオリピンやレシチンのリン脂質を抗原とする非特異抗体
- Rapid plasma regain test（RPR法）
  定量評価
  病勢を反映するが生物学的疑陽性（BFP: biological false positive）もある

- トレポネーマテスト：CDCガイドラインでは解釈の困難さからトレポネーマテストは推奨していない．
- 梅毒トレポネーマを抗原に用いる特異抗体（TP抗体）：HA法，PA法，LA法があり，それぞれ TPHA，TPPA，TPLA と呼ぶ（総称して TPHA と呼ばれる）．治療後も長期に要請を持続し，治療効果判定には不適当
- FTA-ABS：胎盤移行のないIgMを測定できる

▶ ［出生児に対する治療とフォローアップ］

1）出生児の治療（CDCガイドラインに準拠）

水溶性ベンジルペニシリン　5万単位/kg/回×2回　12時間各　7生日まで
5万単位/kg/回×3回　8時間各　8生日以降　計10日間静注
（隔離不要，治療開始後24時間以内は標準予防策）

2）出生児のフォローアップ法

- RPRが陰性化するまで2～3ヵ月おきにフォローする．
- 出生時にRPRが陰性でも，血清学的潜伏期を考慮して3ヵ月後に再検し，陰性持続を確認する．
- RPRが生後6ヵ月の時点で陰性であれば，更なる検査や治療は不要．
- 生後6～12ヵ月でRPR陽性であれば，6ヵ月ごとに髄液検査を実施する．

なお，胎盤移行したトレポネーマテストは15ヵ月ごろまで陽性となるため，治療効果の判定に用いるべきではない．

文献

1）日本小児栄養消化器肝臓病学会，他編．C型肝炎母子感染小児の診療ガイドライン．日小児栄消病会誌2020；34(2)：95-121.

2）Yasuda A, et al. Pediatrics 2003；111：1333-1336.

3）Hamprecht K, et al. Pediatr Res 2004；56：529-535.

4）Luck SE, et al. Pediatr Infect Dis J 2017；36:1205-1213.

5）Kimberlin DW, et al. J Pediatr 2003; 143(1): 16-25.

6）サイトメガロウイルス妊娠管理マニュアル第2版（https://www.med.kobe-u.ac.jp/cmv/pdf/pnf_s2.pdf）

7）Nishijima T, et al. Emerg Infect Dis 2020; 26: 1192-1200.

第12章 / 合併症を持つ母から出生した児の管理

2 主な母体合併症と新生児の管理

Key point

糖尿病や甲状腺疾患，膠原病など様々な合併症を持つ母親から出生した児は，時として治療的介入を必要とすることがあり，適切に管理・対応しなければならない．この項では個々の病態，検査時期や内容，観察項目，治療適応について解説する．

1 糖尿病

器官形成期である妊娠初期の血糖コントロールが悪いと，児の大奇形発生率が高くなる．妊娠初期のHbA1cが6〜7%以上であった場合には，以下に示すような奇形に注意しなければならない．

母体糖尿病に合併する胎児奇形
1. 中枢神経系：無脳症，脳瘤，脊髄髄膜瘤
2. 骨格・脊髄：尾部形成不全症，二分脊椎
3. 心臓：大血管転位，VSD，ASD，単心室など
4. 腎臓：無形成，嚢胞腎，重複尿管
5. 消化器系：左側大腸低形成，鎖肛
6. 肺低形成

妊娠後期の高血糖は，胎児のインスリン分泌亢進により，巨大児（分娩外傷）・低血糖・低Ca血症・多血症・高ビリルビン血症の合併のリスクが高くなる．また呼吸循環状態の不安定な児については，RDSによる呼吸不全や肥厚性心筋症による心不全の可能性も考慮しなければならない．

> 補足：
> 糖尿病性血管病変を合併している重症例では，FGRの要素も加わり，必ずしも巨大児とはならない．

▶ ［必要な情報］
- 妊娠初期と後期の血糖コントロール状況（HbA1c）．
- 肩甲難産の有無．

▷ [検査]
● 初回診察では奇形の有無や，肩甲難産であれば分娩麻痺や鎖骨骨折の所見に注意する．
● 児採血でCBCとCaを測定する．血糖値は生後2・3・4時間で測定する．
● 呼吸循環状態の不安定な児に対しては，胸部X線・胃液マイクロバブルテスト・心臓超音波検査を行う．

▷ [管理]
● 高インスリン性低血糖は，代替エネルギーとしてのケトン体の産生も抑制されるため，症候化しやすく他の原因による低血糖よりも危険である．特に巨大児・多血症・妊娠後期のHbA1c高値などのリスク因子があれば，早めの対処が必要である．
● 多血傾向の児はその後の黄疸の重症化に注意する．

▷ [糖尿病母体児に母乳栄養を推進するためのポイント]
　WHOの母乳推進のための10カ条は糖尿病母体児にとっても，他の児と同様重要な事項だが，その適応にはいくつか心がけなければならないことがある[1]．スタッフはそのことを熟知しておかねばならない．
● 糖尿病母体児も他の児同様，出生後早期のskin to skin contactは推奨されるべきである．
● 生後1時間以内には母乳栄養が開始されるべきである．糖代謝を活性化させるためには，母乳栄養の開始が極めて重要であることを，出産前から母親に教育しておかねばならない．
● 糖尿病母体児といえども，低血糖症状がない限り生後2時間はルーチンの血糖値測定は行うべきではない．
● 早期授乳など，できる限りの母乳栄養を試みても血糖値が2mmol/L（＝36mg/dL）以下に低下してしまった場合，低血糖による症状を呈する場合，あるいは経口哺乳ができない児の場合などには，母乳栄養のみで対処することはできない．そのため，経管栄養・ブドウ糖の静脈内投与などを開始しなければならない．
● 生後3時間以降になっても低血糖が持続する場合は，NICUへの入院が必要である．

妊娠糖尿病の診断基準

2010年，妊娠糖尿病の診断基準が大きく変わり，妊娠糖尿病と診断される妊婦の数が3〜4倍に増えたと推定される．これは，リスクのある妊婦を広くスクリーニングし，早期から管理を徹底することで，周産期リスクを減らすだけでなく，将来の糖尿病人口を減らすことが目的とされている．なお，2015年に改訂されたが，大きくは変わっていない．

妊娠糖尿病診断基準より抜粋（日本産科婦人科学会，日本糖尿病学会，日本糖尿病・妊娠学会）

1）妊娠糖尿病（gestational diabetes mellitus；GDM）

75gOGTTにおいて次の基準の1点以上を満たした場合に診断する．

① 空腹時血糖値 ≧ 92mg/dL（5.1mmol/L）

② 1時間値 ≧ 180mg/dL（10.0mmol/L）

③ 2時間値 ≧ 153mg/dL（8.5mmol/L）

2）妊娠中の明らかな糖尿病（overt diabetes in pregnancy）

以下のいずれかを満たした場合に診断する．

① 空腹時血糖値 ≧ 126mg/dL

② HbA1c値 ≧ 6.5％

＊ 随時血糖値 ≧ 200mg/dL，あるいは75gOGTTで2時間値 ≧ 200mg/dLの場合は，妊娠中の明らかな糖尿病の存在を念頭に置き，①または②の基準を満たすかどうか確認する．

3）糖尿病合併妊娠（pregestational diabetes mellitus）

①妊娠前にすでに診断されている糖尿病

②確実な糖尿病網膜症があるもの

2 甲状腺機能亢進症（Basedow病）

母体の甲状腺刺激抗体と抗甲状腺薬が経胎盤的に児に移行する（甲状腺ホルモンそのものはあまり移行しない）．これらのバランスによって，児は甲状腺機能亢進症や甲状腺機能低下症を呈する．胎児期・出生直後は母体よりも甲状腺機能は低下傾向にあることが多いが，甲状腺刺激抗体よりも抗甲状腺薬の方がより早く消失するため，後に甲状腺機能亢進症状が出現することがある．新生児甲状腺機能亢進症状は致死率も高く，迅速な対応が必要である．

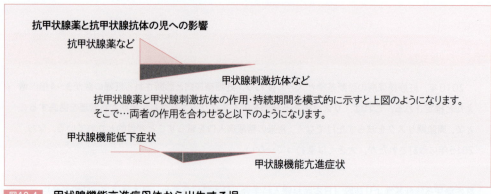

図12-4　甲状腺機能亢進症母体から出生する児
甲状腺機能亢進症の母体から胎児に移行する物質の時間的推移から、児の症状を模式的に示した．

(河井昌彦．新生児医学．Basedow病母体児．pp387-8．金芳堂．2015)

> 補足：
> 参考までに小児における半減期は，チウラジール®（PTU）は4～6時間，メルカゾール®（MMI）は12～16時間であり，甲状腺刺激抗体の半減期は6～20日である．

▶ [必要な情報]
- 妊娠後期に測定した母親のTSAb，TRAbの値．TSAb≧500％もしくはTRAb≧50％ならば，新生児甲状腺機能亢進症を発症するリスクが高いため[2]，出生直後から厳密なモニター管理を行う．TRAbの測定には第1世代法，第3世代法が用いられているが，両者の違いを**表12-6**に示す[3]．
- 妊娠中の甲状腺機能（TSH，fT4）の推移と，治療の内容．過去に甲状腺亜全摘やアイソトープ治療を受けて寛解している場合，甲状腺刺激抗体が残存していると児に影響を及ぼす恐れがある．
- 胎児甲状腺機能亢進症状の有無（胎児頻脈・甲状腺腫・FGR傾向）．

表12-6　TRAb第1世代法と第3世代法の相違

	第1世代法（別名 TBII）※	第3世代法
測定方法	ブタ甲状腺TSHレセプターと^{125}I標識ブタTSHとの結合反応を，患者血清中の抗TSHレセプター抗体がどれだけ阻害するかを求める方法．	TRAbを，抗TRAbモノクローナル抗体（M22）を用いて直接測定する方法．
胎児・新生児甲状腺機能亢進症のリスクとなる母体抗体価	>50%	>10IU/L

※第1世代TRAbはTSH結合阻害免疫グロブリン（TBII）とも呼ばれる．

(文献3をもとに著者作成)

> **補足：** 抗甲状腺薬の催奇形性について
>
> 　妊娠初期（＝器官形成期）に母体がメルカゾール®を内服すると，児の奇形発症率（頭皮欠損・臍帯ヘルニア・後鼻腔閉鎖・食道閉鎖など）が有意に上昇し，これをMMI関連先天異常（ 表12-7 ）と称する．このため，妊娠初期は母体の抗甲状腺薬はメルカゾール®ではなく，チウラジール®へと変更すべきである．

表12-7　MMI関連先天異常の時期と症状

妊娠〜7週まで	妊娠6〜9週	妊娠10〜15週
後鼻腔閉鎖症 食道閉鎖症	臍腸管瘻 臍帯ヘルニア	頭皮欠損症

> **補足：** TSAbとTRAbの違い
>
> 　TSAb（thyroid stimulating antibody，甲状腺刺激抗体）はバイオアッセイで測定するため，甲状腺を刺激する抗体のみが測定される．一方，TRAb（TSH receptor antibody，甲状腺刺激ホルモン受容体抗体）はラジオレセプターアッセイでTSH受容体と結合する抗体すべてが測定されるため，刺激型・抑制型が共に検出される．

▷ ［症状］
- 頻脈（＞160回/分），発汗亢進，多動，易刺激性，体重増加不良．
- 甲状腺腫による気道の圧迫（無呼吸），眼球突出（母親に眼球突出がある場合に見られることがあるが，一過性）．
- 重篤な場合，心不全，早期頭蓋縫合閉鎖をきたすことがある．

　胎児期・新生児期の甲状腺機能亢進症状を 表12-8 にまとめる．また，fT4およびTSHの正常値を 表12-9 に示す[4]．

表12-8　甲状腺機能亢進症を示唆する所見

胎児期	甲状腺腫，胎児頻拍，胎児心不全，胎児水腫，胎児発育遅延，骨成熟の促進
新生児期	頻脈，発汗，多呼吸，易刺激性，振戦，眼球突出，甲状腺腫，心不全，下痢

表12-9　fT4，TSHの正常値[4]

生後日数	fT4（μg/dL）	TSH（mU/L）
1〜4日	2.2〜5.3	1.0〜39.0
2〜20週	0.9〜2.3	1.7〜9.1
5〜24ヵ月	0.8〜1.8	0.8〜8.2
2〜7歳	1.0〜2.1	0.7〜5.7

▷ ［検査］

● 臍帯血でTSAb・TRAb・TSH・fT4を提出する．児のTSAb・TRAb値は母体検査値とよく相関すると言われている．

● 日齢4にTSH，fT4を再検し，TSH低値・fT4上昇傾向が著しい場合には，症状がなくとも観察期間を延長する．生後10〜20日が経過してから発症することもあり，抗体価が高い症例は注意が必要である．TRAb<20%は治療の必要のない安全圏と考えられている[2]．

▷ ［管理］

● 頻脈（>160回/分），不整脈，心不全症状（安静時多呼吸・肝腫大・浮腫），易刺激性，多汗，発熱，甲状腺腫などの甲状腺機能亢進症状を認め，fT4が高値である場合には治療を開始する．

1) ヨウ化カリウム（砕）：甲状腺機能亢進症に対するヨウ化カリウムの新生児用量に定まったものはない．ヨウ化カリウム製剤の添付文書によると，「成人の甲状腺機能亢進症に対するヨウ化カリウムの用量は5〜50mg/日（分1〜3）」であり，「放射性ヨウ素による甲状腺の内部被ばくの予防低減のための用量は1回100mg」である．一方，「新生児に対する放射性ヨウ素による甲状腺の内部被ばくの予防低減のための用量は1回16.3mg」とされている．

　このような情報からすると，新生児の甲状腺機能亢進症に対して投与する場合は，1〜8mg/日程度が妥当と考えられる．

2) 抗甲状腺剤：メルカゾール®0.5〜1mg/kg/日，またはチウラジール®5〜10mg/kg/日．通常24〜36時間で効果が現れる．無効の場合は50%まで増量可．

3) インデラル®1〜2mg/kg/日．

4) 心不全があればジギタリス投与．

注意　母親の治療が不十分な場合（妊娠中に診断がついて初期にまったく治療が行われていない場合など）や，胎児甲状腺機能亢進症状があった場合には，児が後に中枢性甲状腺機能低下症を起こすことがあり，慎重な経過観察が必要である[5]．

▷ ［甲状腺機能低下症（クレチン症）の治療］

母親の治療過剰の場合あるいは母親由来の阻害型TRAbによって起こり得る．

● チラーヂンS細粒®10μg/kg/日（分1）経口投与．

▷ ［抗甲状腺剤内服中の母乳に関して］

チウラジール®・メルカゾール®ともに母乳に分泌される．

1) チウラジール®は300mg/日（分1）程度までは乳児には影響ないとされている．

2) メルカゾール®は母乳と血液中の濃度がほぼ等しい．20mg/日（分1）までの内服ならば，乳児の甲状腺機能には影響ないとされている．

3 母体甲状腺機能低下症による新生児甲状腺機能低下症

　母親が慢性甲状腺炎の場合：自己抗体が児に移行して，甲状腺機能低下症をきたし得る．抗体価が高い場合には，胎児甲状腺腫をもたらすこともあり，このような重症例では，羊水腔内に甲状腺ホルモンの注入を要することもある．

しかし，重症例でない限り，児の甲状腺機能は出生後，移行抗体の減少と共に回復する．出生後のモニタリングとしては，高TSH血症の有無が重要であり，通常のマス・スクリーニングで高TSH血症を認めない場合，それ以上のフォローは不要である．

　一方，マス・スクリーニングで高TSH血症を指摘された場合には，その程度に応じて，甲状腺薬（チラーヂンS®）の投与が必要となるが，通常数ヵ月以内に投与は終了しうる．

　甲状腺機能低下症を示唆する所見を 表12-10 にまとめる．

表12-10 甲状腺機能低下症を示唆する所見

胎児期	甲状腺腫，胎児徐脈，胎児水腫，胎児機能不全，骨成熟の遅延
新生児期	遷延性黄疸，便秘，臍ヘルニア，体重増加不良，皮膚乾燥，不活発，巨舌，嗄声，四肢冷感，浮腫，小泉門開大，甲状腺腫

> **注意　甲状腺機能の評価の時期**
>
> 　　TSHの上昇は甲状腺機能低下症の診断の最重要ポイントであることは間違いではないが，出生後の変化を理解しておく必要がある．
>
> 　　すなわち，出生直後の胎盤からの離脱・寒冷刺激は，生後30分にピークを有する一過性の著しいTSHの分泌を促し（TSHサージ），その後漸減し生後2〜3日で妊娠末期の胎児血ならびに臍帯血のレベルよりも低値となる．通常マス・スクリーニングの採血時期は生後4日目以降であり，TSHが低下した後の状態を評価している．
>
> 　　つまり，生後早期に採血をして，TSHが高値であるからといって，甲状腺機能低下症と決め付けてはいけないのである．

4 特発性血小板減少性紫斑病
(ITP；idiopathic thrombocytopenic purpura)

　抗血小板抗体が胎盤を介して移行し，児の血小板と結合して脾臓で破壊される結果，血小板数が減少する．母親の血小板数やPA-IgG・抗血小板抗体価と児の血小板数は必ずしも相関せず，出生前に血小板減少症の重症度を予測することは困難である．児頭皮採血は合併症の危険性があり，羊水や胎脂と接触し凝固することによって過少評価されやすいため，推奨されない[6]．帝王切開はあくまでも産科的適応がある場合に限られる．

▶ ［必要な情報］

● ITPに対する治療内容．特に摘脾により寛解している場合は，抗血小板抗体が残っていると児に影響を及ぼす可能性がある．

● 経産婦ならば前児の経過．前児に重症血小板減少を認めた場合，次も同様の経過をとることが多い．

▶ ［検査］

● 日齢0にCBCを調べる．血小板数は日齢3～4に最低となることが多く，すでに10万/μL未満の場合は，原則連日CBCをチェックする．緊急の輸血に備えて血液型も調べておく．日齢0の血小板数が10万以上でも，日齢4に再検しておく．

● 頭蓋内出血（胎内発生を含めて）を否定するために，頭部超音波検査を行う．

▶ ［管理］

● 血小板数が3万未満ならばガンマグロブリン治療を開始する（血小板数の安全域について検討された比較対照試験はなく，多くの施設が経験に基づいて3万～5万未満を治療開始基準としている）[7]．

● 治療1日目にガンマグロブリン800mg/kgを点滴する[8]．

● 治療3日目に血小板数を評価する．

　（1）3万以上：ガンマグロブリンの追加投与なし．10万以上で外来フォロー．

　（2）1～3万：ガンマグロブリン400mg/kg/日を追加投与．血小板数が3万以上となるまで最大3日間続ける．

　（3）1万未満：ガンマグロブリン400mg/kg/日を3日間追加．プレドニン2mg/kg/日を併用する[9]．抗体除去を目的とした交換輸血も考慮する．

● ガンマグロブリンの効果は通常3～4週間であり，治療後は定期的に血小板数をチェックする．

● 血小板輸血は頭蓋内出血や消化管出血などの重篤な症状があれば考慮する．血小板数低下だけでは適応にはならない[6]．

補足：

　本文は主として海外の文献からの内容をまとめたものだが，厚生労働科学研究費補助金 難治性疾患克服研究事業 血液凝固異常症に関する調査研究班 妊娠合併ITP診療の参照ガイド作成委員会による「妊娠合併特発性血小板減少性紫斑病診療の参照ガイド」[*1]では　ITP母体から出生した児の血小板減少に対する治療は以下のように推奨している．

1）出血症状がない場合，血小板数3万/μL未満であれば，免疫グロブリン大量療法あるいは副腎皮質ステロイドの投与を考慮する．

2）出血症状がある場合は，血小板数3万/μL未満であれば，免疫グロブリン大量療法あるいは副腎皮質ステロイドの投与とともに，血小板数5/μL以上を目標に血小板濃厚液の輸血を考慮する．

*1　宮川義隆，他．臨床血液2014; 55(8): 934-947.

5　膠原病（抗SS-A抗体・抗SS-B抗体陽性）

　SLE（全身性エリテマトーデス），シェーグレン症候群，MCTD（混合性結合組織病）など
の膠原病患者にしばしば認められる抗SS-A抗体は，胎盤を介して児に移行し新生児ループス
と呼ばれる症候群の原因となることがある．

　新生児ループスは，抗体が体内に存在する生後数ヵ月の間に，発疹（日光曝露部位に発生す
る輪状紅斑），好中球減少，溶血性貧血，肝障害を呈するものであるが，これらの症状は一過
性で通常治療の必要はない．唯一，先天性房室ブロック（congenital heart block；以下CHB）
は他の症状とは異なり不可逆的である．

　抗体移行の始まる妊娠中期以降から高度房室ブロックが生じ，胎児死亡の原因となることも
ある．出生後も緊急のペースメーカーの適応となることもある．

▷ ［必要な情報］
- 最近の抗SS-A抗体，抗SS-B抗体の値（未検の場合は陽性として管理する）．
- 妊娠16週以降の検診で胎児徐脈を指摘されたかどうか．
- 経産婦ならば，前児に新生児ループス（特にCHB）があったかどうか．母が抗SS-A抗体
  陽性でも，児がCHBを発症する確率は2%である．しかし，前児がCHBを発症している場
  合には，そのリスクは18%まで上昇する[10]．

▷ ［検査］
- 入院中に児採血でCBC（白血球分画），生化学（AST/ALT/γGTP）を調べておく．
- 全例で心電図をとる．1〜2度の房室ブロックが，後に完全房室ブロックに進行することが
  ある[11]．また房室ブロック以外の心電図異常（洞性徐脈やQT延長など）を認めることが
  あり注意する．心電図所見は日齢と血清Ca^{2+}濃度によって変化する．

▷ ［管理］
- 心拍の不整，特に徐脈傾向である場合をドクターコール条件とする．心拍数50/分未満な
  らば緊急ペースメーカーの適応である．

表12-11　**早期新生児期心電図の正常値（PR間隔は98パーセンタイル）**[12]

	＜日齢1	日齢1〜3	日齢4〜7	日齢8〜10
PR間隔（msec：II誘導）	80〜100	81〜139	74〜136	72〜138
QTc（QT/√RR）	Ca^{2+}低値により高値となることがある		＜0.48	

> **MEMO**
>
> ## プレドニン内服中の授乳について
>
> 　母親がプレドニンを内服中である場合，その後48時間の母乳中に移行する量は0.1％程度と報告されている．すなわち，プレドニンを毎日40mg内服していても児に移行する量は1日あたり40μgあり，これは内因性コルチゾールの5％に満たない量ということになる．よってプレドニン投与中の授乳は基本的に問題ない．大量投与を行う場合は，血中濃度が高いほど母乳中濃度／血中濃度の比は高くなるため，投与後4時間は授乳を避けることが勧められている．
>
> **文献**
>
> McKenzie SA, et al. Arch Dis Child 1975；50：894-896.
>
> Ost L, et al. J Pediatr 1985；106：1008-1011.

6　てんかん

　妊娠中に抗てんかん薬を継続して内服した場合，大奇形・小奇形の頻度が増す．また出生直後から薬物血中濃度高値によるsleeping baby syndrome や，その後の血中濃度低下の際にwithdrawal syndrome（離脱症候群）を起こすことがある．さらに新生児期を過ぎてからも，精神発達遅滞や行動異常，眼科・耳鼻科疾患を起こしやすいことが報告されている（表12-12）．

表12-12　抗てんかん薬が児に及ぼす影響[13]

	総数	新生児期の離脱症状	大奇形	発達障害	行動障害	小児期の有病率
カルバマゼピン	70	10（15％）	8（11％）	15（22％）※	10（15％）※	16（23％）※
フェノバルビタール	61	8（13％）	6（10％）	6（10％）	4（7％）	15（25％）
バルプロ酸	47	11（24％）※	5（11％）	13（28％）※	5（11％）※	18（39％）※
フェニトイン	25	5（21％）※	4（16％）	8（33％）※	1（4％）	5（21％）
多剤併用	51	15（30％）※	23（46％）※	19（38％）※	21（41％）※	24（48％）※
抗てんかん薬の服用なし	38	1（3％）	2（5％）	4（10％）	2（5％）	5（13％）

※抗てんかん薬が児に及ぼす影響が統計学的有意差を持つ（$P<0.05$）．

▶ ［必要な情報］
- 妊娠経過中の服薬状況（血中濃度），発作のコントロール，妊娠経過中の胎児奇形・羊水過多の疑い（アルファフェトプロテイン値）．

▶ ［検査］
- 出生後に筋緊張低下，無呼吸などのsleeping baby syndrome症状を認める場合，当該薬物の血中濃度を測定する．症状がなくとも，後に離脱症候群を認めた場合，出生直後と比較できるように臍帯血血清を保存しておく．

▷ ［管理］

● 多剤併用，バルプロ酸・フェニトイン使用の場合は，離脱症候群を発症するリスクが高く，無呼吸監視のため生後24時間はモニタリングを行う．

● バルプロ酸使用の場合，児が低血糖を起こすリスクがあり[14]，生後2・4時間の血糖測定をルーチンに行う．

● 母胎の抗てんかん薬が児の発達に及ぼす影響については2009年に報告がなされている[15]（表12-13）．それによると，バルプロ酸内服母体児の発達指数は，他の3種の薬剤のいずれかを内服していた母から出生した児と比較して有意に発達指数が低値であった．すなわち，妊娠中の母体へのバルプロ酸投与は，他の抗痙攣薬と比較して，出生する児の知能低下をもたらす危険性が高く，この時期に第一選択薬とすべきではない．

表12-13　抗痙攣薬内服母体児の3歳児のIQスコア

	カルバマゼピン	ラモトリギン	フェニトイン	バルプロ酸
症例数	73名	84名	48名	53名
平均IQ	98	101	94	92
95％信頼区間	95〜102	98〜104	94〜104	88〜97
バルプロ酸投与群との有意差P値	0.04	0.009	0.04	─

7　新生児薬物離断症候群

　新生児薬物離断症候群は，母親が妊娠中に摂取した薬物が胎盤を介して胎児に移行し，出生後に児の体外に排泄される過程で，中枢神経系・消化奇形・自律神経に一時的に影響を及ぼし，臨床症状を引き起こす病態を指す．本病態に対応するためのマニュアルが2010年に厚生労働省から出されていたが，2021年に「重篤副作用疾患別対応マニュアル　新生児薬物離脱症候群　平成22年3月（令和3年4月改定）」が発表された．

　ここでは，その記載内容を中心に解説する．

▷ ［リスク因子］

　海外ではオピオイド系薬剤によることが多いが，わが国では非オピオイド系薬物（催眠・鎮静剤，抗うつ薬・抗不安薬，抗精神病薬，抗てんかん薬）によるものがほとんどである．わが国の報告では80％以上が他剤内服例で，40％以上が4財以上の内服例である．なお，母親のアルコール依存・乱用は胎児アルコール症候群をきたすだけでなく，ベンゾジアゼピン系薬剤との交叉耐性により，摂取アルコール量・薬物量が増加し，児の薬物離断症候群のリスクが高まる可能性がある．

▷ ［症状］

　薬物離断の症状は，表12-14に示すように，中枢神経症状・消化器症状・自律神経症状の3つが重要である．

▷ ［診断基準］

　新生児の母親が妊娠中（特に第3産半期）に長期間服用している薬物やし好品があり，出生

後に中枢神経系・消化器系・自律神経系の症状を呈し，」他の原因（中枢神経障害・感染症・低血糖・低カルシウム血症・その他の代謝障害など）を除外できるものを新生児薬物離断症候群と診断する．

診断および治療適応の判定には，磯部スコア・Finneganスコアが広く用いられている（表12-15，表12-16）．

表12-14　新生児薬物離断症候群の臨床症状

中枢神経症状	消化器症状	自律神経症状
易刺激性 興奮時の振戦 安静時の振戦 不安興奮状態 筋緊張増加 筋緊張低下 無呼吸発作 痙攣 傾眠	哺乳不良 嘔吐 下痢	多呼吸 多汗 発熱 徐脈

表12-15　磯部スコア[16]

症状と所見	点数	症状と所見	点数
A.中枢神経系		B.消化器系	
傾眠	1	下痢	2
筋緊張の低下	1	嘔吐	2
筋緊張の増加	1	哺乳不良	2
不安興奮状態	3		
安静時の振戦	3	C.自律神経系	1
興奮時の振戦	2	多呼吸	1
易刺激性	2	多汗	1
痙攣	5	発熱	
無呼吸発作	5		1
		D.その他（頻回の欠伸， 　　表皮剥離，徐脈など）	

（注）8点以上で治療することが多いがそれ以下でも痙攣・無呼吸の頻発や母親の育児困難症状などにより治療適応とすることもある．

表12-16 Finneganスコア[17]

徴候と症状	評価点数	徴候と症状	評価点数
甲高い啼泣	2	哺乳不良	2
連続的な甲高い啼泣	3	吐き戻し	2
哺乳後1時間未満の睡眠	3	噴水様嘔吐	3
哺乳後2時間未満の睡眠	2	軟便	2
哺乳後3時間未満の睡眠	1	水様便	3
Moro反射の過多出現	2	脱水	2
著しいMoro反射の過多出現	3	頻回のあくび	1
興奮時の軽度な振戦	1	くしゃみ	1
興奮時の顕著な振戦	2	鼻づまり	1
安静時の軽度な振戦	3	発汗	1
安静時の顕著な振戦	4	斑点形成	1
筋緊張亢進	2	38.3℃未満の発熱	1
全身痙攣	5	38.3℃以上の発熱	2
激しい指しゃぶり	1	60回／分以上の呼吸数	1
		陥没呼吸を伴った60回／分以上の呼吸数	2
		鼻の擦りむき	1
		膝の擦りむき	1
		足指の擦りむき	1

注）生後初日は1時間ごとに，2日目は2時間ごとに，それ以降は4時間ごとに点数をつける．7点以下は経過観察し，8点以上になれば薬物療法をする．

▷ ［治療］

多くは支持療法で経過を看るが，必要な場合には，薬物療法としてフェノバルビタールを初回は16mg/kg投与し，以後は血中濃度をモニターしながら維持量（2〜8mg/kg/日）とする方法がとられることが多い．

文献

1）Williams A, et al. Early Hum Dev 2010; 86: 269-273.

2）Skuza KA, et al. J Pediatr 1996；128：264-268.

3）上條桂一．妊娠を希望しているバセドウ病で抗甲状腺薬治療中の者です．気をつけることはありますか？ 森昌朋編．妊娠と甲状腺機能異常症．pp39-42．メディカルレビュー社，2013.

4）Adams LM, et al. J Pediatr 1995; 126: 122-127.

5）Kempers MJ, et al. J Clin Endocrinol Metab 2003；88：5851-5857.

6）Guidelines. Br J Haematol 2003；120：574-596.

7）Chakravorty S, et al. Early Hum Dev 2005；81：35-41.

8）Blanchette V, et al. Lancet 1994；344：703-707.

9）Ovali F, et al. Vox Sang 1998；74：198-200.

10）Buyon JP, et al. Curr Opin Rheumatol 2003；15：535-541.

11）Askanase AD, et al. Lupus 2002；11：145-151.

12）Battle-Diaz J, et al. AM J Cardiol 1979；43：850-853.

13）Dean JC, et al. J Med Genet 2002; 39: 251-259.

14）Ebbesen F, et al. Arch Dis Child Fetal Neonatal Ed 2000；83：F124-F129.

15）Meador KJ, et al. New Engl J Med 2009；360：1597-1605.

16）磯部健一，他．周産期シンポジウム 1996; 14: 65-75.

17）Finnegan LP, et al. Addict Dis 1975; 2: 141-158.

第12章／合併症を持つ母から出生した児の管理

3 多　胎

✎ Key point

　多胎が単胎に比べてハイリスクであることは言うまでもないが，とりわけTTTSと呼ばれる病態には注意が必要である．本項では，TTTSの問題点について解説する．

1 双胎間輸血症候群
(twin-to-twin transfusion syndrome；TTTS)

▷［概念］

　一絨毛膜性双胎において，胎盤の血行吻合を介した血流シャントが存在し，両児間の循環血漿量に不均衡を生じた状態．

　供血児は循環血液量減少・貧血のために乏尿・羊水過少・胎児仮死に陥りやすく，受血児は循環血液量増加・多血のために多尿，羊水過多，心不全，胎児水腫に陥りやすい（ 図12-5 ）．

▷［診断］

　一絨毛膜性双胎で，体重差20％以上の"discordant twin"，一方の児に羊水過多症・他方の児に羊水過少症を認める"stuck twin"の場合に疑われるが，確定診断は難しい．

▷［治療］

　最も重要な治療は娩出時期の決定である．

1) NST（nonstress test），超音波検査による胎児の評価を繰り返し，胎児の状態（特に心機能）と生存が可能な週数を考慮し，娩出時期を決定する必要がある．妊娠27〜28週，小さい方の児の体重が700〜1,000g位になると救命率は上昇するが，妊娠26週以前に発症した場合は胎盤の血管吻合に対するレーザー焼灼などの胎児内治療が必要となる．ただし子宮内治療は現在，妊娠16〜26週の児に限られており治療可能な施設も限られている．

2) 出生後の受血児の管理：以下のような要因を考慮し，逐次，超音波検査などで循環動態を評価しながら管理する．

　● 胎生期の利尿亢進状態が出生後も持続する．

　　→ 出生後，十分な補液を行わないと，**循環虚脱に陥ってしまう**．

　　→ 胎児期の心筋への負荷によって心不全をきたしている場合，**出生後の輸液過多は心不全を増悪させる**．

　● 供血児から移行していたRAA系など昇圧ホルモンが，出生後急速に低下する．

　　→ 急速なホルモン環境の変化によって，循環不全に陥るリスクがある．

3) 出生後の供血児の管理：虚血による臓器障害・子宮内発育不全に伴う諸症状に対する治療が必要となる．

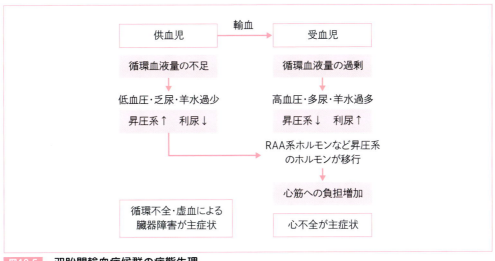

図12-5　双胎間輸血症候群の病態生理
供血児から受血児への移行には血液のみならず，血中のホルモンも含まれる．このため，もともと多血・高血圧となっている受血児に，更に昇圧系のホルモン・抗利尿ホルモンが移行してしまい，循環不全を増悪させてしまう．
無症状期であっても，母子感染が生じ得る点に注意が必要である．

第13章

代謝・内分泌疾患
の管理

第13章 / 代謝・内分泌疾患の管理

性分化疾患
～性別判定保留を告げるべきか否かを判断するためのポイント～

> **Key point**
>
> 出生に立ち会った際，多くの場合は性別に苦慮することはなく，男児・女児と即座に性別を決定する．しかし，あいまいな外性器（Ambiguous genitalia）に直面し判断に困ることがある．小陰茎あるいは陰核肥大こんな表現も，性別あってのことだ．しかしながら，性別判定の保留は児の両親にとって大変大きな問題である．できる限り，分娩室で的確な性別決定を行うべきだが，後になって「間違ってました！」などということは絶対に避けねばならない．ここでは，河井流「性別判定を保留すべき外性器」と「その病態生理」を解説する．

1 性分化の過程のポイント

1）ヒトの外性器の形成
ヒトの外性器の原型は女性型である聞かれたことがあるだろう．これは，卵巣も精巣もない場合，ヒトの外性器は完全女性型になるという意味である．そして，男性型外性器は，テストステロン（正確にはジヒドロテストステロン）によって誘導されて初めて形成される．

2）原子生殖腺から精巣への分化
この過程には，Y染色体上に存在するSRYをはじめとするいくつかの因子が必要である．このため，通常はY染色体を有すると精巣への分野が誘導される．かつては，Y染色体が存在しなければ，原始性腺は勝手に卵巣に分化するものと考えられていたが，そう単純ではなく，FOXL2, WNT4, RSPO1/β-catenin などの因子がないと卵巣には分化しない．

3）内性器の分化
Müller管は精巣から分泌される抗Müller管ホルモン（AMH）が働かない限り，子宮・膣上部へと分化する．すなわち，子宮の有無を規定するのは，卵巣ではなく精巣なのである．

4）外性器の形成
外性器の男性化を促すのは男性ホルモン（テストステロン，ジヒドロテストステロン）であり，完全な男性化にはジヒドロテストステロンが欠かせない．通常は，男性ホルモンは精巣から分泌されるが，副腎過形成症などでは異所性に産生される．不完全な精巣あるいは異所性に産生された男性ホルモンの作用では完全男性型になることはなく，種々の程度のAmbiguous genitalia となる．

2　Ambiguous genitaliaの形成過程

1) 性腺は卵巣のみで，完全女性型外性器になるはずだったが，何らかの原因によって男性ホルモンの過剰暴露を受けた場合

　46,XX性分化疾患の多くがこれに相当する．過剰暴露された男性ホルモンの多くが，先天性副腎過形成症における副腎アンドロゲンである．

　【外性器の特徴】　先天性副腎過形成症の90％を占める21水酸化酵素欠損症では，ACTH・アンドロゲンの暴露で外性器は黒く，陰嚢内に性腺を触れることはない．

　【内性器の特徴】　精巣からのAMHはないので，Müller管から分化した子宮が存在．

　【性別判定】　卵巣があり，精巣はないので，女性とすることに異論はないはず．

2) 性腺は精巣のみで，完全男性型外性器になるはずだったが，精巣から分泌される男性ホルモンの作用が弱く，不完全な男性化にとどまった場合

＃46,XY性分化疾患のうちのアンドロゲン分泌障害　⇒　テストステロンは男児より低値

＃46,XY性分化疾患のうちのアンドロゲン作用障害　⇒　テストステロンは男児の正常域

　【外性器の特徴】　通常の男児よりアンドロゲン作用が弱いため外陰部の色調はやや白っぽい．両側の陰嚢内に精巣を触れることが多い．

　【内性器の特徴】精巣からのAMH分泌が正常に行われていれば，Müller管は退縮しているため，子宮は存在しない．

　【性別判定】精巣があり，卵巣・子宮はないので，男児とすることに異論はないはず．

＃46,XYの先天性副腎過形成症の一部（テストステロン産生障害）と先天性副腎低形成症

　【外性器の特徴】　ACTH作用により，外陰部の色調は正常男児より黒い．両側の陰嚢内に精巣を触れることが多い．

　【内性器の特徴】精巣からのAMH分泌が正常に行われていれば，Müller管は退縮しているため，子宮は存在しない．

　【性別判定】精巣があり，卵巣・子宮はないので，男児とすることに異論はないはず．

3) 性腺は不完全な精巣成分を有し，精巣から分泌される男性ホルモンの作用が弱く，不完全な男性化にとどまった場合．すなわち，性腺形成異常の場合

　この場合，染色体の核型は46,XX，46,XY，モザイクと多岐にわたる．

＃一側に精巣成分，他側に卵巣成分がある，あるいは両側卵精巣など

　精巣成分と卵巣成分の両者がともに存在する場合（卵精巣性性分化疾患）

＃一側に精巣成分があるが，他側は策状性腺

　【外性器の特徴】　通常の男児よりアンドロゲン作用が弱いため外陰部の色調はやや白っぽい．異形成精巣が陰嚢内に触知することは（ありうるが）少ない．このため，少なくとも，両側の精巣を陰嚢内に触れることは少ない．

　【内性器の特徴】精巣からのAMH分泌が少なければ，Müller管胃残物（＝子宮）が存在する．

　【性別判定】精巣成分はあるが，卵巣成分も存在することがある．また，卵巣の有無に関わらず，子宮が存在することもある．よって，性別判定は困難．

3　性別判定を保留すべき外性器所見とは？　（図13-1）

1）外性器の色調が通常の男児より濃い場合
　ACTHの過剰暴露が考えられ，90％以上は21水酸化酵素欠損症すなわち46,XX性分化疾患≪女性≫である．しかし，数は少ないが，先天性副腎過形成の一部や，先天性副腎低形成症の場合はテストステロン産生障害を生じ，この場合は46,XY性分化疾患≪男性≫である．外陰部に精巣を触れるか否かが決め手にはなるが，正期産・正常男児でも3％程度は停留精巣であり，これだけを決め手にするのはリスクを伴う．また，21水酸化酵素欠損症の多くは，女児と即断するのがためらわれるようなAmbiguous genitaliaであることが多いことも事実である．
　これらを総合して，色が黒いAmbiguous genitaliaの性別は一旦保留して，精査するべきと考える．

2）外性器の色調が通常の男児より薄く，いずれかの精巣を触れない場合
　46,XY性分化疾患であれば，多くの場合（97％？）両側の精巣を陰嚢内に触れるはずであるが，性腺形成障害の場合，多くは両側精巣を陰嚢内に触れることはない．このため，色が白っぽいAmbiguous genitaliaで片方でも精巣を触れない場合，性別は一旦保留して，精査するべきと考える．なお，陰嚢内に存在する弾性のある球体の多くは精巣であるが，精巣付属器のみ（柔らかい），卵精巣（固い）といった場合もありうるため，通常の精巣と硬度が異なる場合には，精査が必要である．

3）二分陰嚢など外性器の形態異常が高度な場合
　卵精巣性性分化疾患で，両側卵精巣を陰嚢内に触知したという報告もあるので，やはり高度な外性器異常を呈する場合は，性別は一旦保留して，精査するべきと考える．

　なお，これまで敢えて，典型的な46,XXと46,XY性分化疾患以外は，染色体の核型については書かなかった．これは，以下の2つの理由による．
　羊水検査実施例を除き，分娩室で染色体が判明していることはないことが最大の理由だが，性腺形成障害の場合，もちろん染色体分析の結果も参考にはするが，必ずしも染色体だけで性別を決定すべきではないからである．

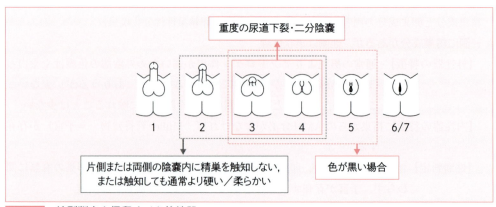

図13-1　性別判定を保留すべき外性器
性別判定を保留して精査すべき外性器の特徴を．あくまで河井流だが…

4 染色体分析の結果と性別

1) 46,XX性分化疾患（先天性副腎過形成症など異所性アンドロゲン過剰）を疑って，46,XXの結果を得た場合には女性として間違いないだろう．

2) 46,XY性分化疾患・アンドロゲン作用障害を疑って，46,XYの結果を得た場合には男性として間違いないだろう．

3) 性腺形成障害を疑う場合，すなわち 生殖器に不完全な精巣成分を有する場合，AMH作用も不十分であれば，子宮があることもあるため，性別の判定は困難．このような場合，染色体分析の結果は 46,XX, 46,XY, Y成分を含むモザイク の場合がある．しかし，このような場合，性の決定に最も重要なものは決して染色体ではない．生殖腺の組織診断を含めた正確な情報，多職種・ご家族を含めた検討が必要なので，必ず，専門施設に紹介しなければならない．

第13章／代謝・内分泌疾患の管理

2 低血糖症

Key point

　高インスリン血性低血糖症は神経学的障害に直結しうる病態で，迅速な診断治療が不可欠である．しかしながら，その診断・治療に関して十分なコンセンサスが得られているとは言い難い．

　一方，高インスリン血性低血糖症の治療薬であるジアゾキシド（アログリセム®）が新生児領域でも広く使用されているが，副作用の危険性もあり，その使用には十分な注意が必要である．我々の考える「低血糖症の診断と治療」の手引きを記す．

1　新生児の血糖値に対する基本的な考え方

　新生児期に低血糖を発症する主なリスク因子として，早産児・低出生体重児・不当軽量児（SGA児）・巨大児・糖尿病母体児・発熱/多血などを呈する病的新生児などが挙げられる．ただし，これらのリスク因子を持たないからと言って，重度の低血糖に陥らないという保証はなく，新生児科医にとって，血糖管理は最も切実な問題の一つである．

　そこで最初に，低血糖のリスク因子を有さず，低血糖症状のない元気な正期産児の血糖値の推移と血糖値別評価法について述べる．

　原則，低血糖のリスク因子を有さない元気な正期産児は，低血糖症状を呈さない限り，出生後ルーチンに血糖値を測定する必要はないが，測定してしまって対処に困るケースも少なくない．そこで，元気な正期産児の血糖値の推移を解説し，時間帯別の血糖値の評価方法についてまとめる[1]．

1）出生直後〜生後1時間頃

　臍帯からのグルコースの供給が途絶えると急速に血糖値は低下し，生後30分にnadirとなり，25mg/dL程度まで低下することは珍しくない．

　　➡ **血糖値の評価と対処法**：血糖値が25mg/dL未満であれば何らかの介入（グルコースの静注など）をすべきだと考えるが，それ以上であれば経過観察でよい．

2）生後1時間頃〜3時間頃

　血糖値はnadirを脱し上昇傾向に転じる．このため，血糖値が上昇傾向にあることが確認できれば，経過観察するだけでよい．

　　➡ **血糖値の評価と対処法**：この時間帯になっても血糖値が25mg/dL未満であるなら，グルコースの静注を検討すべきである．25〜40mg/dLであれ

ば，何らかの介入（早期授乳・人工乳投与・グルコースの静注など）を検討する．40mg/dL以上あれば経過観察を続ける．

3）生後3～4時間以降

多くは血糖値が45mg/dLを超える．

→ **血糖値の評価と対処法**：この時間帯になっても血糖値が35mg/dL未満であるなら，グルコースの静注を開始する．35～45mg/dLであれば，何らかの介入（早期授乳・人工乳投与・グルコースの静注など）を検討する．45mg/dL以上あれば経過観察を続ける．

なお，以上の血糖値の推移・評価，低血糖のリスクを有する児にも適応できるものである．**リスクのある児とリスクのない児の取り扱いの違いは以下のとおりである．**

①**リスクのある児**：低血糖症状の有無に関わらず，出生後定期的に血糖値をモニタリング（生後30分から1時間，2，（3），4，その後の哺乳が確立するまで適宜）をすべきである．

②**リスクのない児**：原則ルーチンの血糖測定は不要だが，低血糖症状の有無を注意深く確認する．もし，血糖値を測定した場合は上記のように対処する．

2 低血糖症の診断

神経学的障害の有無を決定する血糖値の閾値は定まっていない[2,3]．たとえば，出生後1～2時間には，多くの児の血糖値は45mg/dL（＝2.5mmol/L）を下回るが，全身状態が良好であれば通常介入の必要はない[4,5]．このため，低血糖に陥るリスクのない健常な正期産児では，低血糖を示唆する症状[6]がない限り，ルーチンの血糖測定は不要である．一方，低血糖に陥るリスクの高い児[7]は，血糖値をモニタリングすることが重要である．

低血糖症状

①中枢神経系の障害

哺乳障害・活動性低下・筋緊張低下・無呼吸・嗜眠傾向・異常な啼泣・易刺激性・痙攣など

②交感神経系症状

皮膚蒼白・多汗・多呼吸・頻脈・チアノーゼなど

③その他

代謝性アシドーシスを代償する多呼吸など

新生児の遷延性の症候性低血糖症の原因として種々の病態が存在するが，その中で最も頻度の高い病態は高インスリン血性低血糖症である[8]．本病態は他の病態に比較すると，エネルギー利用が悪く[8]，神経学的障害の危険性が高い．このため，新生児低血糖症の病態診断で最も重要なことは，高インスリン血症によるものか，その他の病態によるものかを鑑別することである．

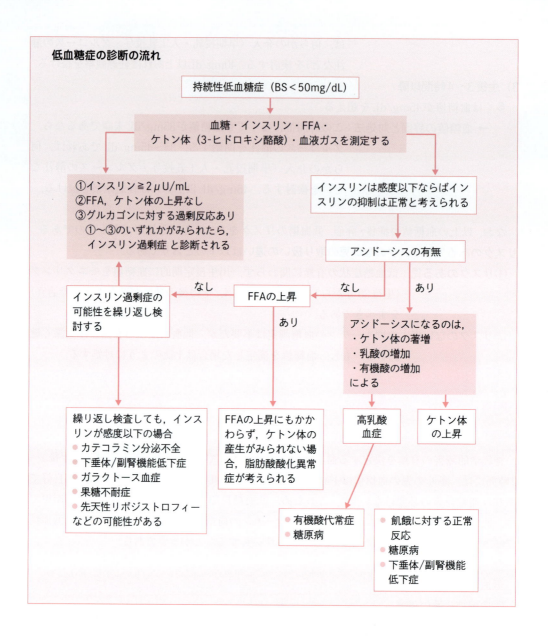

A クリティカルサンプルの採取（低血糖時の検体採取）

低血糖時（血漿血糖値＜45mg/dL（＝2.5mmol/L））の検体を採取し，鑑別診断[9,10]を行う．

> **注意** 血糖値の基準に確固たるものはなく，専門家の間でも意見は分かれているが，45〜50mg/dLとしている意見が多い[2,11]．

| 表13-1 | 低血糖の診断に必要な検査 |

クリティカルサンプルで測定すべき必須項目（高インスリン血症の診断に必要な検査）

- BS（血糖値）：BS測定は検体（血漿あるいは血清）あるいは測定機器の影響を受けるため，その解釈には注意が必要である[12, 13]．
- インスリン
- 遊離脂肪酸[9, 10]
- βヒドロキシ酪酸（ケトン体）[9, 10]

高インスリン血症が示唆される場合に，Critical sample で行うべき検査

- アンモニア[14, 15]

高インスリン血症が否定的な場合に，Critical sample で測定を考慮すべき検査

- インスリン拮抗ホルモン（GH，コルチゾール，甲状腺ホルモンなど）[9, 10]
- 乳酸[9, 10]
- 尿中有機酸分析・アシルカルニチンプロフィル（血清，あるいは，ろ紙血）など[9, 10]

| 表13-2 | 各種ホルモンの糖代謝に及ぼす作用[8] |

	グリコーゲンの分解	糖新生	脂肪の分解	ケトン体の産生
インスリン	抑制	抑制	抑制	抑制
グルカゴン	促進	促進		
アドレナリン	促進		促進	促進
コルチゾール		促進		
成長ホルモン			促進	

Ⓑ インスリン過剰症の診断

「先天性高インスリン血症診療ガイドライン（2016年）[16]」に基づき診断することになる．

低血糖時の検体（critical sample）で診断する

①インスリン＞2～5mμIU/mL

②グルカゴン0.5～1mg筋注（静注）による血糖上昇＞30mg/dL（15～45分）

③血糖値を正常に保つために必要なグルコース静注量＞7mg/kg/分（生後6ヵ月未満）

＞3～7mg/kg/分（生後6ヵ月以降の小児）

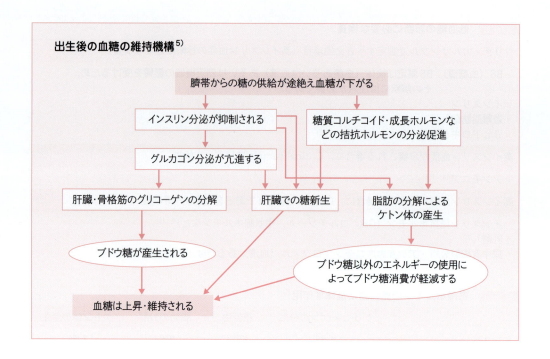

Ⓒ その他の病態の鑑別診断

遷延性高インスリン血症の診断は1回の検査では確定しないことも多いため，高インスリン血症を疑って繰り返し検査することが重要である．

なお，遷延性低血糖症の約20％は高インスリン血症以外の原因で起こるため[8]，高インスリン血症の診断が確定できない症例では，他の病態の検索が必要となる．

3 高インスリン血性低血糖症の治療

Ⓐ 糖尿病母体児

出生後早期からの母乳育児の推進が重要である．①低血糖症状が出現した場合，②哺乳がうまくできない場合，あるいは③生後3時間になっても低血糖が持続する場合には，ブドウ糖の点滴などの積極的な介入が必要となる．通常，高インスリン血症は一過性であり，ジアゾキシド（アログリセム®）の適応はない[17]．

Ⓑ 胎児ストレス・新生児仮死・子宮内発育不全の既往がある場合（一過性高インスリン血症の可能性が高い場合）[18]

生後24時間以降の検査で高インスリン血性低血糖症であることが確認された場合には，糖液の静脈内投与量を増加させて低血糖を予防するとともに，経腸栄養を促進する．通常の経腸栄養でも血糖の維持が困難な場合には，経腸栄養回数を増加させる（2時間ごと），チュー

ブ栄養による投与時間を延長する（1～2時間/回）など，試みる．高インスリン血性低血糖症であることが強く疑われる場合，診断も兼ねてグルカゴン投与を試みるのも良い方法である[19,20]．

補足1：

　このような対応でも改善を認めない場合，あるいは，不安定な血糖管理が長期にわたるような場合には，ジアゾキシドの投与を考慮する．

　低血糖症に対する糖質コルチコイドの使用は，原因不明の際には治療の選択肢の1つであるが，高インスリン血症と診断された場合はその適応はない[20]．

補足2：

　わが国ではジアゾキシドの使用開始時期に関して未だコンセンサスは得られていないが，海外の文献によると，高インスリン血性低血糖症の第一選択薬はジアゾキシドであるという記載も多い[19,20]．

　しかし，ジアゾキシドには水分貯留をはじめとする副作用も多く[18]，使用には注意が必要である．また我々も，早産SGA児の高インスリン血性低血糖症にジアゾキシドを投与したところ，速やかな血糖上昇は得られたが，水分貯留から動脈管の再開通や症候化をきたした症例を経験している[21]．このため，投与を行う際は，その必要性を十分考慮した上で，副作用の発現に注意し適切な対処を行うことが重要である．また，ジアゾキシドのアルブミン結合性は95％以上であり，核黄疸のリスクのために新生児では禁忌とされているサルファ剤のアルブミン結合性（90％程度）よりも高いと報告されている[19]．ジアゾキシドはサルファ剤より低用量で用いるためにその核黄疸の危険性は著しく高いわけではないが，出生後早期の使用は他の治療法で血糖を維持できない場合に限るのが安全であろう．

補足3：

　胎児ストレス・新生児仮死・子宮内発育不全の既往がある場合は一過性高インスリン血症の可能性が高いが，本病態であればジアゾキシドが有効であり，かつ一過性に改善することが期待される．このため，このような既往歴にもかかわらず，ジアゾキシドが無効な場合，あるいはジアゾキシドは有効であるが，長期（数ヵ月以上）にわたってジアゾキシドが中止できないようなケースでは，遺伝子検査を行うべきである[21,22]．

Ⓒ 母体糖尿病・仮死・子宮内発育不全の既往がなく，先天性遺伝性高インスリ 血症が疑われる場合（持続性高インスリン血症の可能性が高い場合）

● 子宮内の胎児発育促進があれば，本症の疑いが強い．
● 生後12～24時間以降の検査で高インスリン血性低血糖症であることが確認された場合，診断も兼ねてグルカゴン投与を試みるのが良い[20]．

- 確実な静脈栄養ルートを確保し，高濃度の糖液の投与を行う．
- 経腸栄養が可能であればジアゾキシドの投与を開始する．初期投与量は10〜15mg/kg/日（分3）を目安とする．効果不十分な場合は20mg/kg/日まで増量可能であるが，15mg/kg/日以上の増量は副作用の危険性を増すのみで，効果は期待できないとする報告もある[22]．

D ジアゾキシド投与中の注意点

1）血糖値について
- ジアゾキシド投与開始後，血糖が上昇して安定するまでは，適宜，空腹時血糖を測定する必要がある．
- 空腹時血糖値が明らかに上昇した場合は，経静脈的なブドウ糖の投与速度を下げるなど高血糖にならないように対処する．著効例では，投与開始後2〜3日以内に高血糖を呈することも稀ではないため，血糖上昇後もジアゾキシド投与中は1回/日以上の空腹時血糖の測定が必要である．
- 一方，ジアゾキシドは半減期の長い薬剤であり，最大効果発現までには5〜8日間を要するため，反応不良例の有効性の判定には1週間程度経過をみる必要がある[20]．

2）その他の副作用について
- ジアゾキシド投与中は，とりわけ，浮腫・乏尿の出現に注意し，胸部X線・超音波検査で循環動態のチェックを行い，必要時には利尿剤を併用するなどの対応が重要である．
- また，多毛は最も頻度の高い副作用であり，事前に両親に説明しておくことが望ましい．
- その他，ジアゾキシドには高尿酸血症・好中球減少/好酸球増多/血小板減少・アレルギーなどの副作用が報告されており，定期的な血液検査が必要である[19]．

E ジアゾキシドの投与量変更の目安

　ジアゾキシド投与量の変更に関する文献は見当たらない．以下，京都大学で行っている方法を記す．
①ジアゾキシド投与中は定期的に空腹時血糖（FBS）のモニタリングを行う．
　（ジアゾキシド投与中に退院する場合は，退院後も簡易血糖測定器を用いて，1回/日は血糖測定を行う．なお，高インスリン血症における在宅血糖測定は保険診療で認められている）．
②FBSが60mg/dL未満となる場合には増量する．
③FBSが100mg/dL以上となる場合には減量する．
④FBSが60〜100mg/dLとなる場合は，投与量を維持し，体重増加に伴う緩やかな減量を見守る．

> 補足：
> 　京大病院では，外来でジアゾキシド投与を行う場合は，在宅血糖測定を1回/日以上は行うよう指導し，外来受診時にその記録を確認している．外来でのジアゾキシド投与量の変更も上記基準に基づいて行い，2mg/kg/日以下になったら中止としている．

F ジアゾキシド無効例について

- 15〜20mg/kg/日のジアゾキシド投与にもかかわらず，血糖値50mg/dL以上が維持できない場合は，無効と考え次の治療手段に移る[19, 20]．
- 次の内科的治療としては，ソマトスタチンアナログなどの投与が考えられる．
- これら内科的治療による血糖コントロールが難しい場合，外科的治療が次の選択肢となる．この場合，インスリン産生細胞が局所性か否かの判断のために，早急に遺伝子診断を依頼する．
  遺伝子診断から局所性が疑われる場合，PET検査を行い，外科治療の方針を決定する．

文献

1) Committee on Fetus and Newborn; Adamkin DH, et al. Pediatrics 2011; 127: 575-579.
2) Cornblath M, et al. Pediatrics 2000; 105: 1141-1145.
3) Boluyt N, et al. Pediatrics 2006; 117: 2231-2243.
4) Ward Platt M, et al. Semin Fetal Neonatal Med 2005; 10: 341-350.
5) Srinivasan G, et al. J Pediatr 1986; 109: 114-117.
6) 河井昌彦．小児内科2009年41巻増刊号．
7) Rozance PJ, et al. Early Hum Dev 2010; 86: 275-280.
8) Stanley CA. Pediatr Endocrinol Rev 2006; 4: 76-81.
9) 河井昌彦．新生児の低血糖症．新生児内分泌研究会編著．新生児内分泌ハンドブック．メディカ出版．2008．p78-86.
10) 小和瀬貴律．低血糖．日本小児内分泌学会編．小児内分泌学．診断と治療社．2009．p107-111.
11) Kelly A, Stanley CA. Pediatric Endocrinology and Inborn Errors of Metabolism（Sarafoglou）Hyperinsulinism p39（2009）McGraw-Hill（USA）
12) Deshpande S, et al. Semin Fetal Neonatal Med 2005; 10: 351-361.
13) 小林知子，他．日本先進糖尿病治療研究会雑誌2010; 6: 7-13.
14) Stanley CA. Mol Genet Metab 2004; 81: S45-S51.
15) Kapoor RR, et al. Eur J Endocrinol 2009; 161: 731-735.
16) 日本小児内分泌学会・日本小児外科学会．先天性高インスリン血症診療ガイドライン．2016年．
17) Williams A, et al. Early Hum Dev 2010; 86: 269-273.
18) 川北理恵，他．日本小児科学会雑誌2011; 115: 563-569.
19) Hussain K, et al. Pediatr Endocrinol Rev 2004; 2: 163-167.
20) de Lonlay P, et al. Semin Neonatol 2002; 7: 95-100.
21) 吉田佳代，他．日本周産期・新生児医学会雑誌2011; 47: 659-663.
22) Touati G, et al. Eur J Pediatr 1998; 157: 628-633.

第13章 / 代謝・内分泌疾患の管理

3 低Ca血症・早産児骨減少症

Key point

初版では尿検査からみた早産児骨減少症の管理指針を示したが，その後，尿検査だけでは判断を誤るケースが出ることが判明したため，改訂を加えた．尿の生化学検査が重要なことに変わりはないが，血液検査をうまく組み合わせて，より的確な診断に至る方法を解説する．

1 早発性低Ca血症（生後48時間以内）

▶ [原因]

　副甲状腺ホルモン（PTH）作用・PTH分泌の未熟性，低酸素血症に伴う細胞内リン（P）の放出などによる．

▶ [治療]

● 8.5％グルコン酸Ca（カルチコール®）の経静脈的投与．

● カルチコール®を4〜6mL/kg/日となるよう，点滴内に混和する．

> 補足：
>
> 　カルチコール®4mL/kg/日＝Ca 30mg/kg/日＝母乳130mL/kg/日

> 注意　カルチコール®が皮下に漏れると壊死するため，十分注意する．

2 早産児骨減少症

Ⓐ 血清Caの維持機構

　生体のホメオスターシスにとって重要なことは，血中のCa濃度を維持することであって，骨を丈夫にすることではない．このため，以下のような血清Caの維持機構が存在する．

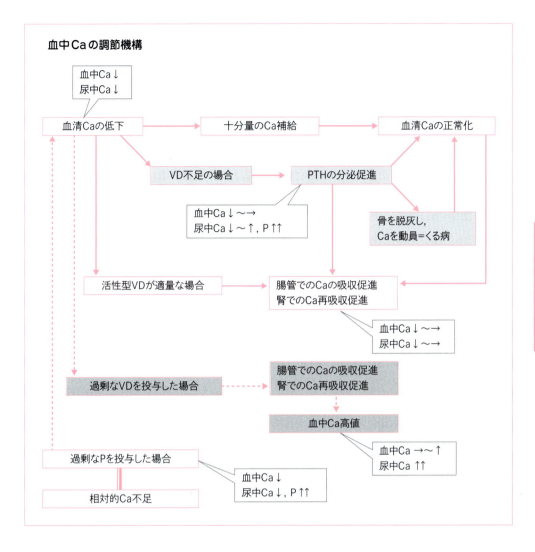

B 血清Pの維持機構

- 血清Pの維持はPの摂取量，腎機能，副甲状腺機能（PTH）の3者で決まる．
- すなわち，低P血症の場合，P欠乏ならば%TRPが上昇し，副甲状腺機能亢進症や尿細管機能障害であれば，%TRPは低下する．
- また，Pの過剰投与あるいはCa欠乏では%TRPは低下する．

C 高ALP血症（≧450IU/L）（IFCC法）の診断に必要な検査

- 血清Ca値
- 血清P
- 尿へのCaの排泄量（尿Ca/Cre比）
- 尿へのPの排泄量（%TRP）

Ⓓ データの解釈のポイント

1）Caに着目した解釈

血清Caが正常〜低値にある場合（通常，Ca剤あるいはVD過剰でない限り，この様になる）．

(1) 尿中Ca（尿Ca/Cre比）高値であれば，VD不足と診断できる．

- VD不足であれば，VD投与を開始するが，これによってVD作用が改善すれば，尿Ca/Cre比の低下に引き続き，血清Caが上昇するはず．
- その後VD投与を続け，VD過剰状態になると，今度は高Ca血症となり，尿Ca/Cre比が再度上昇する．この場合，速やかにVDを減量〜中止する必要がある．

(2) 尿中Ca（尿Ca/Cre比）低値であれば，Ca不足あるいはVD不足と考えられる．

- Ca不足の治療の場合，Ca剤の投与が選択される．
- VD不足状態であれば，尿からCaの排泄が増えるはずである．しかし，Ca欠乏が著しい場合，副甲状腺機能亢進が著しくなり，これによって尿からのCa再吸収が亢進し，尿Ca排泄が減ることがある．なお，この場合は%TRPの低下も並存するはずで，かなり進行した状態と言えるため，Ca＆VD剤の投与が必要となる．

(3) Ca剤and/or VD投与中で血清Ca高値の場合

- 尿中Ca（尿Ca/Cre比）高値であれば，Ca剤and/or VDの過剰投与と診断される．
- この場合，速やかなCa剤and/or VDの減量あるいは中止が必要．
- 尿Ca/Cre比上昇は尿路結石のリスクであり，是正する必要がある．尿Ca/Cre比上昇自体はVD不足・過剰いずれでも生じ得るため，基本的には血清Caで評価する．VD過剰では副甲状腺機能亢進は通常起こらず，%TRPは低下しないはずである．一方，深刻なVD不足であれば副甲状腺機能亢進を伴うため，%TRPは低下することも診断の根拠となる．

2）Pに着目した解釈

(1) %TRP高値（＞99％）であれば，P不足と診断できる．

- %TRP高値であれば，HMS-1など母乳強化剤の投与などを行い，Pの投与量を増やす必要がある．
- これにより，P不足が解消すると，ALPの低下，%TRPの低下がもたらされるはずである．
- なお，強化母乳・低出生体重児用のミルクでPの補充量を増やしただけの場合は通常問題とはならない．しかし，リン製剤などでPを投与した場合，P投与を続けるとP過剰になり，相対的なCa不足を招き，そのことが副甲状腺機能亢進症を招く恐れがある．このためPを投与する際にはCaも同時に（ただし，投与間隔をあけて）投与する方が安全である．

(2) %TRP低値（≦93％）であれば，副甲状腺機能亢進状態あるいはP過剰が考えられる．

- 未熟児くる病の副甲状腺機能亢進状態はCaあるいはVDの不足による低Ca血症が誘因となって生じるため，治療にはCa剤and/or VDの投与が必要．
- P過剰の場合も，Ca不足を引き起こし，二次性に副甲状線機能亢進を招くため，P剤を速やかに減量する必要がある．

ただし，尿細管が障害された状態では，P再吸収障害が生じる（＝%TRPが低下する）ため，%TRPでは判断できず，血清副甲状腺ホルモン値の測定が必須となる．

> 補足：
> %TRP ＝100× (1−Cp/Ccr) ＝100× (1−Up・Pcr/Pp・Ucr)

注意　ビタミンDの測定について

VDは肝臓で25位水酸化反応を受けて25(OH)Dとなるが，この反応は代謝調節を受けず，25(OH)DはVDの摂取・吸収量を反映する．さらに，25(OH)Dは腎近位尿細管で1α水酸化反応を受け，活性型の1,25(OH)$_2$Dとなるが，この反応は，PTHや低Ca血症によって促進され，1,25(OH)$_2$Dによって抑制される．すなわち，VD欠乏性くる病の場合，1,25(OH)$_2$Dは正常域に保たれることが多いが，貯蔵型である25(OH)Dが先に減少する．このため，VDを測定するときは25(OH)Dを測定すべきである．

▶ [早産児骨減少症の治療指針（河井案）]

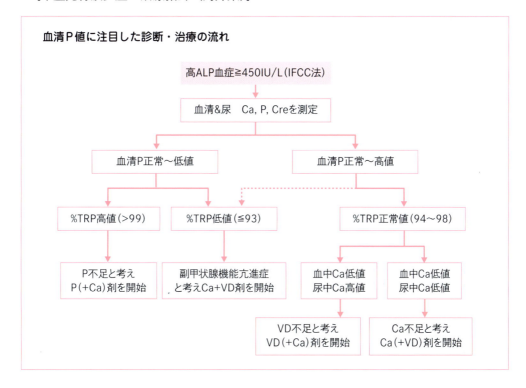

治療薬の初期投与量について

- 乳酸カルシウム0.6g/kg/日内服（分4）
- コンクライトP®0.5mL/kg/日，あるいはリン酸Na補正液®1.0mL/kg/日内服，または静注（分4）
- Baby D®1～2滴（2～4μg）/日（分1）またはアルファロール®0.1mL/kg/日内服（分1）

- 初期量にて投薬を開始し，その後，生化学データをみながら，増減する必要がある．

注意1　低出生体重児用ミルク栄養児では，ほとんどP不足は起こらない．
注意2　Pのみの投与は低Ca血症を招くため，P不足の際もP製剤単独の投与は危険であり，必ずCa製剤を併用する．ただし，同時投与は禁忌．
注意3　アルファロール®など活性型ビタミンDは，急速に1,25(OH)$_2$Dの血中濃度を上昇させ，高Ca血症⇒高Ca尿症を招くため，活性型ビタミンD投与中は1〜2回/週，尿中Ca排泄をモニターし，尿Ca/Cre比が高値をとらないよう留意する．なるべく，Ca/Cre比が1.0以下になるようにする．一方，活性型ビタミンDの投与では，貯蔵型の25(OH)Dは増加しないため，休薬後は間もなく，ビタミンD欠乏に陥ってしまう．このため，一部の例外を除き，早産児骨減少症に対するビタミンDの補充はBaby D®など非活性型ビタミンD（サプリメント）で行うべきである．
　一部の例外とは，胆汁うっ滞があり，脂溶性ビタミンの吸収が悪い場合，および重度の副甲状腺亢進が生じており，病的骨折を生じている（あるいはそのリスクが高い）状態を指す．

補足：
　早産児骨減少症の多くは，P不足によるものであり，母乳へのHMS-1®添加・低出生体重児用ミルクへの変更によって改善する．ただし，母乳添加剤にはビタミンDは含まれていないため，経静脈的なマルチビタミン投与終了後は，BabyD®によるビタミンDの補充を行うのが望ましい．

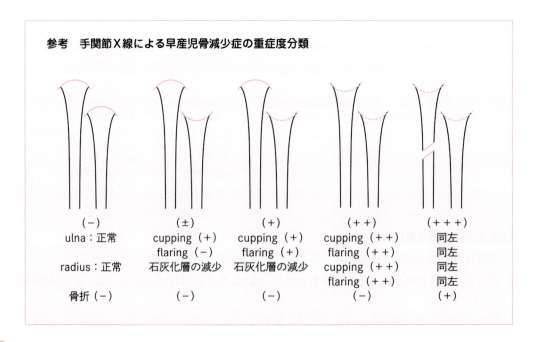

参考　手関節X線による早産児骨減少症の重症度分類

まとめ

(1) 尿だけでなく血清Ca，Pも考慮する．ただし，血清Ca，Pは維持機構があるため，大きな変化がみられないことも多い点に留意する．

(2) ％TRP低下は副甲状腺機能亢進症すなわち骨脱灰を示唆する重要所見であり，これがみられた場合はiPTHを測定する．

(3) 尿Ca/Cre比上昇は尿路結石のリスクであり，是正する必要があるが，VD不足・過剰いずれでも生じ得るため，基本的には血清Caで評価する．VD過剰では副甲状腺機能亢進は通常起こらず，％TRPは低下しないはずだが，深刻なVD不足なら副甲状腺機能亢進を伴うため，％TRPは低下することが診断の根拠となる．

MEMO
早産児における血清ALP，％TRPの正常域

我々が早産児を対象とした検討では，ALP≧1,300IU/L（JSCC法），％TRP≦93が二次性副甲状腺機能亢進症と関連しているとの結果が得られた．

このため，我々はこの値を基準値と考えている．

文献

Dowa Y, et al. Pedatr Int 2016; 58: 988-992.

MEMO
ALPの測定法について

わが国では，従来からJSCC法で測定されていたが，2020年度に多くの施設でIFCC法（国際標準法）に切り替えられた．IFCC法によるALP値はJSCC法によるALP値を約0.35倍したものである．我々はJSCC法によるALP値1,300IU/Lは要注意としてきたが，これはIFCC法の450IU/Lに相当する．このため，本書はこの値を基準値として記載している．

文献

Hanaoka S, et al. Pediatr Int 2021; 64: e15108.

第13章／代謝・内分泌疾患の管理

4 早産児の低サイロキシン血症の取り扱い

🔖 Key point

　　早産児の低サイロキシン血症をどこまで治療するか？に関しては未だ結論は出ていない．高TSH血症の有無にかかわらず，甲状腺ホルモン補充療法を行うべきだという考えもあるが，我々は，高TSH血症を伴わない低サイロキシン血症に対するホルモン補充は原則不要と考えている．

1 早産児における出生後の甲状腺機能の変化

　子宮外に放り出された早産児は満期産児と同様の甲状腺機能の適応反応を行おうとするが，早産児の甲状腺機能には以下のような特徴がある．

Ⓐ 在胎30週以降の児

　満期産児同様，出生直後のTSHサージに反応して，甲状腺ホルモンは早期新生児期に一過性に上昇する．その後，満期産児に比較して低値をとるが，修正38〜42週頃までに満期産児のレベルに達する．

Ⓑ 極低出生体重児

　HPT axisの未熟性はより顕著で，TSHサージおよびそれに続く甲状腺ホルモンの上昇は限られたものであり，その後free T4などの甲状腺ホルモンは徐々に低下し，生後1〜2週目にnadirとなり，生後3〜4週までに臍帯血のレベルまで回復する．なお，この間，TSHは一般に上昇しない．この高TSH血症を伴わない低サイロキシン血症を治療すべきか否か？　に関しては，現在まで，結論が出ていない．

> **注意**　極低出生体重児の高TSH血症を伴わない低サイロキシン血症に甲状腺ホルモン補充を行った報告はいくつかあるが，長期予後を明らかに改善したという報告はなく，逆に悪化させたという報告すらある．

C 早産児一過性低サイロキシン血症（transient hypothyroxinemia of prematurity；THOP）

これまで我々が，THOPの病態生理を解明するために行った研究で得た知見をまとめる．

1) 極低出生体重児でも，THOPの好発時期である生後2週頃には，すでにHPT axisは確立している．なぜなら，TRH負荷試験に対する反応（TSH超値）はTSHの基礎値と正の相関を示し，TSHの基礎値が10μU/mLを超える児はTRH負荷試験に対して過剰反応を示すからである[1]．

2) THOPにおけるHPT axisの抑制は視床下部レベルで生じている．THOP児はTRH負荷試験に対して遷延過剰反応を示す[2]．

3) 比較的軽度なNon-thyroidal illnessでは，T4→rT3への変換が特徴的だが，重症NTIでは著しい低T4血症，TSHの抑制が顕著で，rT3も低値になることが知られている（表13-3）．THOP児の甲状腺機能検査は重症NTIと合致する[2]．

4) なお，Wassenaerらの報告によると，THOPを含む早産児にLT4を投与すると，rT3が有意に増え，T3は有意に低下する．これは早産児ではT4→rT3の変換が優位であることを示しており，NTIと合致する[3]．

　以上の検討結果と過去の文献報告を合わせて考えると，THOPがNTIであるとする考えが妥当であり，原則，TSH高値がみられないTHOP児にLT4製剤を投与する必要はないものと考える．

表13-3 Nonthyroidal Illnessの重症度別甲状腺機能検査の変化

	FT4	rT3	FT3
軽症	→	↑	↓
中等症	→or↓	↑	↓
重症	↓	↓	↓

＊THOPの検査所見は重症NTIと合致する．

2 極低出生体重児の遅発性一過性甲状腺機能低下症とは

　一方，極低出生体重児ではT4が低値で，TSHが上昇する一過性甲状腺機能低下症のリスクが8倍と言われている．この病態は，たとえ一過性であっても神経学的発達に大きな影響を及ぼす危険性が否定できず，適切な治療が必要である．しかし，極低出生体重児ではTSHが遅れて上昇する例も多く，マス・スクリーニングなど1回の検査では見逃される危険性があるため，繰り返し検査する必要がある．

　これらを踏まえて，我々は以下のような方針で，甲状腺機能検査を行い，治療の適応を判断している．

3 甲状腺機能の検査・治療指針（京都大学案）

1) 在胎30週未満あるいは出生体重1500g未満の児は，生後2週間の時点でTSH，fT4，fT3を検査する．

2) TSH≧15 μU/mLの場合は，症状の有無にかかわらず，ただちにチラーヂン®Sの投与（5 μg/kg/日，内服1日1回）を開始する．

3) TSHが15 μU/mL未満の場合でも，甲状腺機能低下症を疑わせる症状がある場合は，チラーヂン®Sの投与を考慮する．
   症状がない場合は1週間後に再検し，TSHの上昇傾向がみられる場合には（前述の2001年のJ Pediatrのデータと照らして），チラーヂン®Sの投与を開始する．

4) **TSH＜15 μU/mLであれば，無症状である限り，fT4が低値であっても，チラーヂン® Sの投与は行わず，1〜2週間ごとに検査を繰り返す．**一方，甲状腺機能低下症を疑わせる症状がある場合は，TSHが低値であっても，中枢性甲状腺機能低下症の可能性を考慮してチラーヂン®Sの投与を試み，その反応性をみる．

5) 早産児では，遅発性にTSHが上昇する場合があるため，1回の検査で甲状腺機能異常がないと判断せず，1回目の検査に異常がない場合も，必ず2週間程度間隔をおいて再検する．

文献

1) Niwa F, et al. Clin Endocrinol 2012; 77: 255-261.
2) Yamamoto A, et al. Clin Endocrinol 2020; 95: 605-612.
3) van Wassenaer AG, et al. Eur J Endocrinol 1998; 139: 508-515.

参考文献

・Fisher DA. Clin Perinatol 1998; 25: 999-1014.
・Rapaport R, et al. J Pediatr 2001; 139: 182-188.
・van Wassenaer AG, et al. Semin Neonatol 2004; 9: 3-11.

MEMO

fT4値の測定について

現在，日本で行われているfT4値の測定はすべて免疫抗体法で行われているが，この方法ではTBP（サイロキシン結合蛋白）濃度の低い，超早産児のfT4値を過少評価してしまうとの報告がある．

つまり，我々が診ている「高TSH血症を伴わない低fT4血症の超早産児」の多くは，測定法の問題からfT4を過少評価しているに過ぎないのかもしれない．よって，fT4値だけに振り回されないようにしなければならない．

文献

Deming DD, et al. J Pediatr 2007；15：404-408.

第13章 / 代謝・内分泌疾患の管理

5 先天性代謝異常症

Key point

　先天性代謝異常症は稀な疾患であり，しばしば出くわすものではない．しかし，「どんな症状を見た時に代謝疾患を疑い，どのように検索を進めてゆくか？」は知っておく必要がある．なぜなら，早期診断治療がその予後の改善には欠かせないからである．本項ではLeonardのReview[1]から抜粋し，診断の進め方を解説する．

先天性代謝異常症を疑うポイント及びその検査

1) 原因不明の敗血症様症状を呈する場合，先天性代謝異常症を疑い，以下の検索を行う．血液ガス（pH，アニオンギャップ），血糖，Na/K/Cl，肝機能検査，アンモニア，血中・尿中アミノ酸，血清アシルカルニチン，ガスリー検査用紙に採血（将来のDNA検査にも有用），尿糖，尿ケトン体．

2) ただし，やみくもにこれらの検査を行っても，なかなか診断には至らないため，以下に検査の進め方を記す．

3) 先天性代謝異常症は発症時期により次の3群に分類される．
　①妊娠中に発症する疾患
　②生後まもなくから発症する疾患
　③出生後無症状の時期があってから発症する疾患．
以下に，①〜③の診断の進め方を記す．

1 妊娠中に発症する疾患

　長鎖3ヒドロキシアシルCoAデヒドロゲナーゼ欠損症：児が同症の場合，母体がHELLP症候群〔溶血（hemolysis），肝酵素上昇（elevated liver enzyme），血小板減少（low platelet count）〕，急性脂肪肝になるリスクが高くなる．**血清アシルカルニチン・尿有機酸分析**で診断する．

2 生後まもなくから発症する疾患

Ⓐ 痙攣・無呼吸で発症する場合

血糖・Ca/Mg・血液ガス/Na/K/Cl・血中乳酸/ピルビン酸・頭部超音波にてスクリーニングする.

1) ピリドキシン依存症（ビタミンB_6依存症）：生化学上異常所見がなく，他に痙攣を起こす疾患がみつからない場合，ビタミンB_6を大量投与してみる．同症ならば，速やかに痙攣は治まる.

2) ペルオキシゾーム異常症（Zellweger症候群など）：**血清極長鎖脂肪酸分析・尿有機酸分析**で診断する.

3) モリブデン補酵素欠損症

4) 非ケトーシス型高グリシン血症：**髄液／血中グリシン比＞0.07**（正常値＜0.05）で診断．CT上80%で脳梁欠損を認める．確定診断は肝臓ないしリンパ芽球の酵素診断.

5) 先天性高乳酸血症性アシドーシス：**血液ガス（アニオンギャップ），血中・髄液中乳酸／ピルビン酸（L/P）比**を測定する.

  ① 2次性ピルビン酸代謝障害を伴う有機酸代謝障害：**尿有機酸・血清＆尿アミノ酸**にて診断する.

  ② ピルビン酸代謝関連酵素異常症

   (1) 血中髄液中L/P比高値なら，ピルビン酸カルボキシラーゼ（PC）欠損症B型・電子伝達系酸化的リン酸化の異常を考える.

   (2) 血中髄液中L/P比正常なら，

   ● 低血糖を認める場合，グルコース-6-ホスファターゼ（G6Pase）欠損症・フルクトース-1-6-ビスホスファターゼ（FDPase）欠損症・ホスホエノールピルビン酸カルボキシキナーゼ（PEPCK）欠損症を考える.

   ● 血糖正常の場合，ピルビン酸カルボキシラーゼ（PC）欠損症A型・ピルビン酸脱水素酵素複合体（PDHC）異常症を考える.

> 補足:
>
> アニオンギャップ $\{[Na^+]-([Cl^-]+[HCO_3^-]):5\sim15mEq/L\}$ が正常な代謝性アシドーシスの場合は下痢による脱水あるいは腎尿細管性アシドーシスを考える.

Ⓑ 著しい筋緊張の低下（Hypotonia）を呈する場合

1) ペルオキシゾーム異常症（Zellweger症候群など）：前述

2) 非ケトーシス型高グリシン血症：前述

3) 先天性高乳酸血症性アシドーシス：前述

4) 炭水化物欠乏性糖蛋白症候群（Carbohydrate-deficient glycoprotein syndrome；CDGS）

● 筋緊張低下，failure to thrive，dysmorphism，精神発達遅滞あり.

- 頭部CT上，小脳・脳幹の萎縮，ダンディウォーカー（Dandy-Walker）様嚢胞を認めることあり．
- α1-アンチトリプシン，トランスフェリンの電気泳動度の差で診断される．

C 腹水/非免疫性胎児水腫を呈する場合

1) ライソゾーム蓄積症：Gaucher病II型，乳児遊離シアル酸蓄積症，シアリドーシスII型，ガラクトシアリドーシス，GM1ガングリオシドーシス，Nieman-Pick病C型，ムコ多糖症IV/VII型，ムコリピドーシスII型，Farber病．白血球・線維芽細胞を用いた酵素診断・遺伝子診断で診断する．

2) 赤血球酵素異常症：CBC（Ht，Hb，網状赤血球数），赤血球形態異常から疑う．グルコース-6-リン酸デヒドロゲナーゼ（G6PD）欠損症，ピルビン酸キナーゼ（PK）欠損症，グルコース−リン酸イソメラーゼ欠損症

3) Pearson症候群・呼吸鎖病

4) 新生児ヘモクロマトーシス

5) CDGS：前述

6) 糖原病IV型

D Dysmorphismを呈する場合

1) ペルオキシゾーム異常症（Zellweger症候群など）：前述

2) コレステロール合成障害：Smith-Lemli-Opitz症候群，伴性優性Conradi-Hunermann症候群，デスモステロール症，メバロン酸尿症

3) ライソゾーム蓄積症：GM2ガングリオシドーシス，ガラクトシアリドーシス，シアリドーシスII型，乳児遊離シアル酸蓄積症，ムコ多糖症VII，ムコリピドーシスII

4) CDGS：前述

5) 先天性高乳酸血症性アシドーシス：前述

6) グルタル酸血症II：尿中有機酸分析

7) 3-ヒドロキシイソブチリル-CoAデアシラーゼ欠損症

3 生後無症状の時期があった後に発症する疾患

A 肝障害を呈する場合

ガラクトース血症，α1アンチトリプシン欠損症，呼吸鎖病，新生児ヘモクロマトーシス，脂肪酸酸化障害，チロシン血症I型，Niemann-Pick病C型，遺伝性果糖不耐性

▶ [検査項目]

- 血液：肝機能，血糖，血液ガス，アンモニア，尿酸，ガラクトース値，乳酸/ピルビン酸，フェリチン，遊離脂肪酸，ケトン体，アミノ酸，アシルカルニチン．

- 尿：ケトン体，有機酸．
- 骨髄穿刺，眼底検査，肝生検．

Ⓑ 代謝性アシドーシスを呈する場合

有機酸血症，先天性高乳酸血症性アシドーシス，フルクトース-1,6-ビスホスファターゼ欠損症，ケトン体分解酵素欠損症，呼吸性アルカローシス，高アンモニア血症

▶ ［検査項目］
- 血液：血糖，血液ガス，アンモニア，乳酸/ピルビン酸，アミノ酸，アシルカルニチン
- 尿：有機酸
- 脳脊髄液：乳酸/ピルビン酸

Ⓒ 心疾患を呈する場合

脂肪酸酸化障害，呼吸鎖病，CDGS，糖原病，ポンペ病

▶ ［検査項目］
- 血糖，血液ガス，血中乳酸/ピルビン酸，血清アシルカルニチンなど

Ⓓ 神経症状を呈する場合

高アンモニア血症，有機酸血症，メープルシロップ尿症，脂肪酸酸化障害，先天性高乳酸血症性アシドーシス，ペルオキシゾーム異常症，非ケトン性高グリシン血症，モリブデン補酵素異常症，Remethylation 欠損症

▶ ［検査項目］
- 血液：血糖，血液ガス，アンモニア，乳酸/ピルビン酸，アミノ酸，アシルカルニチン，極長鎖脂肪酸，ガスリー検査
- 尿：有機酸
- CSF：乳酸/ピルビン酸

Ⓔ 低血糖を呈する場合

低血糖症の項（p.302）を参照する．

Ⓕ 高アンモニア血症を呈する場合

尿素サイクル異常症，有機酸血症，脂肪酸酸化障害，PC欠損症，高オルニチン血症．ただし，軽度の高アンモニア血症は多くの先天代謝異常症・原因に関わらず重篤な疾患・新生児仮死・中心静脈栄養・単純ヘルペス感染症・新生児一過性高アンモニア血症などでみられる．

▶ ［検査項目］
- 血液：血糖，血液ガス，アンモニア，乳酸/ピルビン酸，アミノ酸，アシルカルニチン

尿：有機酸，アミノ酸，オロット酸

> **補足：** 生後2～3日の突然死の際，採取しておくべきサンプル
> 1. 血清（保存用スピッツまたはガスリー検査用紙に採血）
> 2. 尿（−20℃で凍結保存）
> 3. DNA（EDTA血で1cc採取）
> 4. 皮膚〔線維芽細胞培養用のため，DMEM（培養液）に清潔に採取，4～8℃に保存〕
> 5. 肝臓（組織・酵素診断用）
> 6. 筋肉，他（組織・酵素診断用）

4 ライソゾーム病，ペルオキシソーム病

Ⓐ ライソゾーム病とは？

　ライソゾームは細胞内で不要となった蛋白質・脂質・糖質などを分解する細胞内小器官である．このため，ライソゾーム内には蛋白質・脂質・糖を分解する酵素が存在しており，これらの酵素をコードする遺伝子に異常があると酵素反応が阻害されてしまう．例えば，脂質を分解する酵素が欠損すると，その脂質が細胞内に蓄積し，その結果，細胞の機能が悪化してしまう．これがライソゾーム病の本態である．ライソゾームには多数の酵素があり，現在40種類ぐらいのライソゾーム酵素の異常が知られている．

　ライソゾーム病の代表的な疾患，ゴーシェ病ではβグルコシダーゼの欠損のためにグルコセラミドが細胞網内系に蓄積する．その結果，肝脾腫・貧血・血小板減少・骨症状を呈する．また，グルコシルスフィンゴシンが中枢神経系に集積し，中枢神経症状を生じさせる．欠損酵素によって，蓄積物質は異なるため，疾患ごとに蓄積部位・臨床症状が異なるが，ライソゾーム病の比較的多くが肝脾腫・骨症状・神経症状を呈するのは類似の病態が生じやすいためである．

　なお，現在，ゴーシェ病，ファブリー病，ムコ多糖症I型，ムコ多糖症VI型，ポンペ病，ムコ多糖症II型，ファブリー病の7種のライソゾーム病酵素補充療法製剤が承認されている．また，シスチノーシス（シスチン蓄積症）に対しては，シスチン除去剤であるシステアミン内服の有用性が報告されている．

　各疾患に関しては　小児慢性特定疾病情報センターの情報などを参照していただきたい．
- ムコ多糖症I型 ：https://www.shouman.jp/disease/details/08_06_075/
- ムコ多糖症II型：https://www.shouman.jp/disease/details/08_06_076/
- ゴーシェ病 ：https://www.shouman.jp/disease/details/08_06_090/
- ファブリー病 ：https://www.shouman.jp/disease/details/08_06_091/
- ポンペ病 ：https://www.shouman.jp/disease/details/08_06_097/

Ⓑ ペルオキシソーム病とは？

ペルオキシソームは，極長鎖脂肪酸のβ酸化・コレステロールや胆汁酸の合成など脂質代謝において重要な役割を担っている．ペルオキシソーム病にはペルオキシソーム形成異常症（ペルオキシソーム膜の形成や蛋白の局在化に関わるPEX遺伝子異常），ペルオキシソームの膜タンパクの異常によって，極長鎖脂肪酸がペルオキシソーム内へ移送されない病態，ペルオキシソーム内の消化酵素の異常（ペルオキシソームβ酸化酵素欠損症）がある．

1）ペルオキシソーム形成異常症
Zellweger症候群
Zellweger症候群がその典型例（最重症型）で，ペルオキシソーム代謝機能全般が重度に障害され，出生児から筋緊張低下，異常顔貌，肝脾腫などをきたして乳児期前半に死亡する．
新生児型副腎白質ジストロフィー
Zellweger症候群より若干軽症で，出生時から筋緊張の低下は認めるが，顔貌異常や肝腫大の程度は軽く，幼児期前半まで生存する．
乳児型レフサム病
軽症型で，多くは歩行や有意語の出現後に退行する．成人まで生存した例も存在する．

2）ペルオキシソームの膜タンパクの異常症
副腎白質ジストロフィー（adrenoleukodystrophy）
【病態】 X染色体に存在する*ABCD1*遺伝子の変異によりペルオキシソームの膜タンパク（ALDP）に異常を生じるため，極長鎖脂肪酸がペルオキシソーム内へ移送されなくなる．その結果，極長鎖脂肪酸が中枢神経系・副腎皮質・赤血球・白血球などの細胞内に蓄積し，脱髄・神経変性に加えて副腎不全を生じる．
男性1人/2～3万人に発症し，ほぼ同数の女性の保因者が存在する．
【予後・治療法】発症後，退行を示し，無治療の場合，1～2年で寝たきりとなる．発症早期であれば，造血幹細胞移植が有効とされている．

3）ペルオキシソームβ酸化酵素欠損症
アシルCoAオキシダーゼ欠損症（AOX欠損症）
極長鎖脂肪酸の蓄積を認める疾患で，新生児期からの筋緊張低下と乳児期以降の痙攣，発達の遅れと2歳前後からの退行が認められる．
二頭酵素欠損症（DBP欠損症）
極長鎖脂肪酸に加えて，フィタン酸・プリスタン酸・胆汁酸の中間代謝産物の蓄積を認める疾患で，ほとんどが新生児期からの筋緊張低下と1ヵ月以内の痙攣を認める．さらに，顔貌異常や成長障害・肝腫大など多彩な症状が出現する．

文献
1) Leonard JV, et al. Lancet 2000；356：583-587

第13章／代謝・内分泌疾患の管理

アミノ酸分析の見方

Key point

　原因不明の代謝性アシドーシス，あるいはもっとざっくり「訳が分からないけど状態の悪い患者」をみたとき，検体提出しなければ……と考える検査の一つがアミノ酸分析である．しかし，アミノ酸分析は結果が返ってきてもその解釈が難しく，検査結果を前にしてもまた，別の意味で訳の分からない状態から抜け出せない，そんな検査である．ここでは，アミノ酸分析の基本について解説する．

1　アミノ酸分析はどういう場合に検査するか？

1）臨床所見：哺乳障害・嘔吐・Failure To Thrive・筋低緊張・痙攣・意識障害・発達遅延・外表奇形・骨の異常・異臭
2）代謝異常症や突然死の家族歴
3）検査所見：代謝性アシドーシス・高アンモニア血症・低血糖・ケトン尿など

2　検体採取の際の注意点

1）血液と尿を必ず同時に採取する．
2）検体は採取後すぐ氷冷し検査室へ．時間がかかる場合は早急に遠心しておく．
3）通常は急性期の検体で評価．平常時のデータとしては早朝空腹時が良い．
4）高アンモニア血症のスクリーニングには食後が良い．

3　データを正しく読むために

1）溶血した場合には細胞内に多いアミノ酸（taurine, glutamic acid, aspartic acid）が上昇しやすい．また赤血球内のarginaseが作用しarginineが低下，ornithineが上昇しやすい．
2）室温に放置したままだとcystein, homocystein, glutamineが低下しやすい．
3）細菌が繁殖すると尿中serineが低下する．
4）便が混ざると尿中hydroxyprolineが検出されることがある．
5）6ヵ月以下では尿中に比較的多量にproline, hydroxyproline, glycineが排泄されやすい．

6) taurine強化ミルクを飲んでいると多量のtaurineが尿中に排泄される.
7) 嘔吐，飢餓が2～3日でも続くと血中分枝鎖アミノ酸が上昇しやすい.
8) 高蛋白食ではtyrosine，methionineが上昇しやすい.
9) 肝疾患ではtyrosine，methionine，phenylalanine，ornithine，GABAが上昇しやすく，分枝鎖アミノ酸が低下しやすい. Fisher比が低下する.

4 データが返ってきたら

1) まず個々のアミノ酸の増減をチェックする.
2) 下記の可能性を検討していく.
　①検体取り扱いによる変化
　②飢餓，肝疾患，腎疾患などの全身状態による変化
　③食事，薬剤による変化
　④先天代謝異常症

5 具体的なアプローチ

1) マス・スクリーニング対象疾患の主な指標をチェックする
　代謝性アシドーシスや肝障害のためにアミノ酸分析を提出した場合には，検査結果で有意に上昇しているアミノ酸があれば，それがマス・スクリーニング対象の指標となるアミノ酸か否かをチェックする（表13-4）.

2) 尿素回路に関連するアミノ酸の異常がないかチェックする
　高アンモニア血症を伴う場合には，尿素回路に関連するアミノ酸の異常の有無が重要である.

3) 代謝マップを見ながら，どのアミノ酸が高値をとっているかチェックする
　アミノ酸・有機酸の異常をきたす先天性代謝異常症であれば，いずれかの酵素の活性が低下しているため，その前駆物質が上昇するパターンをとることが多い. このため，上昇して

表13-4　マス・スクリーニング対象のアミノ酸代謝異常症

疾患名	主な指標	補助的な指標
高フェニルアラニン血症	Phe	
ホモシスチン尿症1型	Met	
メープルシロップ尿症	Leu，Val，Ile	
シトルリン血症1型	Cit	
アルギニノコハク酸尿症	Cit	
シトリン欠損症	Cit，Cit/Ser比	Phe，Met，Arg，Tyr
アルギニン血症	Arg	
高チロシン血症1型	Tyr	

いる物質がある場合には，それがどこかの酵素欠損で説明できるようなパターンか否かをチェックすることが重要となる．表13-5 に新生児期のアミノ酸の基準値を載せる．

表13-5　新生児期の血中・尿中アミノ酸基準値

		plasma （nmol/mL）	urine （nmol/mg Cr）
1	Taurine	20〜120	71〜2,000
2	phosphoethanolamone	TR	30〜100
3	Urea	2,600〜6,600	100〜400
4	Aspartic acid	1〜17	18〜106
5	Hydroxyproline	0〜23	177〜2832
6	Threonine	40〜204	177〜1221
7	Serine	70〜194	708〜2496
8	Asparagine	15〜83	0〜743
9	Glutamic acid	14〜78	0〜266
10	Glutamine	333〜809	460〜1814
11	Sarcosine	TR	0〜100
12	α-Aminoadipic acid	ND	15〜90
13	Proline	40〜332	186〜1885
14	Glycine	107〜343	2,505〜9,708
15	Alanine	120〜600	664〜2,159
16	Citrulline	8〜47	0〜97
17	α-Aminobutyrate	12〜43	0〜80
18	Valine	132〜480	27〜230
19	Cystine	23〜68	106〜345
20	Cystathione	TR	0〜50
21	Methionine	223〜430	62〜239
22	Isoluecine	6〜122	0〜53
23	Leucine	30〜246	27〜221
24	Tyrosine	19〜119	53〜487
25	Phenylalanine	26〜98	35〜283
26	γ-Amino β-hydroxybutyrate	ND	ND
27	β-Alanine	TR	0〜150
28	β-Aminoisobutyrate	TR	0〜770
29	γ-Aminobutyrate	ND	ND
30	Monoethanolamine	0〜11	150〜500
31	Homocystine	ND	ND
32	Histidine	47〜135	708〜2611
33	3-Metylhistidine	0〜5.6	177〜345
34	1-Metylhistidine	0〜23	50〜2,000
35	Carnosine	ND	0〜90
36	Anserine	ND	0〜300
37	Tryptophan	12〜69	20〜150
38	Hydrosylysine	ND	0〜40
39	Ornithine	20〜136	0〜168
40	Lysine	66〜270	195〜1,513
41	Arginine	12〜112	0〜124

TR: trace, ND: not detected

(Physician's Guide to the Laboratory Diagnosis of Metabolic Diseases, Chapman & Hallより引用)

第13章／代謝・内分泌疾患の管理

7 マス・スクリーニング検査

Key point

タンデムマス法の導入によって，マス・スクリーニングは新たな時代を迎えたと言える．対象疾患が大きく広がったため，新生児科医が知っておかなければならない病態も大幅に増えた．

1 新生児マス・スクリーニングの検体の採取

生後4〜6日頃に血液をろ紙に採取し，室温で乾燥させた後，指定された検査機関に送付する．なお，採血日齢が早すぎると，出生後のTSHサージの影響で，TSHが高めに出て，疑陽性の頻度が高まるため，日齢3までに採血することは推奨されない．

出生体重が2,000g以下の児であれば，1回目の採血結果に関係なく，体重2,500g以上，生後1ヶ月または退院時に2回目の採血が必要である．これは，低出生体重児では，生後早期は視床下部・下垂体・甲状腺系（HPT axis）が未熟なために，遅発性にTSHが上昇する児がいることや，17ヒドロキシプロゲステロン（17OH-P）が高値となり副腎過形成症の疑陽性の頻度が高いことなどのためである．

MEMO
fT4値の測定について

先天性甲状腺機能低下症(CH)のマス・スクリーニングに関して，2022年「**一卵性（1絨毛膜双胎）または性別一致の多胎児は，日齢14までに2回目の採血を行うことを考慮する**」と追記された．

理由は，多胎児は単胎児に比べてCHを発症するリスクが3倍高いことが報告されているが，一絨毛膜双胎では，胎盤の吻合血管を介して血液が相互に行き来することがあり（TTTS），罹患児のTSHが希釈され，マス・スクリーニングで陽性とならないことが懸念されるためである．なお，性別一致の多胎児も含まれているのは，膜性診断がはっきりしない児が存在するため，性別が一致している双胎では一卵生であることが否定できないことによる．

また一卵性か二卵性かに関わらず，双胎児の一方がCHである場合，他方はスクリーニング陰性であっても，後にTSHが上昇しCHの診断になることが報告されている．このため，**新生児マス・スクリーニングの結果が不一致の多胎児の場合は，一卵性か二卵性かに関わらず精査医療機関において，陰性の児も甲状腺機能検査を行うことを考慮することも推奨される**．

2 マス・スクリーニングの対象疾患

表13-5 マス・スクリーニングの対象疾患

	対象疾患（頻度：1/10万人の者のみ記載）
従来からの対象疾患（6）	先天性甲状腺機能低下症　　　（1：3000） 先天性副腎過形成症　　　　　（1：1.7万） ガラクトース血症 フェニルケトン尿症　　　　　（1：4.6万） メープルシロップ尿症 ホモシスチン尿症
タンデムマス法で加わった対象疾患（14）	アミノ酸代謝異常症 　• シトルリン血症1型 　• アルギニノコハク酸尿症 有機酸代謝異常症 　• メチルマロン酸血症 　• プロピオン酸血症　　　　　（1：4.1万） 　• イソ吉草酸血症 　• メチルクロトニルグリシン尿症 　• ヒドロキシメチルグルタル酸血症 　• 複合カルボキシラーゼ欠損症 　• グルタル酸血症1型 脂肪酸β酸化異常症 　• CPT-1欠損症 　• CPT-2欠損症 　• MCAD欠損症 　• VLCAD欠損症　　　　　　（1：9.3万） 　• TFP欠損症
タンデムマス2次対象疾患	シトリン欠損症　　　　　　　（1：9.6万） βケトチオラーゼ欠損症 グルタル酸尿症2型 全身性カルニチン欠乏症 CCAT欠損症

3 タンデムマス法で診断可能疾患が広がった意義

(1) 新生児期にアシドーシスで発症する有機酸代謝異常症などや高アンモニア血症で発症する尿素サイクル異常症の一部が診断されるようになった（先天性代謝異常症の項 p.319～p.324参照）. ただし，オルニチントランスカルバミラーゼ（OTC）欠損症など診断できない疾患もある点に注意が必要である. すなわち，マス・スクリーニングに異常がなくても，尿素回路異常症が否定できるわけではない点に注意が必要である.

(2) 新生児～乳児期は無症状で過ごし，乳児期以降に突然死していたような「脂肪酸β酸化異常症」が発症前に診断され，予防が可能となった.

13 代謝・内分泌疾患の管理

7 マス・スクリーニング検査

第14章

染色体異常症

第14章／染色体異常症

1 染色体異常症

Key point

NICU入院を要する児にとって染色体異常は決して稀ではない．本項では，その診断のポイントについて学ぶ．

1 染色体の基礎

ヒト染色体は，2本ずつ23組，計46本の染色体からなる．

常染色体（autosome）は22×2の44本．性染色体（sex chromosome）は2本で，XまたはY．正常核型（normal karyotype）は男性46,XY，女性46,XXである．

2 染色体異常症の分類

染色体の異常には，大きく分けて2種類ある．

A 染色体の数の異常（異数性aneuploidy）（トリソミーやモノソミーのこと）

（例）トリソミー：21，13，18トリソミー，XXX，XXY，XYY

モノソミー：X（常染色体ではモザイクか部分モノソミーでないと，通常，生産にならない）

B 染色体の構造の異常（rearrangement）

均衡型異常（balanced rearrangement）では遺伝情報に得失はないが，不均衡型異常（unbalanced rearrangement）では遺伝情報に得失があり，様々な表現型を呈する．

3 染色体異常症の頻度

何らかの染色体異常は受精卵の約8％にみられるが，その9割以上は流産で失われ，生産児で染色体異常を有するものは0.7％である．なお，常染色体の数の異常では自然流産の割合は21トリソミーの78％が最低である．一方，性染色体の異常は出生する率が高いが，これは性染色体には生存に最重要な遺伝情報が少ないことによる．

第14章／染色体異常症

染色体分析・遺伝子検査の種類

Key point

「染色体検査といえばG-Banding」という時代は過ぎ去ってしまった．身近に可能となった種々の染色体検査の特徴を知り，活用することが重要である．

A G banding

最もよく用いられる．通常はこれをオーダーすればよい．ギムザ（Giemsa）染色を行う．濃淡のバンドが確認できる．

B Q banding

キナクリンマスタード（quinacrine mustard）にて染色し，蛍光顕微鏡にて確認する．明暗のバンドが見られ，明るいバンドがG bandingでの濃いバンドにほぼ相当する．

C R banding

基本的にはギムザ染色だがその前に加熱処理を行う．これにより濃淡のバンドができるが，これはG bandingでできる濃淡のバンドと反対（reverse）に染まる．

D C banding

各染色体の動原体（centromere）付近といくつかの染色体（1q，9q，16q，Yq）のヘテロクロマチン（heterochromatin）領域が染まる．ヘテロクロマチンとは転写が活発でない，特に濃縮された（condensed）染色体の領域のこと．

E 高精度分染法（high-resolution banding）

染色方法はG bandingやR bandingと同じだが細胞分裂での染める時期が異なり，前期（prophase）や前中期（prometaphase）など比較的早い時期に行う．

この時期はまだ染色体がそれほど濃縮していないため，バンド数が多く得られ，中期（metaphase）に行う通常のG bandingのほぼ2倍，微小な染色体領域の異常を検出できる．

F 脆弱X染色体（fragile X syndrome）

fragile X syndromeでのfragile siteはXq末端にみられるが，リンパ球を特殊な条件下で培養し染色することで明るいバンドとして可視化される．

G FISH法（fluorescence in situ hybridization）

FISH法は顕微鏡用のスライドに固定された染色体に含まれるDNAを変性させて，DNAの2本鎖を露出させ，それに蛍光色素で標識されたプローブをハイブリダイズし，目的とする遺伝子を可視化する方法である．

FISH法では，100万塩基対（1Mb，1cM）レベルの異常の検出が可能となり，遺伝子の重複・染色体転座の切断点・隣接遺伝子症候群の検出に威力を発揮する．

H SKY FISH法（spectral karyotyping FISH）

ヒトの各染色体に対応する24種類のプローブを用いて，FISHを行う方法をSKY FISH法と呼ぶ．各染色体に対するプローブは，それぞれ異なる色調を呈するため，転座・重複などの異常染色体の由来の同定が容易になる．

I 比較ゲノムハイブリダイゼーション法 （comparative genomic hybridization; CGH）

CGH解析は，ゲノムのある特定DNA領域のコピー数の増減を検出する方法である．FISH法のように，特定の目的とするDNA領域について調べるのではなく，全DNAを網羅的に検索できるため，原因不明の奇形・精神運動発達遅滞などの児の診断に威力を発揮する．ただし，均衡型相互転座は原則，ゲノムコピー数の変化がないため診断することはできない．

J サザン・ハイブリダイゼーション法（Southern hybridization）

サザン・ハイブリダイゼーション法では，生体から抽出したDNAを制限酵素で切断し断片化した後，電気泳動によってDNAサイズに応じて分画する．これを1本鎖DNAに変性させた後に，ニトロセルロースなどのフィルターに転写して固定化し，これに目的の遺伝子と結合する標識したプローブをハイブリダイズすることによって，目的とする遺伝子の量・サイズの異常の有無を検出する方法である．

すなわち，標識したプローブによって検出できるバンドの大きさに大幅な変化（数百塩基以上のDNAの欠失・挿入など）が生じた場合には，検出はできるが，1塩基の置換・少数の塩基の挿入や欠失など微小な変異を検出することはできない．

Ｋ ダイレクト・シーケンス法（direct sequence）

　原理はSangerが開発した塩基配列決定法（ジデオキシヌクレオチドを用いてDNAポリメラーゼの伸長を止め，塩基依存的にDNA断片を作製し，その長さを比べることで塩基の順序を知る方法）と同様だが，技術の進歩により，短時間にDNAの塩基配列が決定できるようになっている．

　このため，特定の遺伝子領域の異常が疑われる場合には，関連領域の遺伝子の塩基配列をすべて決定し，塩基配列の異常を同定するといったことも行われる．

Ｌ マイクロアレイ染色体検査

　マイクロアレイ染色体検査が，染色体関連疾患の診断補助検査として2021年10月に保険適用となった．既存の染色体異常症が強く疑われる場合（ダウン症候群や18トリソミー症候群など）は，染色体G分染法の実施が勧奨されるが，それ以外の場合，すなわち，出生後の原因不明の知的障害，先天性多発形態異常などがマイクロアレイ染色体検査の適応となる．

　染色体ゲノムのコピー数の変化（copy number variant; CNV）を網羅的に評価する検査で，G-band法より微細なゲノム欠失や重複が同定可能である．またCNVのみならず，コピー数変化のないヘテロ接合性の喪失（loss of heterozygosity; LOH）の検出も可能となったため，片親性ダイソミー（uniparental disomy; UPD），家系同一性（identity-by-descent; IBD）なども同定や推定が可能となった．

　本検査の使用に関しては，日本小児遺伝学会，日本先天異常学会，日本人類遺伝学会が「診療において実施するマイクロアレイ染色体検査ガイダンス」を公表している[1]．

Ｍ 次世代シーケンス法（next generation sequence）

　次世代シーケンスは，数百万から数十億の膨大なシーケンシング反応を同時並行して実行できる技術で，数千から数百万のDNA分子を同時に配列決定することを可能とした．

　ヒトが初めてヒトゲノムを解読した2003年には13年間，3,000億円の時間と費用を要したが，次世代シーケンス法が出現した2011年には2ヵ月，1億2千万円で解読可能となった．その後も次世代シーケンス機器の開発は目覚ましく，現在では同様の解析が1日，10〜15万円程度で実施可能となっている．

文献

1）日本小児遺伝学会，他．診療において実施するマイクロアレイ染色体検査ガイダンス．
　https://cmg.med.keio.ac.jp/cms/wpcontent/uploads/2020/03/microarray_guidance.pdf

第14章 / 染色体異常症

3 新生児期に診断可能な染色体異常症

✎ Key point

　　近年の遺伝学的検査の進歩は目覚ましく，新生児期に診断が可能な疾患は急速に増加している．本章では，古典的ともいえる重要疾患について解説する．なお，2022年はNIPTについて大きな変革がみられ，小児科専門医の位置づけも変わったため，NIPTの特徴についても項を設けた．

1　母体血を用いた出生前遺伝学的検査（NIPT）

　　NIPTは，2013年のNIPTコンソーシアムにおいて，以下の妊婦を対象として限定的に開始された．

NIPTコンソーシアムが定めた「NIPTの対象となる妊婦の規定」
1) 胎児超音波検査で胎児が染色体数的異常を有する可能性が示唆される
2) 母体血清マーカーで胎児が染色体数的異常を有する可能性が示唆される
3) 染色体の数的異常を有する児を妊娠した既往を有する
4) 高齢妊娠【35歳以上】
5) 両親のいずれかが均衡型炉バートン転座を有していて，胎児が13または21トリソミーとなる可能性が示唆される

　　しかし，正式に認定されていない施設で実施される検査件数が増加し，種々の深刻な事態を招いてしまった．そこで，2022年2月に「NIPT等の出生前検査に関する情報提供及び施設（医療機関・検査分析機関）認証の指針」を発表し，2022年3月に制度が開始されることとなった．この新しいNIPTの認証制度では，妊婦が出生前コンサルト小児科医と面接することができる機会を保障されることが求められる．このため，小児科医・新生児科医はNIPTについての正しい知識を身につけておく必要がある．

▶ ［NIPTとは？］

　　NIPTでは，妊婦の血中に存在する胎児由来のDNA断片（Cell free DNA）を次世代シーケンサーで解析するものである．胎児のDNAが母体血中で増える妊娠10週以降に検査が可能となる（羊水検査は妊娠15週以降でないと実施できない）．13，18，21トリソミーに限定した現行のNIPTでは，感度99%，陽性的中率は80%，疑陽性20%程度と高い有用性が示されている．

しかし，疑陽性もあることから，あくまでスクリーニング検査であり，診断確定には羊水検査が必要である．なお，羊水検査にはさほど高くはないとは言え，0.3％程度の流産のリスクがある．

▷［NIPTの対象疾患を13，18，21トリソミーに限定している理由］

13，18，21トリソミーでも，流産する率は正常児に比し高いが，その他の染色体数の異常はたとえ着床したとしても流産出生までにこぎつけることはほとんどない．このため，3疾患以外の染色体異常も対象疾患に含めると異常と判断される症例が増え，羊水検査を要する率が増えてしまうため，羊水検査によって流産などのリスクが上昇してしまう．これが，対象疾患を絞っている技術的な側面である．

なお，ターナー症候群に関しては生命予後・発達予後が13，18，21トリソミーの3疾患に比して悪くないため，倫理的な問題から除外されている．

▷［NIPT妊婦の年齢］

妊婦の年齢が高くなると，13，18，21トリソミーの頻度が高くなるため，真の陽性の割合が高くなり，陽性的中率が上昇する（上記の陽性的中率は高齢妊婦に限ったものである）．逆を言うと，若年妊婦にNIPTを広げると，陽性的中率の低下，疑陽性の増加が生じる．35歳未満の場合，羊水検査による流産率（1/300）の方が，トリソミーの発症率より高いことに留意すべきである．

▷［NIPTの限界］

出生する児の3～5％が何らかの先天性形態異常を有している．このうち，25％が何らかの染色体異常により，そのうちの70％がトリソミーである．つまり，NIPTで検出できるトリソミーは先天性形態異常を生じる児の20％程度に過ぎず，NIPTで異常なしと診断されたからと言って，胎児に形態異常が存在しないという保証はないのである．

2 13トリソミー

▷［病因・疫学］

13番染色体の減数分裂時の不分離が主な原因．頻度は1/5,000～7,000．母体年齢上昇と頻度は関係あるとする報告とそうでないとする報告がある．本症候群の表現型は常染色体異常の中で最重症．標準型トリソミーが80％を占めるが，モザイク型（5％）・転座型（15％）もある．

▷［症　候］

①子宮内発育遅延（IUGR），筋緊張低下，精神運動発達障害，痙攣，無呼吸．
②中枢神経系の異常：無嗅脳症，小脳奇形，脳梁欠損，水頭症．
③顔貌：耳介低位，口唇口蓋裂，小・無眼球症，頭皮・頭蓋骨欠損．
④四肢：多指症，手指重畳，踵骨突出（ゆりかご様，rocker-bottom foot）．
⑤腹部：鼠径ヘルニア，臍帯ヘルニア，横隔膜ヘルニア．
⑥心臓：心室中隔欠損症，心房中隔欠損症，動脈管開存症，大血管転位症など80％に合併．

▷［予　後］

不良．1年で90％が死亡．以前は診断が確定すれば基本的に"intensive care"の適応はないとされてきたが，モザイク型，転座型では長期生存例もあり，治療適応の判断は個々の症例に応

じて考えることが重要である.

3 18トリソミー

▶ ［病因・疫学］

　18番染色体の減数分裂時の不分離が主な原因.　頻度は1/3,500〜7,000.　母体年齢上昇とともに頻度は増加.　標準型トリソミーが80％を占めるが，他はモザイクあるいは転座型である.

▶ ［症　候］

①羊水過多，子宮内発育遅延，筋緊張亢進.

②顔貌：後頭部突出，小顎，小さな口，下顎後退.

③四肢：手指重畳，爪低形成，踵骨突出（ゆりかご様，rocker-bottom foot）.

④腹部：鼠径ヘルニア，臍帯ヘルニア.

⑤皮膚：過剰皮膚，多毛.

⑥心臓：心室中隔欠損症，心房中隔欠損症，動脈管開存症など.

▶ ［予　後］

　本症も以前は診断が確定すれば基本的に"intensive care"の適応はないとされてきたが，長期生存例の報告も多く，治療適応の判断は個々の症例に応じて考えることが重要である.

4 Down症候群（21トリソミー）

▶ ［病因・疫学］

　21番染色体の過剰.　特に21q22部分が主体と言われる.　頻度は1/1,000.　同胞がトリソミーであった場合は1/200〜250と高率である.

①標準型トリソミー：基本的には減数分裂時の染色体不分離により，母体高齢と関係している.　トリソミーの由来は母由来80％，父由来20％である.

②モザイク型：1〜2％

③転座型：全Down症候群の3〜4％.　転座している相手は14，21，22番といった同じacrocentric chromosomeが多い.　両親にbalanced translocationがあることがあるので両親の核型を調べるべきである.

▶ ［症　候］

①身体的特徴：小頭症，内眼角贅皮，平坦な鼻根部，つり上がった目，小さな口，猿線，短く内彎した第5指.

②精神発達：一部にほとんど正常範囲内のIQを持つ例があるが，多くは中等度の精神遅滞を示す.　特に言語発達の遅れが目立つ.

③難聴（75％）：中耳炎の合併が多い（50％）ことも難聴や言語障害に関与している.

④てんかん：乳幼児期に2〜5％に合併し，このような例では重度の精神運動発達遅滞が認められることが多い.

⑤早老的退行現象：Alzheimer病との類似性も指摘されている.

⑥筋緊張低下：乳幼児期の粗大運動の遅れ.

⑦頚椎不安定症：頚椎脱臼・亜脱臼.

⑧心奇形（50％）：心室中隔欠損症，心内膜欠損症，動脈管開存症，心房中隔欠損症など左右シャントが多い.

⑨眼科的異常（60％）：白内障，斜視，眼振.

⑩甲状腺機能異常

⑪生命予後に関するもの：心奇形，白血病（＜1％），易感染症，哺乳障害，消化管狭窄（12％），閉塞性無呼吸（50～75％）.

▷ ［予　後］

合併症の程度による．通常生命予後は良い.

5　Turner症候群

低身長，翼状頚，外反肘，性腺機能不全などを特徴とする.

▷ ［病因・疫学］

基本核型は45，X．その他に構造異常（del（Xp），del（Xq），i（Xp），i（Xq），r（X）など）やモザイクの場合などがある．主に，減数分裂や有糸分裂における染色体不分離が原因．低身長はX短腕の擬似常染色体領域（PAR；pseudo-autosomal region）にあるSHOXのhaploinsufficiencyによると説明されている．頻度は1/1,000女児と比較的高い.

▷ ［症　候］

①低身長

②原発性性腺機能不全：索状性腺となる．外性器は正常.

③翼状頚，外反肘，毛髪線低位，高口蓋，中手骨短縮

④リンパ浮腫：特に新生児期の手足の浮腫は特徴的．翼状頚は頚部のリンパ浮腫の名残.

⑤知能：通常は正常．Xの構造異常を伴う例では精神運動発達遅滞を伴う例がある.

▷ ［予　後］

生命予後はよい.

▷ ［治　療］

低身長に対しては成長ホルモンの適応．性腺機能不全に対してはカウフマン（Kauffman）療法を行う．骨粗鬆症予防のためにもエストロゲン製剤の補充は続ける.

▷ ［合併症］

中耳炎，難聴，自己免疫性甲状腺疾患，糖尿病.

6 Prader-Willi症候群

特異顔貌，筋緊張低下，哺乳障害，過食と肥満，発達遅延，性腺機能不全などを示す比較的，稀な疾患（頻度0.5〜1/10,000）．

▶ [病　因]
● 15q11-q13領域の父由来アリルの不活化．
● 点突然変異，欠失，母方uniparental disomy（UPD），imprinting center異常などによる．
＊この領域はインプリンティングにより母方のアリルからの遺伝子発現が不活化される．

▶ [臨床症状]

大症状

①新生児期からの筋緊張低下，哺乳障害：乳児期は経管栄養が必要．
②幼児期からの肥満，過食．
③特異顔貌：アーモンド型の目，狭い前額部，下向きの口角など．
④性腺機能不全，発達遅延．
⑤異常行動：幼児期は人懐っこく可愛いが，次第に短気，爆発的性格へ．
⑥睡眠障害．
⑦内斜視，近視．

▶ [治療・管理]

対症療法：肥満は管理上厄介な問題．低身長に対しては成長ホルモン療法が適応となっているが，耐糖能などに十分な注意を払い，治療を行うことが重要である．

▶ [予　後]

生命予後は良好．

7 Noonan症候群

低身長，先天性心疾患，様々な程度の発達遅滞を特徴とする先天奇形症候群．出生時身長は正常であるが，最終身長は正常の下限程度で，近年成長ホルモン療法の保険適応が取得されたこともあって，注目されている症候群である．

▶ [症　候]
● 新生児期からみられる症状：心奇形，特徴的外表奇形（特徴的な顔貌，鳩胸／漏斗胸），停留精巣，羊水過多，胎児水腫．
● 特徴的な顔貌：広い前額，眼瞼裂斜下を伴う眼間解離（95％），厚い耳輪を伴い，低く後方に回転した耳介（90％），深い人中（95％）などの頻度が高く，その他には，小顎，高口蓋，翼状頸をともなう短頸がある．
● 成長後に明らかとなる症状：知能低下，難聴，出血性素因，白血病（特にjuvenile myelomonocytic leukemia, JMML），さらには固形腫瘍も時に出現する．

▷ ［診断基準］

Noonan 症候群の診断基準を 表14-1 に記す．

表14-1 Noonan 症候群の診断基準

A-1＋A-2〜6の1項目またはB2〜6の2項目
B-1＋A-2〜6の2項目またはB2〜6の3項目
で，Noonan 症候群と診断する

身体的特徴		A． 主要徴候		B． 副徴候
1	顔貌	A-1 典型的な顔貌	B-1	本症候群を示唆する顔貌
2	心臓	A-2 肺動脈弁狭窄，閉塞性肥大型心筋症 and/or 特徴的な心電図所見	B-2	左記以外の心疾患
3	身長	A-3 3パーセンタイル（-1.88SD）以下	B-3	10パーセンタイル（-1.33SD）以下
4	胸壁	A-4 鳩胸／漏斗胸	B-4	広い胸隔
5	家族歴	A-5 第一近親者に明らかなヌーナン症候群の患者あり	B-5	第一近親者にヌーナン症候群が疑われる患者あり
6	その他	A-6 発達遅滞・停留精巣・リンパ管異形成のすべて	B-6	発達遅滞・停留精巣・リンパ管異形成のいずれか一つ

▷ ［Noonan 症候群と遺伝子異常］

● RAS/MAPK シグナル伝達経路の賦活化に起因する疾患

● *PTPN11* をはじめとして，このシグナル伝達経路を構成する多数の分子の構造遺伝子に機能亢進変異が同定されている．

● 現在9個の責任遺伝子が知られているが，これらの遺伝子変異は患者の約60〜70％で認められるに過ぎず，その他は臨床診断となる．

● 遺伝診断が重要な点は遺伝子異常の部位によって，予後・発がんのリスクが規定されており，その後のフォローに重要な点である．

▷ ［Noonan 症候群の類縁疾患］

Noonan 症候群は RAS/MAPK シグナル伝達経路に異常がある疾患だが，この経路に異常を有する種々の疾患があり，RASopathies，RAS/MAPK 症候群，あるいは Noonan 類縁疾患などと称される．Costello 症候群や CFC 症候群がその代表で3者は以下のような特徴を有する．

● Noonan 症候群：原因遺伝子として *PTPN11* が40％を占め，精神遅滞は軽度あるいは認めない．時に JMML，白血病，神経芽細胞種，横紋筋肉腫などを発症する．*PTPN11* あるいは KRAS 変異を持つ場合に JMML の発症リスクが高いため，これらの変異を持つ場合には0〜5歳には3〜6ヵ月ごとに全血算を実施する必要がある．

● Costello 症候群：原因遺伝子は *HRAS*．軽度〜中等度の精神遅滞を呈し，20歳までに約15％が神経芽細胞種，横紋筋肉腫，膀胱がんに罹患する．このため，0〜10歳には2〜3ヵ月ごとに腹部超音波検査や胸部X線を行い，がんのサーベイランスを行う必要がある．

● CFC症候群：BRFの変異が50％と多く，軽度〜重度の精神遅滞をきたし，てんかんの合併も多い．ただし，ALLなどの報告はあるものの，発がんは稀である．

8 Williams症候群

特異顔貌（小妖精，elfin face），精神発達遅滞，心血管異常を呈する症候群（頻度1/20,000）．

▶ ［病因・疫学］

7q11.23の欠失が多くの患者（96％）に認められる．責任遺伝子の1つはエラスチン遺伝子．その前後の欠失の範囲によって表現型が決まる．

▶ ［症　候］

①心血管系異常：大動脈弁上狭窄（SVAS）が最も多い．

②特異顔貌：大きな口，尖った小顎，鼻根部平坦，長い人中，低音な声．

③行動・性格：同じ言葉の繰り返し，カクテルパーティ様会話が多い（cocktail party speech）．

④精神発達遅滞．

⑤幼児期の高Ca血症：4歳までに改善する．機序は不明．

▶ ［予　後］

生命予後はそれほど悪くない．30年間で10%程度が死亡．

9 Cri-du-chat症候群（猫なき症候群）

▶ ［病因・疫学］

5番染色体の部分欠失(5p-)．欠失の範囲によって表現型が決まる．猫なき声の責任領域として5p15.2-15.3が考えられている．

▶ ［症　候］

①身体的特徴：猫なき声，筋緊張低下，発育遅延，小頭症，言葉の遅れ．

②奇形：斜視，心臓病，口蓋裂．

③機能異常：哺乳困難，易感染性，便秘．

▶ ［予　後］

生命予後は比較的良い．

10 　Angelman症候群

　笑い発作，重度の精神運動発達遅滞，特徴的な脳波所見を持つてんかん，特異顔貌などを示す比較的，稀な疾患（頻度0.5〜1/10,000）.

▷ ［病　因］
- 15q11-q13領域の母由来アリルの不活化.
- 点突然変異，欠失，父方uniparental disomy（UPD），imprinting center異常などによる.

＊この領域はインプリンティングにより父方のアリルからの遺伝子発現が不活化される．これまで15q11-q13領域にあるUBE3Aが責任遺伝子ではないかと言われ，実際に患者からUBE3Aの点突然変異も見つかっている．しかし，この他にRett症候群の原因であるMECP2の変異でもAngelman症候群の表現型が見られることが報告されており，heterogeneous（不均質）な疾患であるかもしれない.

▷ ［臨床症状］
　①身体的特徴：幅の広い口唇，舌の突出，下顎の突出，色白な皮膚，笑い発作.
　②精神運動発達遅延：乳児期早期から症状が現れ，言語獲得は困難．操り人形様の失調性歩行を示す.

▷ ［治療・管理］
　①対症療法：痙攣のコントロール.
　②早期の療育.

▷ ［予　後］
　生命予後は良好.

11 　Miller-Dieker症候群（Lissencephaly syndrome）

　滑脳症（Lissencephaly），小頭症，特異顔貌を認める症候群.

▷ ［病因・疫学］
　17p13.3の欠失が多くの患者に認められる．責任遺伝子はLIS-1.

▷ ［症　候］
　①滑脳症（Type I，小頭症を合併）：大脳皮質が4層構造.
　②重度の精神運動発達遅滞，failure to thrive，哺乳障害，痙攣.
　③初期は筋緊張低下するが次第に痙性へ.
　④特異顔貌：高い前額部，前額部中央のしわ，小さい鼻.

▷ ［予　後］
　通常，2歳程度で死亡.

12 22q11.2欠失症候群　CATCH22（DGS／VCFS／CAFS）

DiGeorge症候群（DGS）
Velo-cardio-facial症候群（VCFS）　　これらの包括的な疾患概念
Contruncal anomaly face症候群（CAFS）

Cardiac defect, **A**bnormal face, **T**hymic hypoplasia, **C**left palate, **H**ypocalcemiaの頭文字をとったもの.

▶ [病因・疫学]

22q11.2の部分欠失を原因とした隣接遺伝子症候群. 上記3症候群が含まれる.

▶ [症　候]

①心奇形：ファロー四徴症，心室中隔欠損症，大動脈離断，総動脈幹遺残，大動脈弓起始異常など.

②低Ca血症：テタニー，痙攣，胸腺陰影欠損，特異顔貌，口蓋裂.

▶ [予　後]

心奇形の程度による.

参考文献

・Nussbaum RL, et al. Thompson & Thompson Genetics in Medicine. 5th ed. Philadelphia: W. B. Saunders, 2001
・Jones KL. Smith's Recognizable Patterns of Human Malformation. 5th ed. Philadelphia: W. B. Saunders, 1997.
・American Academy of Pediatrics. Committee on Genetics. Pediatrics 2001; 107: 442-449.

MEMO

予後不良な染色体異常を呈する児の取り扱いについて…

2004（平成16）年に埼玉医大の田村教授らが中心となって作成された「重篤な疾患をもつ新生児の家族と医療スタッフの話し合いのガイドライン」が発表されたが，この指針は，重篤な疾患を持つ新生児の家族と医療スタッフの話し合いの原則を示すガイドラインである. 医療が高度化し，価値観が多様化した現代，どのような病態になったら治療を止めるか？というのは一般論では語れない.「子供の最善の利益を守る」という原則に立った上で，ご両親・医療スタッフ・その他のスタッフがディスカッションを重ねて決定して行かねばならない問題なのだ.

参考文献

厚生労働省・成育医療研究委託事業，重症障害新生児医療のガイドラインとハイリスク新生児の診断システムに関する総合的研究，平成15年度研究報告書

略語一覧

17αOHP	17α hydroxyprogesterone	
ABR	auditory brainstem response	聴性脳幹反応
AC	assist control	補助調節換気
ACA	anterior cerebral artery	前大脳動脈
AcT	acceleration time	加速時間
aEEG	amplified electroencephalogram	
Ao	aorta	大動脈
Ao弁	aortic valve	大動脈弁
Asc Ao	ascending aorta	上行大動脈
ASD	atrial septal defect	心房中隔欠損症
AT anti-thrombin III		アンチトロンビン III
AT/ET比	acceleration time / ejection time ratio	
BA	basilar artery	脳底動脈
BAS	balloon atrioseptostomy	バルーン心房中隔孔形成術
BDP	beclomethasone dipropionate	プロピオン酸ベクロメタゾン
BE	base excess	
C/N	calorie / nitrogen	カロリー窒素
CAM	chorioaminionitis	絨毛膜羊膜炎
CBC	complete blood count	全検血
CDGS	carbohydrate-deficient glycoprotein syndrome	炭水化物欠乏性糖蛋白症候群
CDH	congenital diaphragmatic herniation	先天性横隔膜ヘルニア
CHB	congenital heart block	先天性房室ブロック
CHDF	continuous hemodiafiltration	持続血液透析濾過
CHF	continuous hemofiltration	持続血液濾過
CLD	chronic lung disease	慢性肺疾患
CMV	cytomegalovirus	サイトメガロウイルス
CNS	central nervous system	中枢神経系
CP	cerebral palsy	脳性麻痺
CPAP	continuous positive airway pressure	持続陽圧呼吸
CRP	C-reactive protein	C反応性蛋白
CT	computed tomography	
CTAR	chest-thorax transverse area ratio	
CTR	cardiothoracic ratio	心胸比
CVD score	cardiovascular dysfunction score	CVDスコア
Des Ao descending aorta		下行大動脈
DIC	disseminated intravascular coagulation	播種性血管内凝固
DOA	dopamine	ドパミン

DOB	dobutamine	ドブタミン
DORV	double outlet right ventricle	両大血管右室起始
ECD	endocardial cushion defect	心内膜欠損症
ECMO	extracorporeal membrane oxygenation	膜型人工肺（膜型体外循環）
EF	ejection fraction	駆出率
ELBW	extremely low birth weight	超低出生体重
ESWS	end-systolic wall stress	収縮末期左室壁応力
ET	ejection time	駆出時間
FBPase	fructose-1,6-bisphosphatase	フルクトース-1,6-ビスホスファターゼ
FE	fractional extraction	排泄率
FFA	free fatty acid	遊離脂肪酸
FFP	fresh frozen plasma	新鮮凍結血漿
FISH	fluorescense in situ hybridaization	
FS	fraction shortening	内径短縮率
FS	fraction shortening	内径短縮率
fT3	free T3	
fT4	free T4	
G6Pase	glucose-6-phosphatase	グルコース-6-ホスファターゼ
G6PD	glucose-6-phosphate dehydrogenase	グルコース-6-リン酸デヒドロゲナーゼ
GBS	group B streptococcus	B群溶連菌
GDM	gestational diabetes mellitus	妊娠糖尿病
GE	glycerin enema	グリセリン浣腸
GI	glucose insulin	グルコース・インスリン
GIR	glucose infusion rate	糖投与速度
HBV	hepatitis B	B型肝炎
HCV	hepatitis C	C型肝炎
HELLP	hemolysis, elevated liver enzyme, low platelet	
HFO	high frequency oscillation	高頻度振動換気
HIE	hypoxic ischemic encephalopathy	低酸素性虚血性脳症
HPA	human platelet antigen	ヒト血小板抗原
IDM	infant of diabetic mother	糖尿病母体児
Ig	immunoglobulin	免疫グロブリン
IMV	intermittent mandatory ventilation	間歇的強制換気
IPPV	intermittent positive pressure ventilation	間歇的陽圧換気
IT	inspiratory time	吸気時間
ITP	idiopathic thrombocytopenic purpura	特発性血小板減少性紫斑病
IUFD	intrauterine fetal death	胎内死亡
IUGR	intrauterine growth restriction	子宮内発育遅延
IVH	intraventricular hemorrhage	脳室内出血
IVIG	intravenous immunoglobulin	免疫グロブリン静注療法
IVP	intravenous pyelography	経静脈的腎盂造影
LA	left atrium	左心房
LISA	less invasive surfactant administration	
LPA	left pulmonary artery	左肺動脈
LT比	lung-thorax transverse area ratio	

LV	left ventricle	左心室
MAP	mean airway pressure	平均気道内圧
MAS	meconium aspiration syndrome	胎便吸引症候群
MCA	middle cerebral artery	中大脳動脈
MDI	metered-dose inhaler	定量噴霧式吸入剤
MIST	minimally invasive surfactant therapy	
MR	mental retardation	精神発達遅滞
MRI	magnetic resonance imaging	
MRSA	methicillin resistant staphylococcus aureus	メチシリン耐性黄色ブドウ球菌
MV	mitral valve	僧帽弁
mVcfc	mean velocity of circumferencial fiber shortening	平均左室円周心筋短縮速度
NAG	N-acetyl-β-glucosaminidase	N-アセチル-β-D-グルコサミニダーゼ
NAIT	neonatal autoimmune thrombocytopenia	新生児同種免疫性血小板減少症
NEC	necrotizing enterocolitis	壊死性腸炎
NO	nitric oxide	一酸化窒素
NRN	neonatal research network	
NRP	neonatal resuscitation program	新生児蘇生法
NST	non-stress test	ノンストレス テスト
P弁	pulmonary valve	肺動脈弁
PAV	proportional asist ventilation	比例補助換気
PC	pyruvate carboxylase	ピルビン酸カルボキシラーゼ
PCR	polymerase chain reaction	
PD	peritoneal dialysis	腹膜透析
PDA	patent ductus arteriosus	動脈管開存症
PDE	phosphodiesterase	ホスホジエステラーゼ
PDHC	pyruvate dehydrogenase complex	ピルビン酸デヒドロゲナーゼ複合体
PEEP	positive end-expiratory pressure	呼気終末時陽圧
PEPCK	phosphoenol pyruvate carboxylase	ホスホエノールピルビン酸カルボキシラーゼ
PFO	patent foramen ovale	卵円孔開存症
PG	prostaglandin	プロスタグランディン
PIE	pulmonary interstitial emphysema	間質性肺気腫
PIP	peak inspiratory pressure	最大吸気圧
PIVKA-II	protein induced by vitamin K absence	
PK	pyruvate kinase	ピルビン酸キナーゼ
PM	papillary muscle	乳頭筋
PPHN	persistent pulmonary hypertension of neonate	新生児遷延性肺高血圧症
PROM	premature rupture of membrane	前期破水
PS	pulmonary stenosis	肺動脈狭窄
PSV	pressure support ventilation	圧支持換気
PT	prothrombin time	プロトロンビン時間
PTH	parathyroid hormone	副甲状腺ホルモン
PVC	polyvinyl chloride	ポリ塩化ビニル
PVE	periventricular echo densities	脳室周囲高エコー域

PVL	periventricular leukomalacia	脳室周囲白質軟化症
RA	right atrium	右心房
RDS	respiratory distress syndrome	呼吸窮迫症候群
RI	resistance index	
RPA	right pulmonary artery	右肺動脈
RV	right ventricle	右心室
RVOT	right ventricle outlet tract	右室流出路
SAH	subarachnoid hemorrhage	くも膜下出血
SFD	small for dates	不当軽量
SI	sustained inflation	
SIMV	synchronized intermittent mandatory ventilation	同期式間歇的強制換気
SLE	systemic lupus erythematosus	全身性ループス
SMA	superior mesenteric artery	上腸間膜動脈
ß2MG	beta 2 microglobulin	ベータ2ミクログロブリン
S-TA	surfactenR	サーファクテンR
TB	total bilirubin	総ビリルビン
TDM	therapeutic drug monitoring	薬物血中濃度モニタリング
TGA	transposition of great arteries	大血管転位症
TOF	Tetralogy of Fallot	ファロー四徴症
TPAI	total pulmonary artery index	
TPN	total parenteral nutrition	経静脈栄養
TR	tricuspid regurgetation	三尖弁逆流
TRAb	thyroid stimulating hormone receptor antibody	甲状腺刺激ホルモン受容体抗体
TRP	tubular reabsorption of phosphorus	リン再吸収率
TSAb	thyroid stimulating antibody	甲状腺刺激抗体
TSH	thyroid stimulating hormone	甲状腺刺激ホルモン
TTN	transient tachypnea of neonates	新生児一過性多呼吸
TTTS	twin to twin transfusion syndrome	双胎間輸血症候群
UPD	uniparental disomy	
VCG	voiding cystourethrography	排泄時膀胱尿道造影
VI	ventilatory index	
VLBW	very low birth weight	極低出生体重
VSD	ventricular septal defect	心室中隔欠損症
VUR	vesicoureteral reflux	膀胱尿管逆流症

索引

数字など

%TRP	312
13トリソミー	337
18トリソミー	338
21トリソミー	338
22q11.2欠失症候群	344
5-FC	204

A

ABK	199
ABO不適合	212
ABPC	39, 198
ABR	188
AC（assist control）	78
aEEG	51, 160
Aggressive Nutrition	138
AIDS	270
ALP	311, 315
Ambiguous genitalia	299
Angelman症候群	343
Anogenital ratio	31
Apt試験	235

B

Basedow病	283
Bellの壊死性腸炎病期別診断基準	241
BiPhasicモード	88
Bomsel分類	42
BUN	141, 259
B型肝炎ウイルス	268

C

C banding	333
caliber change	248
CEZ	198
CFPM	199
CLD（chronic lung disease in the newborn）	63
CMV	272

CMZ	199
COHbc	211
CPFG	204
CRH負荷試験	70
Cri-du-chat症候群	342
CRP	192, 197
CTX	39, 198
CVDスコア	56
C型肝炎ウイルス	269

D

DIC	224
DOPE	90
Down症候群	338
Dダイマー	225

E

Edi	83
EDチューブ	68

F

FENa	260
F-FLCZ	204
FFP	39
Finneganスコア	293
FISH法	334

G

G banding	333
G-CSF	201
GI療法	154
GLP-2作動薬	247
GM	199

H

HFO（high frequency oscillation）	44, 85
HIE	168

HIV ———————————— 270
HSV ———————————— 275
HTLV-Ⅰ ————————— 275

I

IMV（intermittent mandatory ventilation）——— 77
InSurE（Intubation-Surfactant-Extubation）——— 44

L

LA volume ———————— 57
LA/Ao ————————— 57
L-AMB ————————— 204
LAV ————————— 57
LISA（less invasive surfactant administration）— 44
Lissencephaly syndrome ————— 343
Lt PA d/s ————————— 57
Lt PA edv ————————— 57
LVIDd ————————— 57

M

MAS ————————— 97
MCFG ————————— 204
MEPM ————————— 199
Miller-Dieker症候群 ————— 343
minimal enteral nutrition ————— 148
MIST（minimally invasive surfactant therapy）— 44
MMI関連先天異常 ————— 285

N

NAIT（Neonatal alloimmune thrombocytopenia）— 222
nasal CPAP ————————— 87
NAVA（neurally adjusted ventilatory assist）—— 82
Na必要量 ————————— 155
NEC ————————— 238
NIPT ————————— 336
NIV-NAVA ————————— 88
Noonan症候群 ————————— 340
NTED（neonatal TSS-like exanthematous disease）— 201

O

OI（Oxygenation Index）————— 42

P

Papileによる脳室内出血の分類 ————— 176
Pattle's microbubble test ————— 42
PDAのflow pattern ————— 57
PDAの径 ————————— 57
Permissive hypotension ————— 49
PIE ————————— 104
PPHN ————————— 105
Prader-Willi症候群 ————— 340
Prenatal Visit ————————— 34
PR間隔 ————————— 289
PSV（pressure support ventilation）——— 79
PTV（patient triggered ventilation）——— 78
PVL ————————— 179
PVLの診断基準 ————— 181

Q

Q banding ————————— 333

R

R banding ————————— 333
Rapid plasma regain test ————— 280
RI（resistance index）————— 187
RPR法 ————————— 280
RSV ————————— 206

S

Sarnat ————————— 168
silent aspiration ————————— 67
Silverman's retraction score ————— 25
SIMV（synchronized intermittent mandatory ventillation）————————— 78
SKY FISH法 ————— 334
SSSS ————————— 202
Stress-Verocity ————— 123
STS法 ————————— 280

T

TEIC ————————— 199
THOP ————————— 317
TRAb ————————— 284
trophic feeding ————— 148
TTN ————————— 95
TTTS ————————— 294

Turner症候群 —————————————— 339
Tピース蘇生器 —————————————— 11

V

VCM —————————————————————— 198
Volpeの分類 ———————————————— 176
volume guarantee ——————————— 80

W

Williams症候群 ————————————— 342

あ

アシクロビル ——————————————— 276
アセタゾラミド —————————————— 262
圧支持換気 ————————————————— 79
アドレナリン ———————————— 14, 38, 114
アニオンギャップ ————————————— 320
アバスチン® ———————————————— 74
アプガースコア ——————————————— 15
アミノ酸 —————————————————— 137
アミノ酸分析 ———————————————— 325
アムビゾーム® —————————————— 204
アムホテリシンB —————————————— 204
アルダクトン® —————————————— 262
アルブミン ————————————————— 40
アンコチル® ———————————————— 204
アンチトロンビンⅢ ———————————— 225
アンモニア ————————————————— 141

い

胃液マイクロバブルテスト —————————— 42
イソプロテレノール ———————————— 108
磯部スコア ————————————————— 292
一酸化窒素（NO）吸入療法 ————————— 106
イノバン® ————————————— 39, 113, 173
イブプロフェン ——————————————— 60
イブリーフ® ———————————————— 60
陰茎 ———————————————————— 30
陰唇癒合 —————————————————— 31
インスリン過剰症 ————————————— 305
インドメタシン ——————————————— 59
陰嚢水腫 —————————————————— 30

え

エアリーク ————————————————— 101
壊死性腸炎 ————————————————— 238
エリスロポエチン —————————————— 216
塩酸ドキサプラム —————————————— 94

か

開排テスト ————————————————— 32
鵞口瘡 ——————————————————— 205
ガストログラフィン注腸 ——————————— 236
カスポファンギン —————————————— 204
カフェイン ————————————————— 94
カルチコール ———————————————— 310
カルバマゼピン ——————————————— 290
カロリー窒素比 ——————————————— 137
換気補償モード ——————————————— 80
間歇的強制換気 ——————————————— 77
カンサイダス® —————————————— 204
カンジダ —————————————————— 203
間質性肺気腫 ———————————————— 104
ガンマグロブリン大量療法 —————————— 213

き

気管挿管 —————————————————— 17
気管チューブ ———————————————— 17
キシロカイン® —————————————— 163
吸気同調式人工換気 ————————————— 78
胸腔内ドレーン ——————————————— 102
胸骨圧迫法 ————————————————— 13
胸骨左縁短軸断面 ————————————— 117
胸骨左縁長軸断面 ————————————— 116
胸骨上窩長軸断面 ————————————— 120
虚血 ———————————————————— 49

く

クラフォラン® —————————————— 39, 198
グリセリン浣腸 ——————————————— 236
グルコース・インスリン療法 ———————— 154
グルコン酸Ca ——————————————— 310
クレアチニン ———————————————— 259

け

経腸栄養 —————————————————— 144
経鼻的持続陽圧呼吸 ————————————— 87

血圧	49
血小板減少症	220
血小板輸血	222
ゲンタマイシン®	199

こ

高K血症	153
抗SS-A抗体	289
抗SS-B抗体	289
高インスリン血性低血糖症	306
口蓋裂	29
高カロリー輸液	135, 140
睾丸	30
睾丸軸捻転	30
交換輸血	228
膠原病	289
甲状腺機能亢進症	283, 285
甲状腺機能低下症	287
口唇裂	29
高精度分染法	333
光線療法	212
交代性パターン	159
高頻度振動換気	85
後負荷	122
コンクライトMg®	108

さ

サーファクテン®	40, 43
サイアザイド	262
臍帯ヘルニア	253
サイトメガロウイルス	272
鎖肛	245
サザン・ハイブリダイゼーション法	334
左房径	57
左房容量	57
産瘤	29

し

ジアゼパム	164
ジアゾキシド	307
自己膨張式バッグ	11
次世代シーケンス法	335
シナジス®	206
縦隔気腫	104
収縮末期左室壁応力	122
手関節X線	314

出血性肺浮腫	99
上部消化管造影	255
腎盂拡張	265
心エコー	115
心音	27
神経調節補助換気	82
人工乳	145
人工肺サーファクタント	40
心雑音	27, 30
新生児一過性多呼吸	95
新生児遷延性肺高血圧症	105
新生児蘇生	7
新生児胆汁うっ滞	149
新生児発作	158
新生児マス・スクリーニング	328
新生児慢性肺疾患	63
新生児メレナ	234
新生児薬物離断症候群	291
腎石灰症	266
心尖部四腔断面	119
心嚢気腫	104
心不全	112
腎不全	258

す

ステロイド吸入療法	64
ステロイド静注療法	66
スピロノラクトン	262

せ

脆弱X染色体	334
性分化疾患	298
セファメジン®	198
セフェピム®	199
セフメタゾール®	199
セルシン®	164
先天性CMV	274
先天性横隔膜ヘルニア	250
先天性十二指腸閉鎖症	244
先天性小腸閉鎖症	244
先天性食道閉鎖症	243
先天性心疾患	125

そ

臓器血流	57
早産児一過性低サイロキシン血症	317

早産児の黄疸管理 ——————— 214
双胎間輸血症候群 ——————— 294
相対的副腎不全 ————————— 69
蒼白 ——————————————— 26
組成に必要な物品 ————————— 7
ソル・コーテフ® ——————— 39, 115

た

ダイアモックス® ——————— 262
大泉門 —————————————— 26
大動脈径 ————————————— 57
大動脈縮窄症 ————————— 30
大動脈離断 ——————————— 30
胎便吸引症候群 ——————— 97
胎便栓症候群 ————————— 236
胎便病 ————————————— 236
ダイレクト・シーケンス法 ——— 335
多血 —————————————— 219
炭酸水素ナトリウム ——— 38, 167, 173
単純ヘルペスウイルス ———— 275
短腸症候群 ————————— 247

ち

チアノーゼ ——————————— 26
チウラジール® ——————— 286
注射用ベンジルペニシリン ——— 279
注腸造影 ————————————— 256
腸回転異常症 ————————— 246
聴性脳幹反応 ————————— 188
超早期授乳 —————————— 148
直腸肛門奇形 ————————— 245
チラーヂン®S ————————— 318

て

低Na血症 —————————— 153
低血圧 ————————————— 49
低血糖症 ——————————— 302
テイコプラニン® ——————— 199
低酸素性虚血性脳症 ————— 168
低体温療法 —————————— 169
停留睾丸 ———————————— 30
デキサメサゾン ———————— 66
テストステロン ———————— 30
鉄 —————————————— 216

と

頭蓋癆 ————————————— 28
同期式間歇的強制換気 ————— 78
頭血腫 ————————————— 29
糖尿病 ————————————— 281
特発性血小板減少性紫斑病 ——— 287
ドパミン ——————— 39, 113, 173
ドブタミン —————— 39, 113, 173
ドブトレックス® ——— 39, 113, 173
ドプラム® ——————————— 94
トリグリセリド ———————— 141
ドルミカム® ——————— 163, 164
トロッカーカテーテル ————— 102

な

内大脳静脈 —————————— 124

に

ニトログリセリン —————— 108, 114
二分精嚢 ——————————— 300
二分脊椎 ——————————— 190
乳酸アシドーシス ——————— 167
尿Ca/Cre比 ————————— 312
尿中Na ——————————— 260
尿中Na排泄率 ———————— 260
尿中電解質 —————————— 154
妊娠糖尿病 —————————— 283

ね

猫なき症候群 ————————— 342

の

脳血流 ————————————— 186
脳室周囲白質軟化症 ————— 179
脳波 —————————————— 159
ノーベルバール® ——————— 163

は

敗血症 ————————————— 196
肺出血 ————————————— 99
梅毒 —————————————— 277
ハイフローセラピー —————— 88

バッグマスク換気	12
白血球数	192
ハベカシン®	199
パリビズマブ	206
バルプロ酸	290
晩期循環不全	68
バンコマイシン®	198
播種性血管内凝固	224

ひ

比較ゲノムハイブリダイゼーション法	334
ビクシリン®	39, 198
ビタミンK	22, 230
左肺動脈拡張末期速度	57
左肺動脈の拡張期最大血流速度／	
収縮期最大血流速度	57
非トレポネーマテスト	280
ヒドロコルチゾン	39, 52, 66, 115
ビフィズス菌	146
ヒルシュスプルング病	248

ふ

ファンガード®	204
フィブリノゲン	225
フェニトイン	290
フェノバルビタール	163, 290
フェンタニル	52, 74, 172
腹壁破裂	254
ブドウ球菌性熱傷様皮膚症候群	202
フルイトラン®	262
フルシトシン	204
プロスタグランジン	108
プロスタンディン®PGE1-CD	108
フロセミド	262
プロタノール®	108
プロトロンビン時間	224

へ

平均左室円周心筋短縮速度	122
ベバシズマブ	74
ベンザチンペニシリンG	279

ほ

保育器の温度設定	37
保育器の湿度設定	37

帽状腱膜下出血	29
補助調節換気	78
ホストイン®	163, 164
ホスフェニトイン	163, 164
ホスフルコナゾール；プロジフ®	204
ボスミン®	14, 38, 114
母体血を用いた出生前遺伝学的検査	336
母乳	142

ま

マイクロアレイ染色体検査	335
マイクロペニス	30
慢性胆汁うっ滞	151

み

ミカファンギン	204
未熟児動脈管開存症	55
未熟児網膜症	72
ミダゾラム	74, 163, 164
ミリスロール®	108, 114
ミルリーラ®	114
ミルリノン	114

む

無呼吸発作	93

め

メイロン®	38, 167, 173
メルカゾール®	285, 286
メロペン®	199

ゆ

輸液量	134
輸血	217

よ

腰仙部の皮膚陥凹	190

ら

ライソゾーム病	323
ラシックス®	262
ラボナール	52

ラモトリギン ——————————— 291

り

リドカイン ——————————— 163
硫酸マグネシウム ——————— 108, 172
流量調節式バッグ ———————— 11

れ

レスピア® ——————————— 93
レベスティブ® —————————— 247
連続性パターン ————————— 159

ろ

ロクロニウム® ————————— 74

わ

矮小陰茎 ——————————— 30

NICU ベッドサイドの診断と治療

2003年11月20日	第1版第1刷
2004年10月5日	第1版第2刷
2007年8月1日	第2版第1刷
2011年3月15日	第2版第3刷
2012年4月20日	第3版第1刷
2013年5月20日	第3版第2刷
2016年12月1日	第4版第1刷
2018年6月1日	第4版第2刷
2023年4月1日	第5版第1刷 ©

編著	………………………	河井昌彦　KAWAI, Masahiko
発行者	………………………	宇山閑文
発行所	………………………	株式会社金芳堂
		〒606-8425 京都市左京区鹿ケ谷西寺ノ前町34 番地
		振替　01030-1-15605
		電話　075-751-1111（代）
		https://www.kinpodo-pub.co.jp/
デザイン	…………………	naji design
印刷・製本	……………	モリモト印刷株式会社

落丁・乱丁本は直接小社へお送りください. お取替え致します.

Printed in Japan
ISBN978-4-7653-1953-9

JCOPY ＜（社）出版者著作権管理機構 委託出版物＞
本書の無断複写は著作権法上での例外を除き禁じられています. 複写される場合は, そのつど事前に,（社）出版者著作権管理機構（電話 03-5244-5088, FAX 03-5244-5089, e-mail：info@jcopy.or.jp）の許諾を得てください.

●本書のコピー, スキャン, デジタル化等の無断複製は著作権法上での例外を除き禁じられています. 本書を代行業者等の第三者に依頼してスキャンやデジタル化することは, たとえ個人や家庭内の利用でも著作権法違反です.